目的別に探せて、
すぐに使えるアイデア集

Webデザイン 良質見本帳 第2版

＼待望の／

久保田涼子 著

SB Creative

Contact

本書に関するお問い合わせ

この度は小社書籍をご購入いただき誠にありがとうございます。小社では本書の内容に関するご質問を受け付けております。本書を読み進めていただきます中でご不明な箇所がございましたらお問い合わせください。なお、お問い合わせに関しましては下記のガイドラインを設けております。恐れ入りますが、ご質問の際は最初に下記ガイドラインをご確認ください。

■ご質問の前に

小社 Web サイトで「正誤表」をご確認ください。最新の正誤情報をサポートページに掲載しております。

本書サポートページ	https://isbn2.sbcr.jp/09092/

上記ページの「正誤情報」のリンクをクリックしてください。なお、正誤情報がない場合、リンクをクリックすることはできません。

■ご質問の際の注意点

・ご質問はメール、または郵便など、必ず文書にてお願いいたします。お電話では承っておりません。
・ご質問は本書の記述に関することのみとさせていただいております。従いまして、○○ページの○○行目というように記述箇所をはっきりお書き添えください。記述箇所が明記されていない場合、ご質問を承れないことがございます。
・小社出版物の著作権は著者に帰属いたします。従いまして、ご質問に関する回答も基本的に著者に確認の上回答いたしております。これに伴い返信は数日ないしそれ以上かかる場合がございます。あらかじめご了承ください。

ご質問送付先

ご質問については下記のいずれかの方法をご利用ください。

▶ Webページより

上記のサポートページ内にある「この商品に関する問い合わせはこちら」をクリックすると、メールフォームが開きます。要綱に従って質問内容を記入の上、送信ボタンを押してください。

▶ 郵送

郵送の場合は下記までお願いいたします。

〒105-0001　東京都港区虎ノ門2-2-1　SBクリエイティブ　読者サポート係

Introduction

イントロダクション

「クライアントと打ち合わせをする際に方向性を共有できる見本が欲しい」
「イメージはあるけど、何が必要で、どう作ればいいかわからない」
「デザインのアイデアが見つからない」

本書はそういった時にすぐに使えて役立つ見本集です。

2017年に出版した第1版は、多くの方々に手に取って頂き、40,000部を超えるベストセラーになりました。読者の皆さま、クリエイターの皆さまに、心からお礼申し上げます。一方で、刊行から4年半が経ち、Webデザインの見せ方やトレンドも変化しています。そのため、この度全面的に改訂することになりました。

たくさんの優れたデザインの実例を多角的に見て学ぶことは、次のアイデアを生み出す糧(かて)になります。この本では前作を上回る429点からなる厳選した良質なサイトの見本を集めました。本書ではWebデザインを「印象」「配色」「業種」「レイアウト・構図」「素材・フォント・プログラム」「トレンド」「パーツ」といった7方向から分析しています。実際の使い方を解説しているので、Webサイトを眺めるだけではわからなかった「魅力的なデザインの見せ方や使い方」に気づき、サイト制作にすぐに生かすことができます。

「透明感のあるデザインが作りたい」といった印象別のデザインから「レストラン・カフェサイトが作りたい」といった業種別のデザインまで、目的別に必要なデザインをすぐに探せるので、逆引き事典のようにも活用していただけます。
また、今回は「トレンドのデザイン」のページ数を増やし、今流行りのデザインや技術を丁寧に解説しました。この本を読めば、最新のデザインや技術も知ることができます。

本書を執筆するにあたり、講師として携わっているデジタルハリウッドSTUDIOの現役受講生の声を聞き、皆が「何を悩み」「何を知りたいのか」をヒアリングして、Webデザイナーの初心者が求める「こんな本があったらいいな」と思うものを形にしました。これからWebデザインを学ぶ人にも自信を持っておすすめできる内容になっています。

トレンドが目まぐるしく変わるWebデザインを追いかけていくには、数多くのサイトに触れて、デザインを様々な視点から見て、考察する力を育てていくことがとても重要です。
Webサイトに関わるあらゆる場面で、本書を役立てていただければ幸いです。

久保田涼子

Contents

PART 2 配色から考えるデザイン

PART 3 業種・ジャンル別から考えるデザイン

PART 6 トレンドのデザイン

PART 7 パーツ別デザイン

How to use this book

本書の使い方

本書は429点の厳選した良質なWebサイトを集めた見本集です。Webデザインに関わる人が困った時にすぐに使えるように、逆引きとしても使えるわかりやすい目次立てにまとめられています。優れた実例を見ることは、次のアイデアを生み出す糧になります。Webデザインの参考書に、クライアントとの打ち合わせのお供に、困った時にアイデア出しに、ぜひ活用してデザイン制作にお役立てください。

❶ テーマ

印象、配色、業種別などWebデザイナーやクライアントにとってわかりやすいデザインの切り口でテーマを分けています。目次で自分の知りたい項目を選び、目的のページを探し出して活用することができます。

❷ テーマのまとめ

このテーマのデザインを作るのに必要な情報を簡潔にまとめています。

❸ 本文

テーマに合わせたデザインを作るポイントを文章で解説しています。また、デザインのパーツや配色の数値、概念図などでわかりやすく伝える項目もあります。

PART6
02 グラスモーフィズム

◉ グラスモーフィズムの特徴

Webデザインのトレンドは、年々変化しています。

日常にある物の見た目や操作性を反映させた「スキューモーフィズム」。機能性を重視し、質感や立体感を取り除いた2次元のデザイン「フラットデザイン」。フラットデザインにスキューモーフィズムの概念を少し加え、触覚を加えた操作を意識した「マテリアルデザイン」。要素を押し出したり窪ませて見せる「ニューモーフィズム」。そして、近年ではすりガラスを通して覗いたようなぼかしが特長的な「グラスモーフィズム」がトレンドになってきています。

| スキューモーフィズム | ニューモーフィズム | フラットデザイン | グラスモーフィズム | マテリアルデザイン

01 鮮やかなグラデーションと組み合わせて透明感を出す

グラスモーフィズムをデザインに取り入れる際は、鮮やかなグラデーションの背景と組み合わせると、すりガラス状の透明感が際立ち、魅力的に見せることができます。

❶「SIRUP - cure - Playlist Site」は、ユニコーンカラーの明るいグラデーションの上に、透過させた白い三角錐のオブジェクトを配置して、透明度を高く見せています。

❷中央に浮いている3Dグラフィックスは、カーソルを合わせると回転します。

❸細いセリフ体のタイポグラフィが左右に移動し、周囲には、色とりどりの三角のパーティクルが宙を舞っています。

https://tote.design/cure/

ローディング画面は、100%になると、3Dグラフィックスが光彩を放ち「ENTER」のアクションを促します。

背景のグラデーションの色が変化すると、透過する三角錐の色も変わり、抜け感のあるクリアなデザインを作っています。

3Dグラフィックスや三角錐をクリックすると現れるアルバム紹介は、透過させたグラデーションの背景を使っています。

160

02 写真にすりガラス状の質感を持たせる

すりガラス状の質感は、従来のぼかし効果と比較すると大人っぽく落ち着いた印象を持たせることができます。

「ASUR」のサイトでは、画面が読み込まれた後の、写真が現れるアニメーション効果に、グラスモーフィズムを取り入れています。

ガラス越しに見える人肌が、ナチュラルで飾りすぎない美しさを表現しています。

https://asur.online/

03 広い面積にグラスモーフィズムを適用して、背景に表情を付ける

全画面を使ったグラスモーフィズムは、シンプルながらも表情を持たせたデザインを作ることができます。

「Léonard」のサイトは、四方を移動する円形グラデーションの上に、すりガラス状の効果を適用しています。

落ち着いた配色とあわさり、やわらかさと不思議さを兼ね備えた印象を作っています。

Agence Inventive

https://leonard.agency/

PART 6 | トレンドのデザイン

04 グローバルナビゲーションの背景に効果を適用する

「弥生焼酎醸造所」のサイトでは、コンテンツの背景やグローバルナビゲーションの背景にグラスモーフィズムを適用しています。

不透明度の調整だけだと得ることのできない質感が、焼酎を注ぐグラスを連想させ、パララックス(視差)で動く、氷や液体などの写真と相まって、サイト全体をクリアな印象に見せています。

COLUMN

グラスモーフィズムのジェネレーター

グラスモーフィズムの表現は、CSSで、backdrop-filter: blur(3px※); というプロパティを指定するだけで実現可能です。このプロパティは、2021年現在、主要なブラウザでサポートをされていますので、オンラインジェネレーターを活用しながら、効果を取り入れてみましょう。

Glassmorphism CSS Generator
不透明度などをバーで調整してコードをダウンロードできるジェネレーター
https://glassmorphism.com/

Glass Morphism
不透明度だけなく、背景画像も変更して見た目を確認することができるジェネレーター
https://glassgenerator.netlify.app/

161

❹ 項立て

テーマに合わせた内容のデザインを取り上げて解説しています。左ページではさらに詳細度を高め、3つの場所を切り取り、解説しています。

❺ URL

実際のWebサイトのURLが明記されています。気になったサイトはアクセスし、サイト上ではどのように見えるのか確認できます。

❻ 実例サイト

実際の見本を掲載しています。項目により囲みや線引きなどを追加し、わかりやすく解説しています。

❼ POINT／COLUMN

デザインのポイントや、知っておくと役立つ情報を簡潔にまとめています。

PART

0

—

Webデザインの基礎知識

Webデザインは「印象」と「機能」からできています。
誰のためのデザインなのかといったデザインの核となる内容から、Webサイトが完成するまでのワークフローやページ内で使われるデザインパーツまで、Webサイト全体に関わる基礎をまとめました。

PART 0 01

Webデザインの基礎知識

01 デザインってなんだろう？

“

Design is not just what it looks like and feels like. Design is how it works.

「デザインとは単にどのように見えるか、どのように感じるかということではない。どう機能するかだ」

スティーブ・ジョブズ

”

印象や機能をもって実用的に使われる「デザイン」と自己表現をメインとする「アート」は別物です。

幅広い年齢層の人たちに使われるサイトを目指すのであれば、ターゲットへのゴールを明確にして、ブランドイメージが伝わる機能性をもったWebデザインになるように心がけましょう。

デザイン
Design
・実用的なもの
・客観的
・人に情報や目的を伝える

アート
Art
・自己表現
・主観的
・万人に理解されなくても成り立つ

印象 × **機能** ＝ **Webデザイン**

見た目を魅力的に伝え、印象に残す

・色の組み合わせ
・写真加工
・タイポグラフィ
・飾りパーツなどの装飾

女性向け！華やかに！そんなデザインには

○

× Bridal Fair

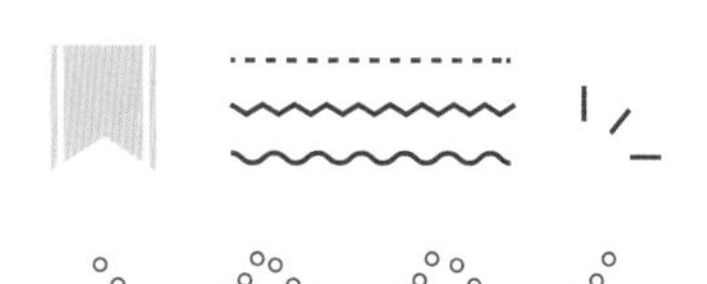

クールな印象の写真。

情報を整理し、わかりやすく伝える

・情報に優先度を付ける
・情報をグループ化する
・情報をわかりやすく配置する
・視線の流れのルールを知る

“使われる”ことを考える

・操作が直感的にわかるアニメーション
・使いやすく目的にたどり着きやすいレイアウトやナビゲーションなど

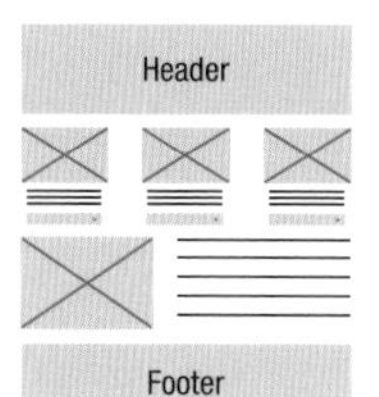

情報を整理し、ユーザーにわかりやすく伝えられるようにレイアウトを考える。

ユーザーの視線は左上からはじまり、右上、左下、右下とアルファベットの「Z」の形を表すように流れていく。

トレンドを知る

トレンドはハードやブラウザの進化に影響して移り変わります。今の技術でどんな表現ができるのかリサーチし続けることが大切です。

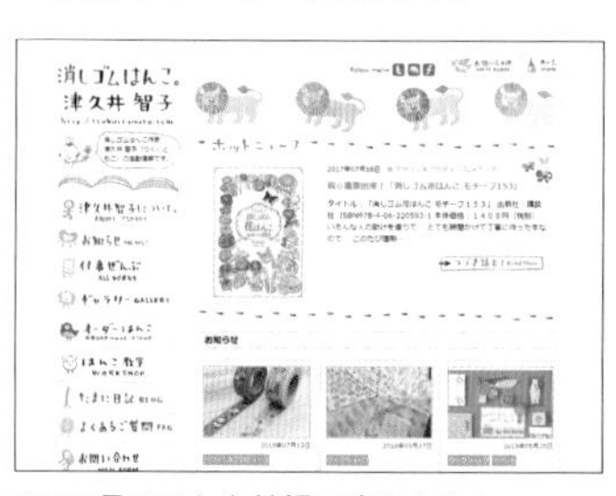

PCで見ることを前提に考えられた2カラムのWebデザイン。

デザインのトレンドは変わる

スマートフォンでも汎用性のある1カラムのデザイン。

02 Webデザイナーの役割

Webデザイナーは、クライアントがイメージするゴールを反映させたストーリーを作り、情報設計やデザイン、動きに落とし込んでターゲットユーザーに発信していきます。

実際にサイトを使用するユーザーの視点を忘れずに、客観的な視点を持って制作をしていくことが大切です。

発信

ターゲットユーザー
伝えたい人

ゴール
- 集客をしたい
- 資料請求をしてもらいたい
- 商品を購入してもらいたい

Webデザイナー
情報の整理・魅力的に見せる・使いやすくする

ターゲット
- 男性？女性？
- 年齢層は？
- 企業向け？消費者向け？

例：アーティストサイトのリニューアル

▶▶▶

印象
- 写真の扱いを大きく印象的にする
- 見出しと説明的な文章のフォント、大きさを変えてデザインにメリハリをつける
- どんな写真に変更してもなじむ無彩色をベースカラーにしてメインカラーにアースカラーの緑や茶色を採用する

機能
- 掲載内容をグループ化する
- ユーザーに一番訴求したいライブ情報をファーストビューの直下に配置する

03 紙デザインとWebデザインの違い

紙	Web
A4、B5など決められたサイズの中でレイアウトを行う ※全体的な見え方を考える	PC、スマートフォンなど様々な媒体で見られるため、サイズ、見え方は変化する ※全体＋ファーストビューの見せ方を考える
色：CMYK	色：RGB
距離単位：mm / 文字単位：pt 、級	距離単位：px / 文字単位：px、em、%、rem、vw、vh
タイポグラフィ、写真、配色、素材を組み合わせてデザインを行う	タイポグラフィ、写真、配色、素材、プログラムを組み合わせてデザインを行う
校正後、納品したら修正できない 物理的な厚みがある	**納品後から育てていくもの 運用を見越したデザインが必要！**

POINT　Webデザインが上達するコツ

- 本書やP.118で紹介するWebデザインの参考サイトを活用してたくさんのWebデザインを見る
- デザイン制作ソフトウェアの機能を使いこなす
- 良質なデザインのサイトを学習用として再現してみる
- 参考サイトを機能面と印象面の2つの視点で考察する
- 今のWebデザインのトレンドを知る
- タイポグラフィ、配色、レイアウトについて学ぶ
- 積極的に手を動かしてアウトプットする

PART 0 02

Webページの構成とワークフロー

01 基本的なWebページの構成

Webページは Photoshop などで作ったデザインを元に HTML (HyperText Markup Language) という言語で組み立てて制作します。HTMLはテキストにリンクを貼ったり、画像、動画、音声などを埋め込むことができます。また、文章に「これは見出しです」「これは段落です」といった意味付けをして、検索エンジンやブラウザにサイトの構造を伝えることもできます。

しかし、このままだとテキストが書かれているだけの見え方になってしまうので、CSS (Cascading Style Sheets) や、JavaScript といった言語でレイアウトや装飾、動きを調整してWebページを作っていきます。

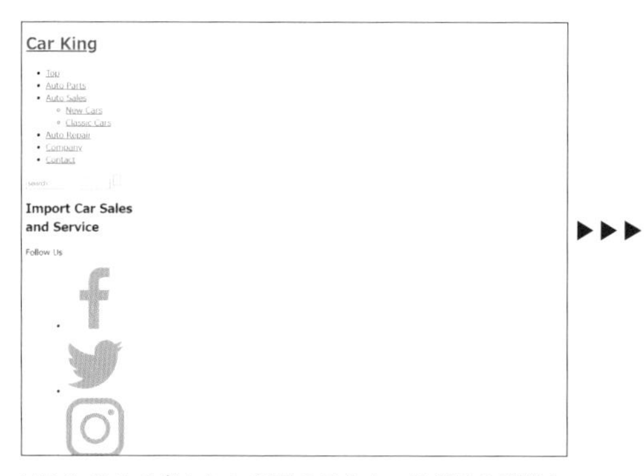

HTMLのみで書かれた画面の見え方。各項目の配置も整理されておらず、見えにくい。

CSSを使い装飾された画面の見え方。各項目が整理されており、配色も付けられていて見やすい。

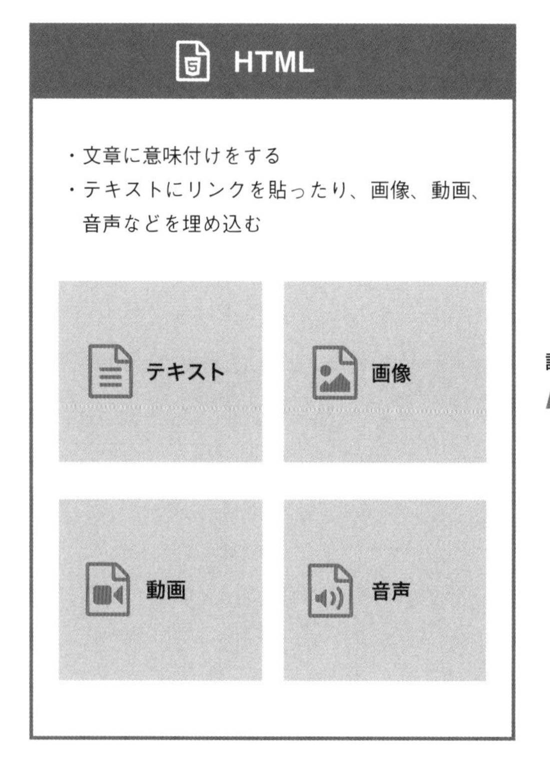

※現在のHTMLは「HTML Living Standard」で書いていくのが主流。

02 ワークフロー

下図は、一般的なWeb制作のワークフローをまとめたものです。ワークフローの中で大切なことは、発注者（クライアント）が目指すデザインのゴールをヒアリングの際にしっかり汲み取り、リリース後の運用面も考えたサイト設計をすることです。

特に画面の情報設計は、Webサイトの機能が決まる重要な工程です。デザインを先行させて、後から情報を入れ込むのではなく、情報設計の段階で掲載内容を整理して配置し、ユーザーの使いやすさと動線を考えた作りにしていきましょう。

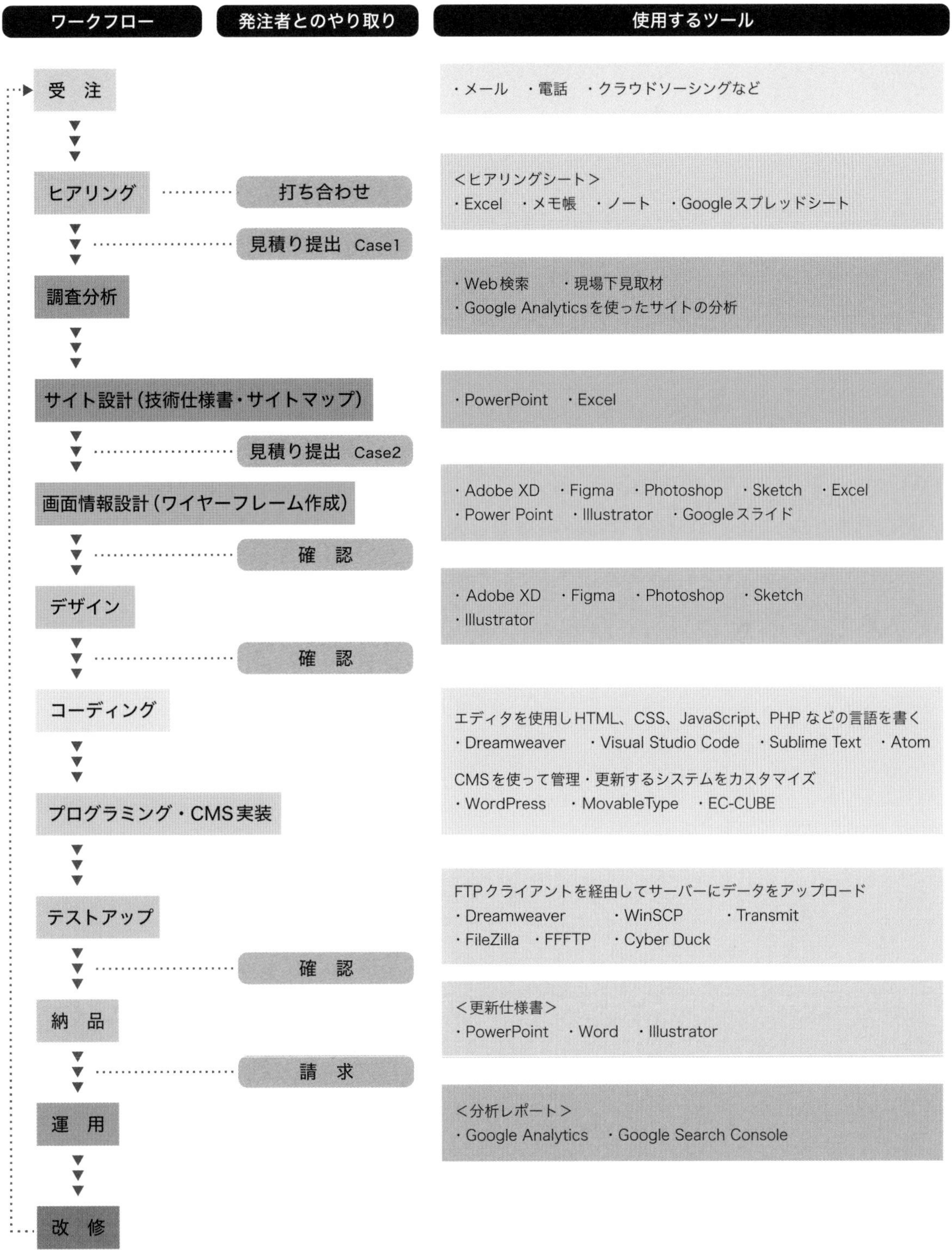

ワークフロー	発注者とのやり取り	使用するツール
受注		・メール ・電話 ・クラウドソーシングなど
ヒアリング	打ち合わせ	<ヒアリングシート> ・Excel ・メモ帳 ・ノート ・Googleスプレッドシート
▼	見積り提出 Case1	
調査分析		・Web検索 ・現場下見取材 ・Google Analyticsを使ったサイトの分析
サイト設計（技術仕様書・サイトマップ）		・PowerPoint ・Excel
▼	見積り提出 Case2	
画面情報設計（ワイヤーフレーム作成）		・Adobe XD ・Figma ・Photoshop ・Sketch ・Excel ・Power Point ・Illustrator ・Googleスライド
▼	確認	
デザイン		・Adobe XD ・Figma ・Photoshop ・Sketch ・Illustrator
▼	確認	
コーディング		エディタを使用しHTML、CSS、JavaScript、PHPなどの言語を書く ・Dreamweaver ・Visual Studio Code ・Sublime Text ・Atom
プログラミング・CMS実装		CMSを使って管理・更新するシステムをカスタマイズ ・WordPress ・MovableType ・EC-CUBE
テストアップ		FTPクライアントを経由してサーバーにデータをアップロード ・Dreamweaver ・WinSCP ・Transmit ・FileZilla ・FFFTP ・Cyber Duck
▼	確認	
納品		<更新仕様書> ・PowerPoint ・Word ・Illustrator
▼	請求	
運用		<分析レポート> ・Google Analytics ・Google Search Console
改修（→受注へ戻る）		

PART 03

Webページに入るデザインパーツ

01 Web ページの基本的な構造

Webページは、ロゴなどが入る「ヘッダー」、サイト内のページにリンクする「グローバルナビゲーション」、主要なコンテンツが入る「メインカラム」、コピーライト表記やページトップリンクなどが入る「フッター」などに分かれています。

それぞれのエリアの中に、「機能」や「情報伝達のパーツ」が配置されています。

トップページの構成例

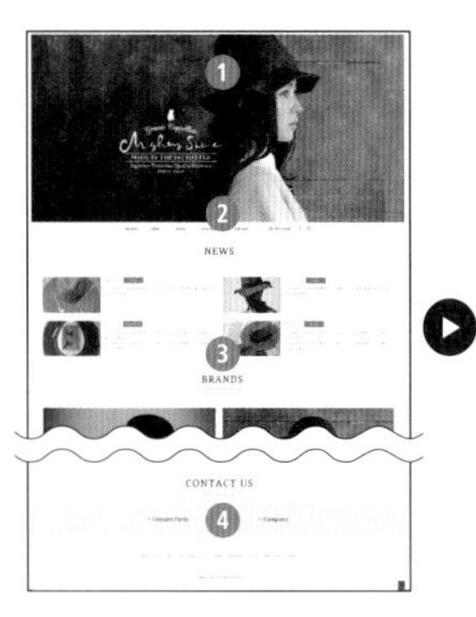

下層ページの構成例

http://thefathatter.com

02 レイアウトの 4 つの法則 (詳しくは P.136 の COLUMN 参照)

・近接　・整列　・反復　・コントラスト

03 人の視線の流れ (Z 型の法則、F 型の法則)

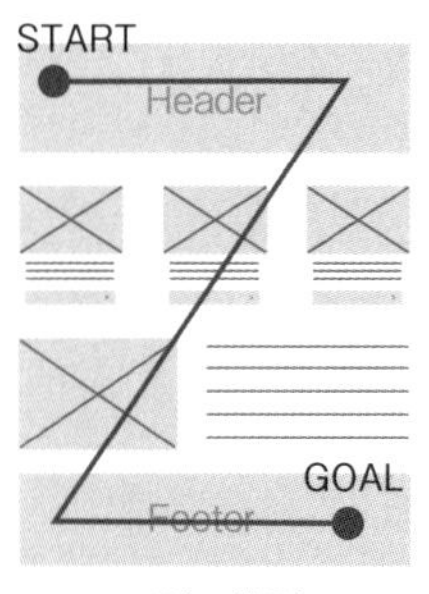

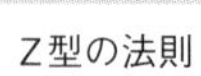

Z型の法則

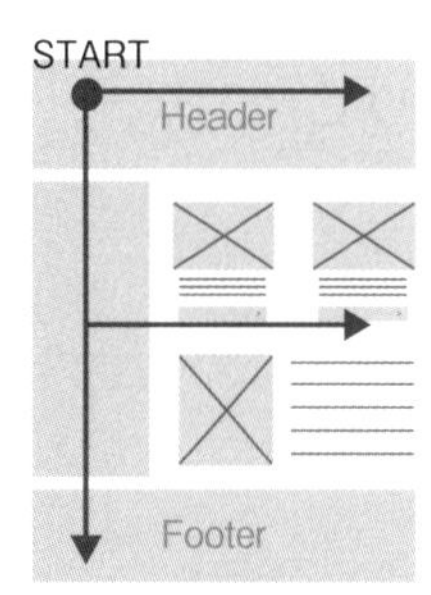

F型の法則

人はサイトを見る時にZやFの形に沿って見ていくと言われています。この流れに沿って訴求したい要素を配置すると効果的にユーザーに掲載内容を伝えることができます。

Z型の法則は、初めてアクセスしたサイトで全体を見る時のパターンです。視線が左上から右上へ流れた後、左下から右下へ流れます。

F型の法則は、具体的な情報を得るために内容を読む時に見られるパターンです。視線が左から右へ流れた後、次は元の開始位置より少し下からはじめます。以降それをページの最後まで繰り返します。

COLUMN　Web サイトを表示するブラウザの話

Webブラウザとは、Webサイトを閲覧する際に使用するソフトウェアのことを指します。

ブラウザにも種類があり、日本ではPCの場合Google Chrome、Microsoft Edge、Safari、Firefoxの順に、モバイルの場合はSafari、Google Chrome、Samsung Internet Browserの順に利用されています※。Webサイトは、ブラウザ側のコードの解釈や実装されている機能、バージョンによって表示が変わることがあります。

サイトを制作したら複数のブラウザで思い通りのレイアウトになっているか、動きやアニメーションが正しく機能するかを必ずチェックしましょう。

Google Chrome

Microsoft Edge

Safari

Mozilla Firefox

※StatCounter Global Stats 2021年3月統計

04 Webページの基本的な構造

ヘッダー

●ロゴ

●検索窓

●ソーシャルアイコン

グローバルナビゲーション

ホーム　会社概要　サービス紹介　お問い合わせ

メインカラム

●メインビジュアル

●画像

●動画

●ギャラリー / スライドショー

●テキスト（文字）

Webデザインは見た目の印象だけではなく機能も考えてデザインしなければいけません。デザインの前段階の情報設計がとても大切になります。

●見出し

Service
サービス

●グラフ

●Googleマップ

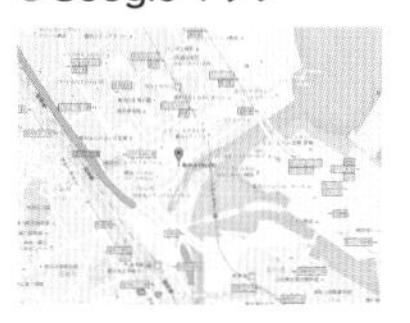

●タブメニュー

TAB TAB TAB

●アコーディオンパネル

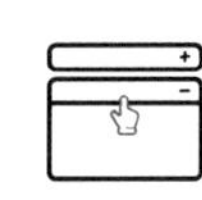

●フォーム

会社名	
部署名	
ご担当者名	

●テーブル

上映時間	1時間20分
言語	日本語 / 英語
対象年齢	15歳以上

●リスト

1. Webデザインについて
2. デザインがうまくなるコツ
3. 今年のトレンド

●バナー

20%OFF SALE

●パンくずリスト

ホーム > お問い合わせ

●ボタンリンク

オンライン予約をする >

●ローディング

●ページャー

●区切り線

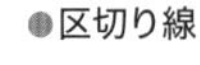

フッター

●コピーライト

copyright © coco-factory

●テキストリンク

UI UX について

●ページトップリンク

PART 0
04

Webサイトで扱う画像

01 Webサイトで扱う画像の形式

画像は視覚的に情報やイメージを伝えてくれるパーツです。Webサイトで主に取り扱う画像には、ビットマップデータ形式のJPEG、PNG、GIFと、次世代フォーマットのWebP、ベクターデータ形式のSVGがあります。それぞれの形式の特徴と、適した使い方をまとめました。

ビットマップデータ形式

・ピクセルの概念で正方形の点が集合したもの
・拡大すると見た目が粗くなる
・写真のように微妙な色合いやグラデーションを表現する際に向いている

PNGやWebPは透過ができる

ビットマップデータ形式の画像の種類

JPEG **色数の多い写真に最適**

長所
・圧縮率を指定できる
・PNGと比べてサイズが軽い

短所
・画質を一度下げると元に戻せない
・上書き保存を繰り返すと画質が落ちる

GIF **ロゴ、アイコン、図形、アニメーションをさせたい画像に最適**

長所
・サイズが軽い
・透過が可能
・アニメーションを設定できる

短所
・256色までしか表現できない
・高精細ディスプレイで閲覧した際に劣化しやすい

PNG **色数の多い写真や、透過をさせたい画像に最適**

長所
・透過が可能
・アニメーションを設定できる
・GIFのように256色で表現するPNG-8とフルカラーで表現するPNG-24がある

短所
・JPEGと比べてサイズが重い

WebP **色数の多い写真や、透過をさせたい画像に最適**

長所
・透過が可能
・アニメーションを設定できる
・同質のPNGやJPGと比較してファイルサイズが軽い

短所
・2021年現在、全てのブラウザ表示に対応していない

ベクターデータ形式

・点の座標や結ぶ線などの数式データで描かれているもの
・拡大しても見た目がきれいなまま
・線や面を扱うイラストやアイコン、テキストを表現する際に向いている

ベクターデータ形式の画像の種類

SVG **ロゴ、アイコン、図形、アニメーションをさせたい画像に最適**

長所
・アニメーションを設定できる
・拡大しても荒くならないので高精細ディスプレイ対応に向いている

短所
・複雑な形状だとサイズが重くなる

ROOT

Web T → WebD e → Web Design

02 解像度とカラーモード

解像度は、1インチあたりに入っている点の数（密度）を表しています。Webサイト用の画像の解像度は72dpiでカラーモードはRGBカラーです。一方、印刷用の解像度は300dpi以上でカラーモードはCMYKカラー、グレースケール、モノクロ2階調のいずれかになります。

CMYKカラーの画像をWebサイトで表示させたり、RGBカラーの画像を印刷すると画像の色が変わって見えることがあります。

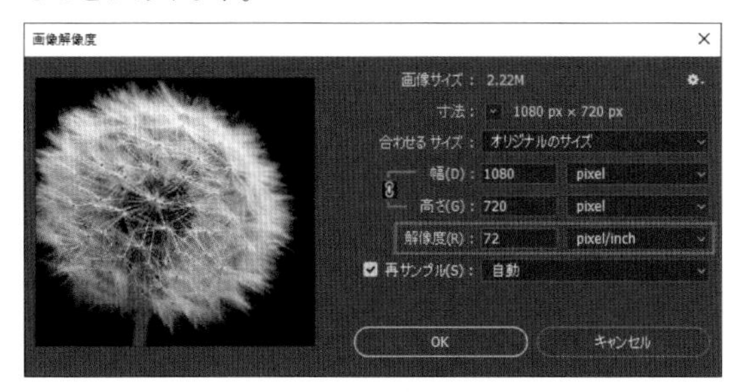

Photoshopの「イメージ」→「画像解像度」で解像度の確認と変更ができます。

RGB 72dpi　　CMYK 300dpi

左がWeb用に72dpiで書き出した画像。右が印刷用に300dpiで書き出した画像。画像の粗さが変わることに注意。

Photoshopの「イメージ」→「モード」からカラーモードの確認と変更ができます。

03 モニターサイズから考える画像の横幅

画像をPCのデスクトップ横幅いっぱいに表示させたい場合、書き出すサイズは現在普及しているモニターサイズを目安にします。左図はStartCounterが出している日本国内のモニターシェア統計です。2021年3月の時点で一番多いのがフルHDサイズの1920px × 1080px、そしてHDサイズの1366px × 768pxと続いています。この数値から考えると、フルサイズで表示させたい画像は最大1366px以上で切り出せば、多くの環境できれいに表示させることができます。

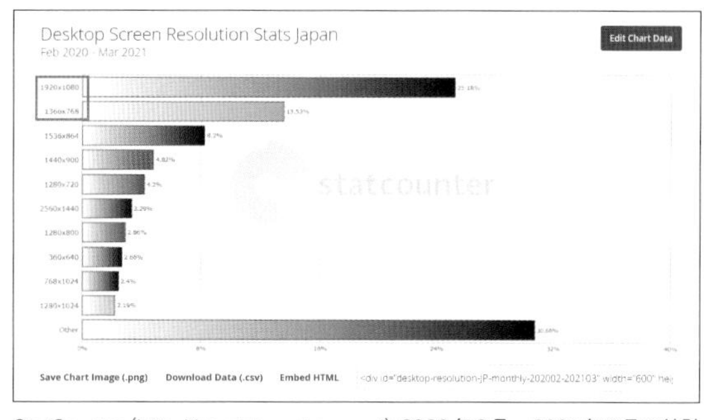

StatCounter (http://gs.statcounter.com/) 2020年2月～2021年3月の統計

POINT　PNGとJPEGどちらで書き出す？

ページ内の写真をなるべく劣化させずに表示させたい場合、PNGとJPEGのどちらで書き出したらよいでしょうか。

近年はPNG形式での書き出しが増えてきましたが、スライドショーのような大きな画像をページ内に複数配置する場合は注意が必要です。右の画面は、横幅1920pxの写真をPhotoshopを使いJPEG形式（画質80）とPNG形式で書き出した時のサイズを比較したものです。

左のJPEGは約859KB、右のPNGは約3.8MBで、およそ4倍容量が違います。サイズが大きな画像は、ページの表示速度にも影響してきますので、必要に応じて圧縮率が高いJPEGと使い分けて利用しましょう。また、オンライン画像圧縮サービスを利用してサイズを落としてもよいでしょう。

JPEG
858.8K
156 秒 @ 56.6 Kbps

【オンライン画像圧縮サービス】

- **Squoosh** (https://squoosh.app/)
- **TinyPNG** (https://tinypng.com/)
- **iLoveIMG** (https://www.iloveimg.com/compress-image)

【WordPress画像圧縮プラグイン】

- **EWWW Image Optimizer**
  (https://ja.wordpress.org/plugins/ewww-image-optimizer/)

PART 05

Webデザインとタイポグラフィ

01 美しく読みやすいサイトを作る

コンセプトに適した書体を選択したり、文字のサイズや行間、太さを変化させてユーザーにわかりやすく情報を伝えることはとても大切です。

紙の印刷物を扱うエディトリアルデザインでは当たり前に取り入れられているタイポグラフィですが、Webデザインにおいても使用できます。例えばWebフォントなどをポイントを押さえて使うと、視認性や可読性の高さにつながり、美しく読みやすいサイトになります。

フォントの基本

フォントは和文と欧文に分けられます。明朝体やセリフ体は線の幅に変化があり、うろこやセリフと呼ばれる飾りがあります。飾りがなく、線の幅が一定のフォントをゴシック体、サンセリフ体と言います。

02 フォントの種類を知る

和文フォントは、大きく分けて行書体、明朝体、ゴシック体、手書きに分けられます。
欧文フォントは、スクリプト体、セリフ体、サンセリフ体、手書きに分けられます。

POINT

手書き文字を含む江戸書体やポップ体などの特殊な装飾の書体は、種類が豊富にあります。これらの書体はタイトルなどのデザイン性を重視する場所に使うとよいでしょう。可読性を考慮して本文全体には使わないようにしましょう。

03 フォントの印象を知り、コンセプトに合った書体を選ぶ

フォントの印象を知り、サイトの使用目的に合わせた適切なフォントを選択すると、ブランドの共感度が上がり効果的に見せることができます。下図では、フォントの印象を世代・性別・印象で図にまとめています。

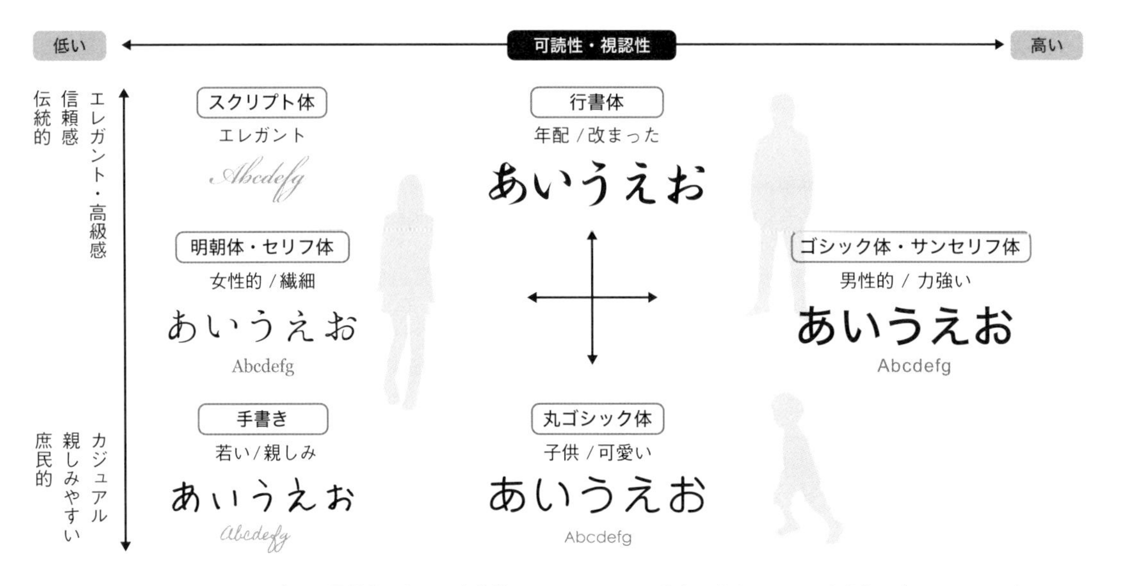

※フォントが太いと男性的、細いと女性的といったように、文字の太さによっても印象は変わってきます。

04 行間を調整して文章を読みやすくする

複数行に渡って読ませる文章では行間が大切になります。CSSのline-heightを使って調整しましょう。

文字サイズやフォントによっても左右されますが、欧文だと120%〜、日本語だと150%〜200%程行間を空けると読みやすくなると言われています。また、アクセシビリティのガイドラインでは1行内の文字は、全角の場合40字以内を推奨しています。

Before

夕凪の静かな川に、淡い
雲が浮かぶ。街が赤くゆ
らり染まる8月の夕べ。
傷跡が残る景色を包み込
むような歌が、どこかの

After

夕凪の静かな川に、淡い
雲が浮かぶ。街が赤くゆ
らり染まる8月の夕べ。
傷跡が残る景色を包み込

05 フォントサイズにメリハリを付けて文章にコントラストを作る

ユーザーは、斜め読みや読み飛ばしをしてサイトの内容を把握します。見出しと本文にはメリハリを付けて文章の文字にコントラストを作りましょう。

一般的な本文のフォントサイズは14px〜16pxが多く、見出しは2倍以上のサイズを設定し、文字の太さでも差別化をするとわかりやすい見え方になります。

Before

8月の夕べ
夕凪の静かな川に、淡い
雲が浮かぶ。街が赤くゆ
らり染まる8月の夕べ。

After

8月の夕べ
夕凪の静かな川に、淡い
雲が浮かぶ。街が赤くゆ
らり染まる8月の夕べ。

06 字間を調整して印象を変化させる

CSSのletter-spacingを設定すると字間が調整できます。字間をつめると緊張感が生まれ、反対に空けるとゆったりとした印象になります。

letter-spacingは、letter-spacing: 0.05em;のように単位をemで設定しているサイトも多くあります。

Before

夕凪の静かな川に、淡い
雲が浮かぶ。街が赤くゆ
らり染まる8月の夕べ。
傷跡が残る景色を包み込

After

夕 凪 の 静 か な 川 に 、
淡 い 雲 が 浮 か ぶ 。 街
が 赤 く ゆ ら り 染 ま る
8 月 の 夕 べ 。 傷 跡 が

07 均等配置をして文章の両端を揃える

雑誌のように文章の両端が揃った見せ方(均等配置)をしたい場合は、CSSで、text-align: justify;とtext-justify:inter-ideograph;を組み合わせると実現できます。

Before

夕凪の静かな川に、淡い
雲が浮かぶ。街が赤くゆ
らり染まる8月の夕べ。
傷跡が残る景色を包み込

After

夕凪の静かな川に、淡い
雲が浮かぶ。街が赤くゆ
らり染まる8月の夕べ。
傷跡が残る景色を包み込

08 長文は左寄せにする

長文は、文字の頭を揃えて左寄せにすると可読性が上がります。レスポンシブWebデザインの場合、デスクトップでは中央寄せ、画面の狭いスマートフォンでは左寄せに変更して、文章の折り返しを目立たなくすることもあります。

Before

夕凪の静かな川に、淡い
雲が浮かぶ。
街が赤くゆらり染まる8
月の夕べ。

After

夕凪の静かな川に、淡い
雲が浮かぶ。
街が赤くゆらり染まる8
月の夕べ。

COLUMN デザインで使える小技

●助詞や単位はフォントサイズをひとまわり小さくする

Before
揺れる花と踊る風
100円

After
揺れる花と踊る風
100円

●括弧を細いフォントにする

Before 「秋」 After 「秋」

●文字を変形・移動させる

Before 揺れる花 After 揺れる花

PART0
06 色彩の基礎知識

01 光の三原色と色料の三原色

Webで使われるパソコンやスマートフォンのディスプレイは、Red、Blue、Greenの「光の三原色」で構成されています。色の混色につれて明るくなり、全て重なると白色になります。この方法を加法混色と呼びます。CSSで色を設定する場合は、RGBの順番に0～fまでを16進数で指定するか、RGBの数値をカンマで区切って指定します。

(例) ■ 赤色を設定する場合

・16進数→#ff0000　　・rgba (255,0,0,0.5)

※aは透明度を表す (0で完全に透明、1で不透明)

また、印刷などで使う色の混色はC：シアン、M：マゼンダ、Y：イエローの「色料の三原色」で構成され、色を重ねると黒くなっていく減法混色です。抜けのよい黒を作るため、印刷ではKを追加し、CMYKと表されます。

光の三原色

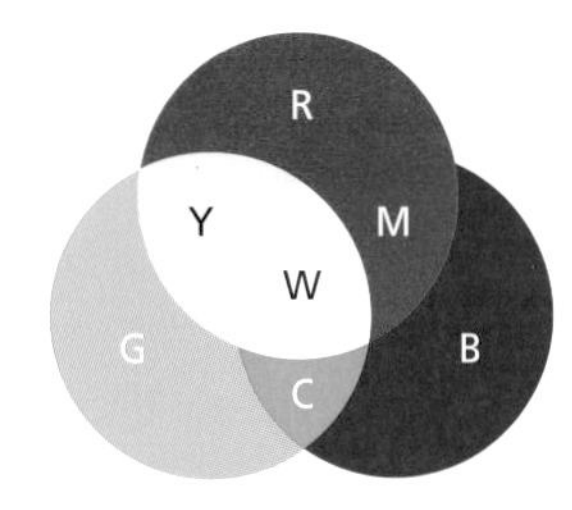

RGB＝加法混色

色料の三原色

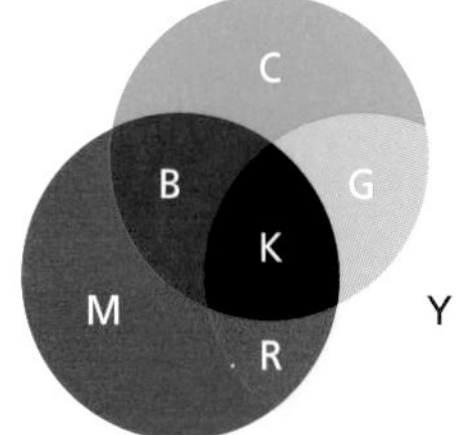

CMYK＝減法混色

02 色の三属性とトーン

人間は「色相」「明度」「彩度」の三属性から色を認識すると言われています。色相は色の種類、明度は色の明るさの度合い、彩度は色の鮮やかさの度合いです。色みのない白、灰色、黒を「無彩色」と呼び、赤、青、緑のような色みのある色を「有彩色」と呼びます。

明度と彩度を組み合わせた色の概念のことを「トーン」と言います (右ページ参照)。

色相 (H：Hue)

明度 (L：Lightness)

低←　→高

色の明るさ

彩度 (S：Saturation)

低←　→高

色の鮮やかさ

03 Webセーフカラー

Webで使用する色は、ユーザーのモニターによって少しずつ異なります。特に薄い色は、制作者が意図しない見え方になることがあるので注意が必要です。

Webセーフカラーは216色あり、どのモニターで見ても印象が変わりにくい色で構成されています。

デザインの際に必ず取り入れなければいけないというわけではありませんが、特にモノクロの表現や、色の区別をはっきり付けたい時に参考にするとよいでしょう。

Webセーフカラー

#FFFFFF　#CCCCCC

#000000

#FF3300

#FF9900　#FFFF00

#33FF00

#339900

#0066FF

#66CCFF

#CC00FF

#FF3399

04 利用者視点に立った配色

色覚異常は日本人の場合、男性では20人に1人、女性では500人に1人の割合で発症していると言われています。

誰にでもストレスなく見やすいサイトは、色覚異常に配慮した配色や、色だけに頼らないデザインを心掛ける必要があります。

POINT　色覚タイプ

C型：赤・緑・青を感じる錐体が揃っている一般型
P型：赤色を感じる錐体が無いか感度がずれている
D型：緑色を感じる錐体が無いか感度がずれている※
T型：青色を感じる錐体が無いか感度がずれている

※先天性色覚障がいで最も多い。

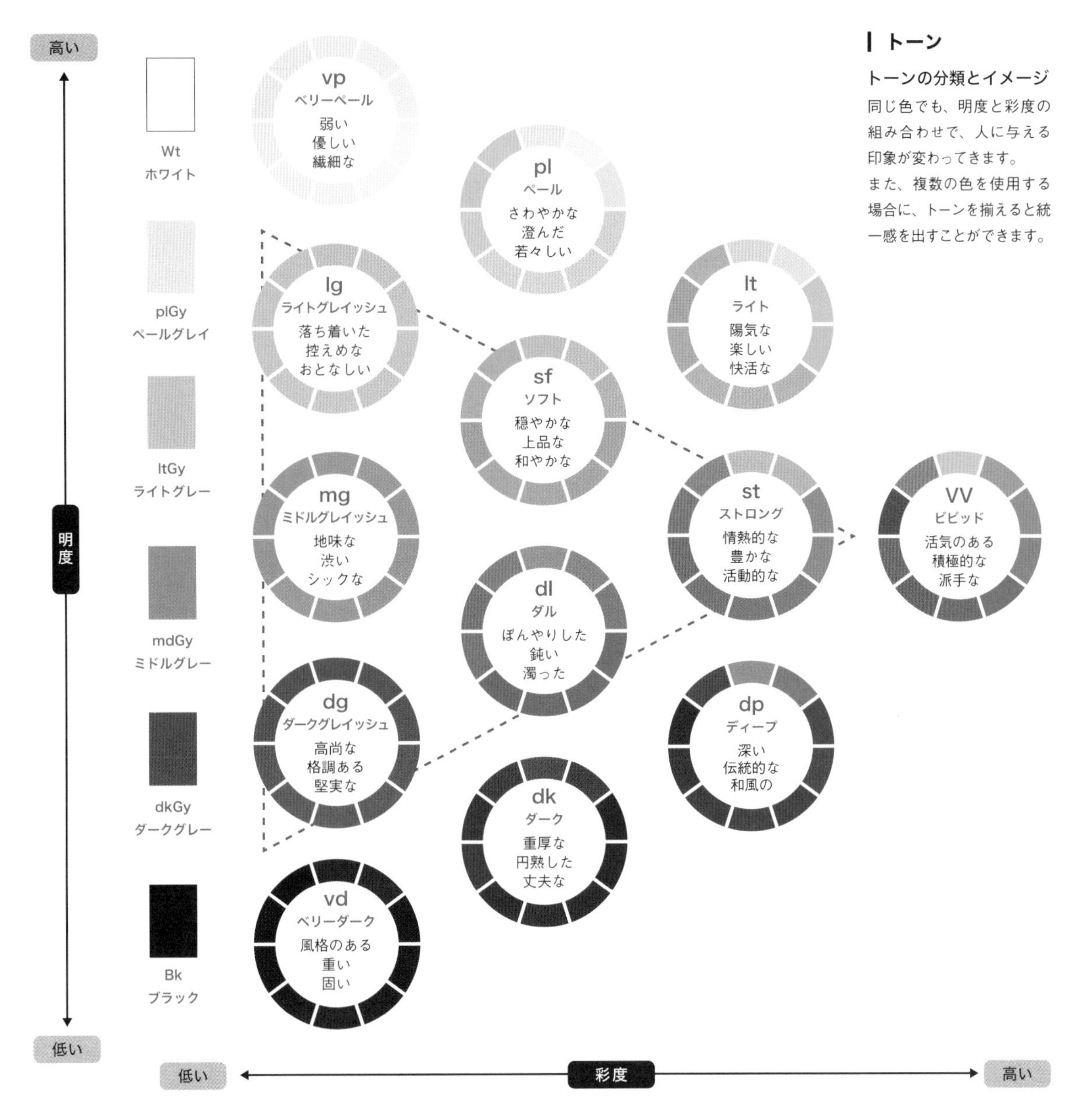

トーン

トーンの分類とイメージ

同じ色でも、明度と彩度の組み合わせで、人に与える印象が変わってきます。
また、複数の色を使用する場合に、トーンを揃えると統一感を出すことができます。

COLUMN 色相環から見た補色を写真の色調補正に生かす

RGBを十二色相環に置き換えて見ていくと、イエロー（Y）の反対にはバイオレット（V）やブルー（B）があります。この反対にある色を「補色」と言い、関係性を理解することで写真の色調補正にも生かすことができます。

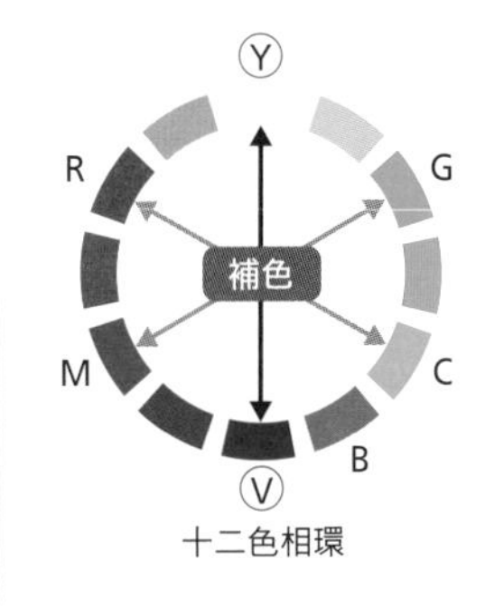

十二色相環

補正前（黄みがかった写真）

補正後

黄みがかった画像を補正する場合は、Photoshopの「トーンカーブ」でチャンネルを黄色の補色に近い「ブルー」を選択し、出力を上げることで黄色の色かぶりを解消することができる。

05 色の持つイメージ

色にはそれぞれイメージがあり、そのイメージは個人の経験や、国や文化によって変化します。

企業のロゴマークなどに利用される色はコーポレートアイデンティティカラーと呼ばれ、企業イメージや事業姿勢のアピールに活用されています。ターゲットに合わせた色使いはマーケティングにもつながります。

Joe Hallockの性別による色の好みの研究では、男女共に青色が一番好まれ、男性は大胆でトーンが暗い色、女性は柔らかでトーンが明るい色を好むことが明らかにされています。

以下は、一般的な色のイメージと色を使うのに適したサイト例を紹介しています。

赤 Red
- ポジティブイメージ：情熱、愛情、勝利、積極的、衝動
- ネガティブイメージ：危険、怒り、争い
- 適したサイト：飲食、キャンペーンetc

黄 Yellow
- ポジティブイメージ：明るい、活発、幸福、躍動、希望
- ネガティブイメージ：臆病、裏切り、警告
- 適したサイト：食品、スポーツetc

桃 Pink
- ポジティブイメージ：可愛い、ロマンス、若い
- ネガティブイメージ：幼稚、繊細、弱い
- 適したサイト：ブライダル、女性向けのサイトetc

橙 Orange
- ポジティブイメージ：親しみ、陽気、家庭、自由
- ネガティブイメージ：わがまま、騒々しい、軽薄
- 適したサイト：コミュニティ、飲食、キッズetc

紫 Purple
- ポジティブイメージ：高級、神秘、上品、優雅、伝統
- ネガティブイメージ：不安、嫉妬、孤独
- 適したサイト：ファッション、ジュエリー、占いetc

茶 Brown
- ポジティブイメージ：ぬくもり、自然、安心、堅実、伝統
- ネガティブイメージ：地味、頑固、汚い
- 適したサイト：ホテル・旅館、インテリア、クラシック・レトロなサイトetc

青 Blue
- ポジティブイメージ：知性、冷静、誠実、清潔
- ネガティブイメージ：さみしさ、冷たい、悲しみ、臆病
- 適したサイト：コーポレート、医療、化学etc

白 White
- ポジティブイメージ：祝福、純粋、清潔、無垢
- ネガティブイメージ：空虚、殺風景な、冷たい
- 適したサイト：医療、ニュース、EC、美容、コーポレートetc

緑 Green
- ポジティブイメージ：自然、平和、リラックス、若さ、エコ
- ネガティブイメージ：保守的、未熟
- 適したサイト：アウトドア、飲食etc

灰 Gray
- ポジティブイメージ：実用的、穏やか、控えめ
- ネガティブイメージ：あいまい、疑惑、不正、無気力
- 適したサイト：工業、家電、ファッションetc

黄緑 Yellow green
- ポジティブイメージ：フレッシュ、ナチュラル、若々しい、新しい
- ネガティブイメージ：未熟、子供っぽい
- 適したサイト：新生活、新年度、先進的なサイトetc

黒 Black
- ポジティブイメージ：高級、エレガント、洗練、一流、威厳
- ネガティブイメージ：恐怖、不安、絶望
- 適したサイト：車、ジュエリー、ファッションetc

COLUMN 配色の参考サイト

配色に迷ったら、色を提案・抽出をしてくれる参考サイトがおすすめです。

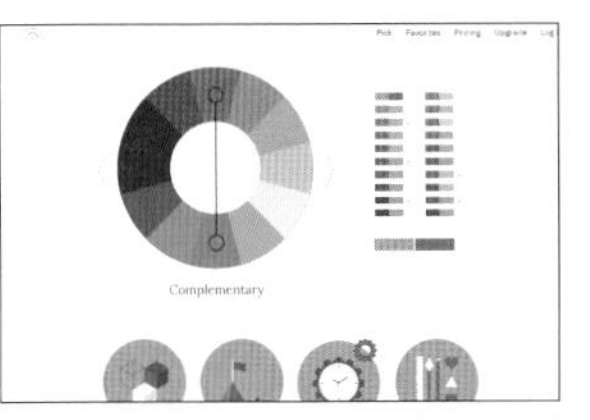

https://colorsupplyyy.com/

The super fast color schemes generator!

https://coolors.co/
https://coolors.co/palettes/trending

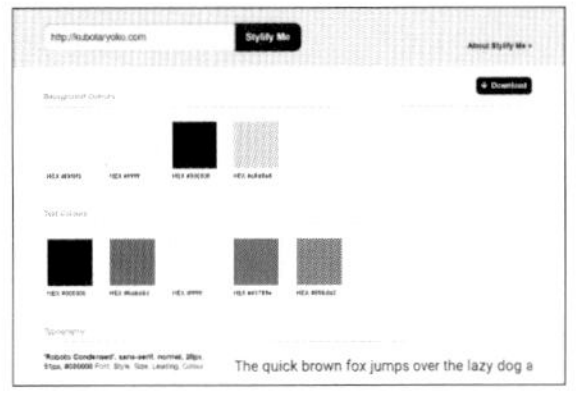

http://stylifyme.com/

● Color Supply

カラーチャートのバーを動かしたり、左右の矢印を押していくと配色を提案してくれるサイトです。

● Coolors

画像を取り込んで配色を提案してくれたり、ランダム・トレンドの配色が見れるサイトです。

● Stylify Me

URLを入力すると指定したサイトで使用されている色を抽出してくれるサイトです。

COLUMN 色覚異常の人にはどう見えるかを確認するツール

病院や行政・サービスのサイトなど、幅広いターゲットに向けた業種の場合は、デザインが色覚異常の人にどう見えるのかツールを使って確認しましょう。

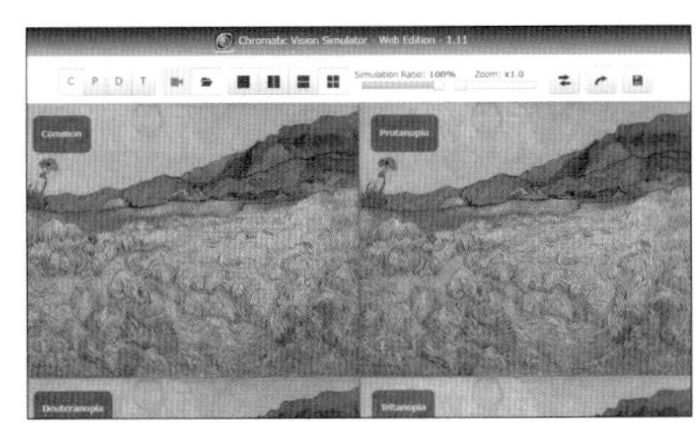

http://asada.tukusi.ne.jp/webCVS/

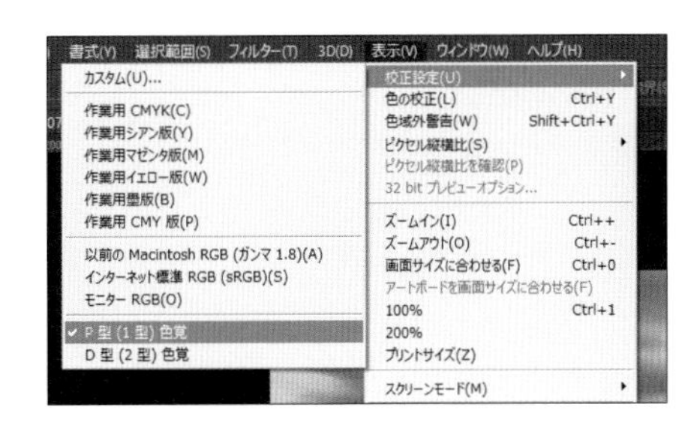

● Chromatic Vision Simulator

フォルダマークの「File Mode」から検証したい画像を選んでC型・P型・D型・T型・の色覚タイプから見た色みをシュミレートします。

● Photoshopの機能を使う

Photoshop CS4以降から導入された機能です。
「表示」→「校正設定」からP型と、D型の人の見え方を設定し、「色の校正」（ctrl（⌘）+Yキー）でシミュレートします。

COLUMN 色のイメージをキャッチコピーやボタンに反映する

暖色系は進出色で勢いのあるイメージで、寒色系は後退色で冷静なイメージです。
言葉の意味がより伝わるように色を使い分け、キャッチコピーやボタンに反映させていきましょう。

成長できる職場！ 60%OFF ›

暖色系は進出色で勢いがあり、言葉の意味がより伝わる。

成長できる職場！ 60%OFF ›

寒色系は後退色で冷静なイメージがあり、この例には合わない。

PART 07

配色の基礎知識

01 色から考える配色

調和の取れた色の組み合わせは、色相環を規則的に分割することで作ることができます。

理論上は、色相環上で向かい合う2色、等間隔に三角形を形成する3色、長方形を形成する4色を使えば、調和の取れた色の組み合わせになると言われています。色相から考える配色例をいくつかご紹介します。

色相環での色の扱い

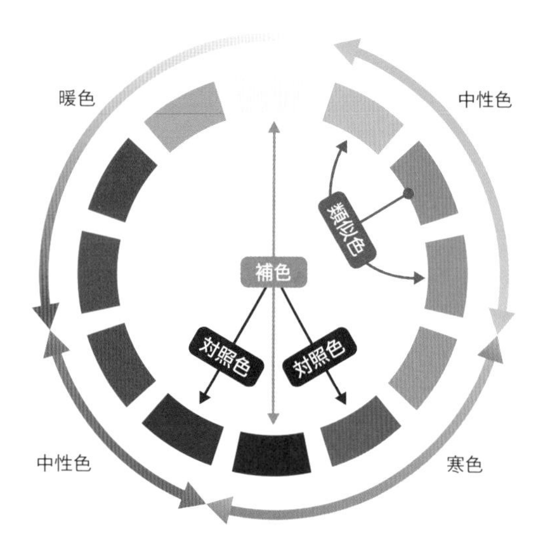

- 類似色…色相環上で近い位置にある色同士のこと。自然に調和しやすい。
- 補　色…色相環上で180度正反対にある色同士のこと。
- 対照色…補色と隣り合わせか近い位置にある色のこと。
- 暖　色…温かみのある色。気持ちを高ぶらせる興奮色。寒色よりも目が行きやすい。膨張色であり、色が前に出てくるように見える進出色。
- 寒　色…寒い感じを与える色。気持ちを落ち着かせる沈静色。収縮色であり、色が後ろに後退しているように見える後退色。
- 中性色…暖色、寒色のどちらにも属さない中間の色。

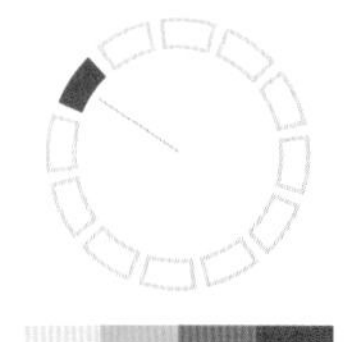

同一色相配色
(モノクロマティック)

色相環で1色だけを選択して、明度と彩度を変える方法。統一感のあるシンプルな演出ができます。

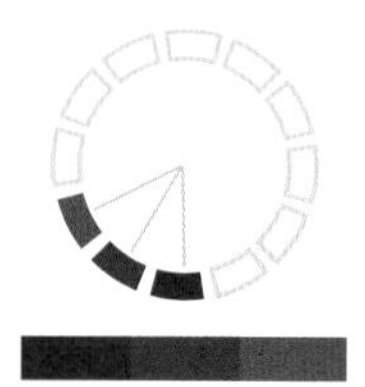

類似色相配色
(アナログ)

色相環で連続した近い3色を組み合わせる方法。色みが近いので、まとまりやすく失敗が少ない配色です。

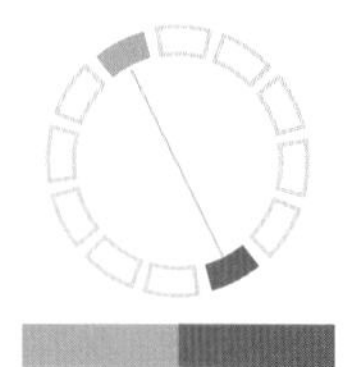

補色色相配色
(ダイアード)

色相環で正反対の補色の関係にある色を組み合わせる方法。コントラストがはっきりするので、アクセントカラーを選ぶ時に参考になる配色です。

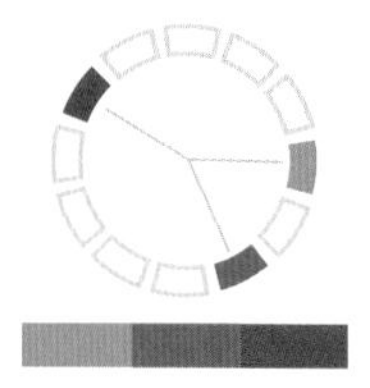

分裂補色配色
(スプリットコンプリメンタリー)

色相環で補色の関係にある片側の色相の両隣の色相を用いた3色の配色。全体の調和が取りやすい配色です。

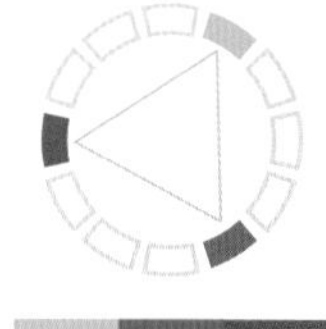

3色配色
(トライアド)

色相環で正三角形に結んだ各頂点の色で組み合わせる方法。変化に富み、強いインパクトを与えながらも調和の取れた配色になります。

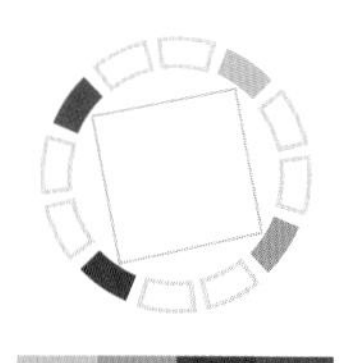

4色配色
(テトラード)

色相環を4等分した位置にある色で組み合わせる方法。補色関係にある2組の色を組み合わせているのでにぎやかな印象になります。

02 トーンから考える配色

色相に彩度と明度が加わったトーンから考える配色例をご紹介します。

トーン

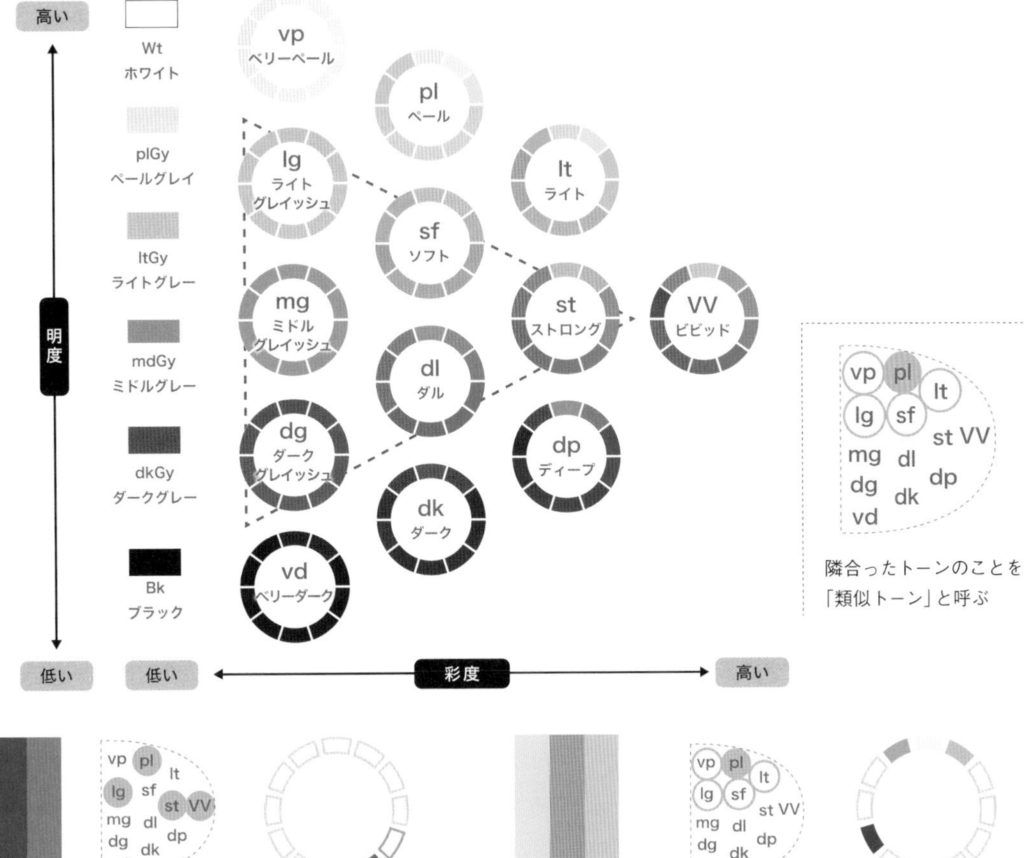

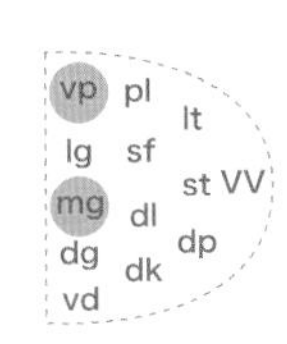

ドミナント・カラー配色

トーンを3つ以上組み合わせて、色相が同一（類似色も可）で構成された配色。色が持っているイメージを打ち出しやすい。

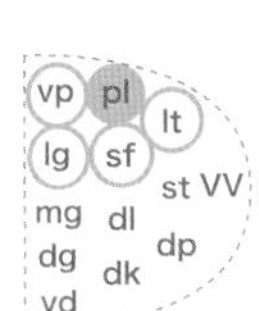
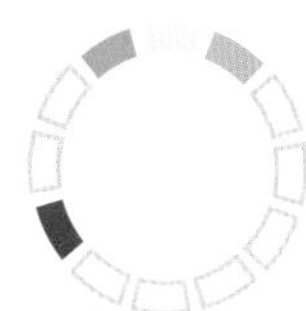

ドミナント・トーン配色

トーンは同一（類似トーンも可）で、色相を3つ以上組み合わせた配色。トーンが持っているイメージを打ち出しやすい。

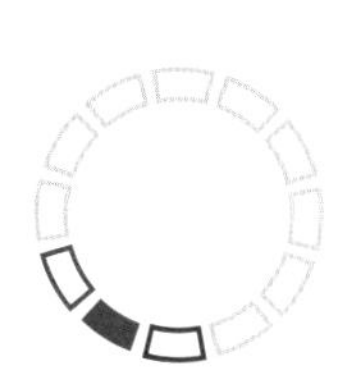

トーン・オン・トーン配色

大きく明度差を取ったトーンを組み合わせて、色相が同一（類似色も可）で構成された配色。統一感を持ちつつ明快さを出したい時に使う。 ※ドミナント・カラー配色の一種。

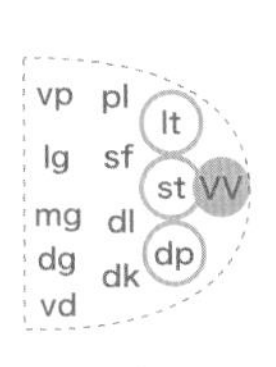
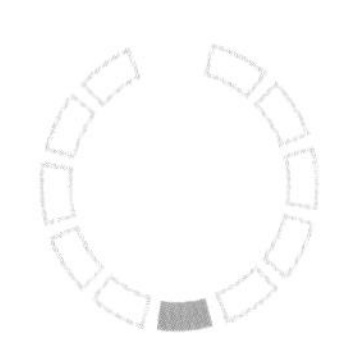

トーン・イン・トーン配色

トーンは同一（類似トーンも可）で、色相は自由に組み合わせられる配色。 ※ドミナント・トーン配色の一種。

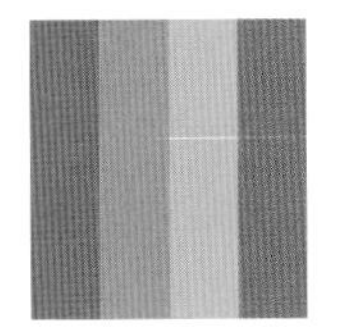
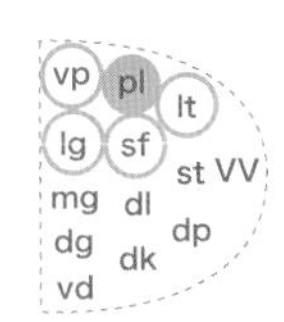
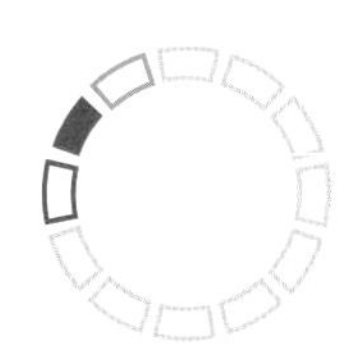

カマイユ配色

トーンは同一（類似トーンも可）で、色相が同一（類似色も可）を組み合わせた配色。色相・彩度・明度の差がほぼないので、遠目に見ると単色に見えるような組み合わせ。

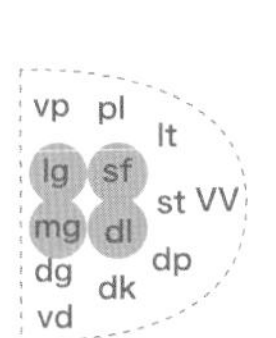
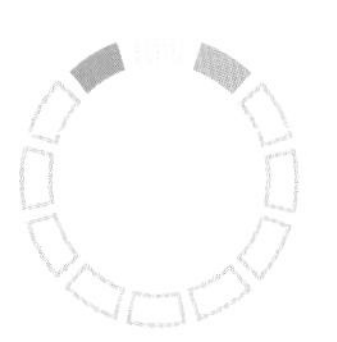

トーナル配色

トーンが中間色同士の配色。色相は自由に選択できる。落ち着いたイメージを打ち出しやすい。

COLUMN ロイヤリティフリーの写真素材サイト①

写真はWebサイトにおいてイメージを左右する重要な要素です。

オリジナリティを出すのであれば撮り下ろした写真が一番ですが、素材をすぐに用意できない場合や無難な写真を使いたい場合はストックフォトサービスを利用するとよいでしょう。ここでは、ロイヤリティフリーの写真素材サイトを紹介します。

※ご利用の際は各サイトの利用規約を必ずご一読ください。

https://o-dan.net/ja/

●O-DAN：必要な画像を、複数の無料写真素材サイトからまとめて検索ができる。日本語にも対応している。

http://www.designerspics.com/

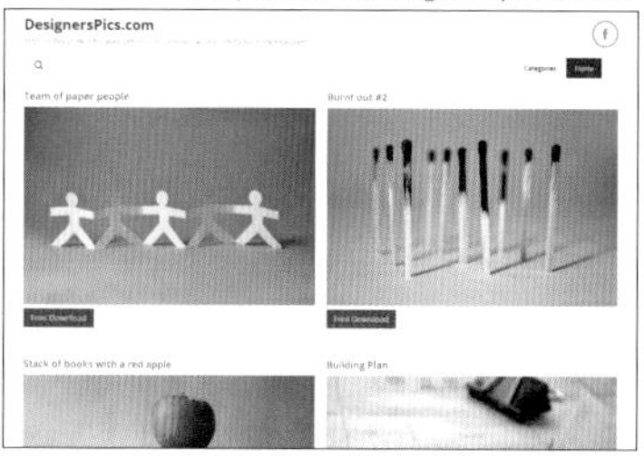

●DesignersPics：クレジット不要で、高解像度写真の商用利用ができる無料の海外サイト。

https://www.foodiesfeed.com/

●Foodiesfeed：料理や食材、ドリンク、レストランなど、食に関連する写真素材を専門に取り扱っているフリー素材サイト。

https://altphotos.com/

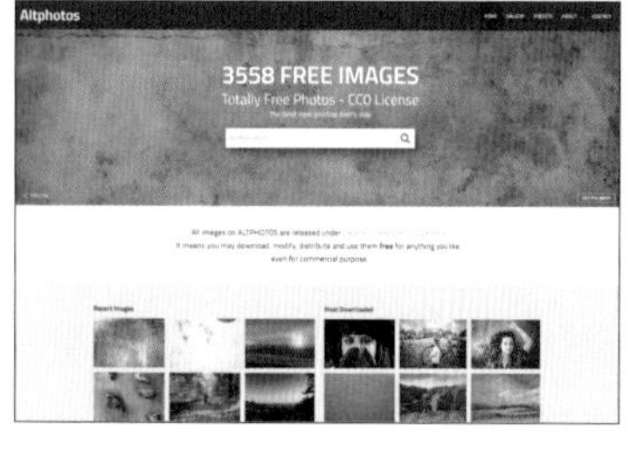

●Altphotos：美しい高品質の無料写真を必要とするクリエイターのための海外のフリー写真素材サイト。

https://stocksnap.io/

●StockSnap.io：商用利用可能、著作権表記不要、改変自由な海外の無料画像サイト。カテゴリで検索もできる。

https://burst.shopify.com/

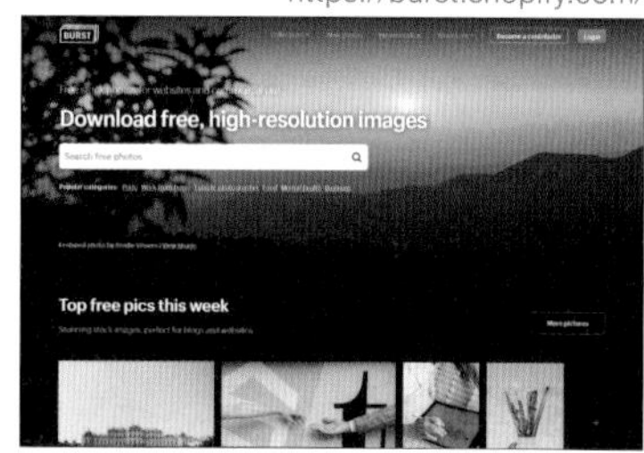

●Burst：オンラインストアの運営を行うShopify が運営している無料写真素材サイト。

https://kaboompics.com/

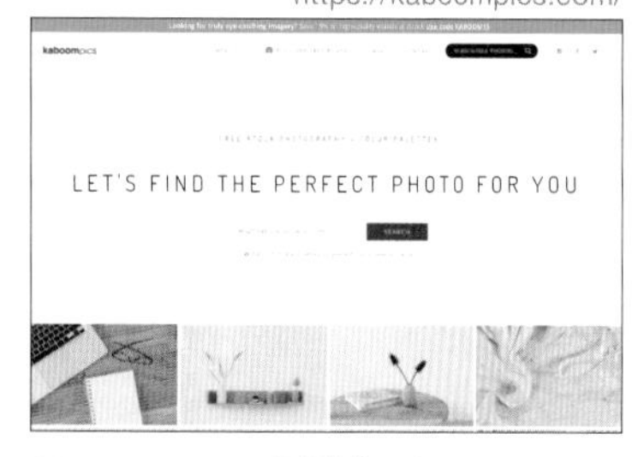

●Kaboompics：透明感のあるおしゃれで明るい写真が多く提供されている海外のフリー写真素材サイト。

https://www.reshot.com/

●Reshot：デザイン性のあるアイコンやイラスト、写真素材が無料で配布されている海外のサイト。

https://stock.adobe.com/jp

●Adobe Stock：2億点を超えるプロ向けの写真、動画、イラストが配布されている。商用利用可能な定額制／チケット制のストックフォトサービス。

PART 1

—

印象から考えるデザイン

「透明感」や「高級感」といったデザインの印象は、何から作られているのでしょうか。
デザインの印象を作り出す、フォントやパーツ、色を中心に分析し、イメージを形にしている要素は何か、どうすれば作れるのかといった内容を解説していきます。

PART1

01 透明感のあるデザイン

▶ 透明感のあるデザインの作り方

白やグレーを基調とし、アクセントカラーを明度の高いパステルカラーで構成すると透明感のある雰囲気を出すことができます。

薄い色はモニターによっては色の見え方が変わるので、複数のモニターで見え方をチェックしてから導入しましょう。

書体は、ゴシック体、明朝体、双方の組み合わせが可能です。背景やパーツに水彩画風のイラストを入れたり、透過した色や薄いシャドウを重ねたりすると透明感がさらに増します。

color（色）

R255 G255 B255　R204 G204 B204　R250 G248 B203
R248 G200 B201　R203 G228 B193　R205 G233 B238

font（書体）

游ゴシック　AXIS Std　小塚ゴシック　筑紫A丸ゴシック
Quicksand　Roboto Thin　Como Regular　Noto Sans JP

parts（パーツ）

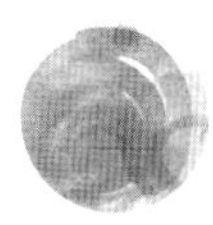

---

01 ニューモーフィズムを取り入れる

ニューモーフィズムとは、薄めのシャドウを使い、背景から要素を押し出したり、くぼませて見せるデザインの手法です。

「O³ MIST by Bollina」のサイトではニューモーフィズムがあちこちに散りばめられています。

❶ 上部に大きく描かれたロゴは、寒色のグラデーションと白い光彩を組み合わせています。中央に置かれた製品の周りは明度を上げてクリアな印象を持たせています。

❷ 使用されているフォントは、DINやこぶりなゴシック StdN W1という細身のゴシック体を使用しています。

❸ 背景の装飾には水滴とシャドウで浮き上がらせた白いタイポグラフィを使用し、優しい雰囲気を出しています。

https://o3mist.bollina.jp

サイトの色は透明感のある青色と白を基調にして構成されています。テキストの色も青みのある灰色にしてなじませています。

最初のメインビジュアルが出現する動きには、じわっと現れる動きが使われています。

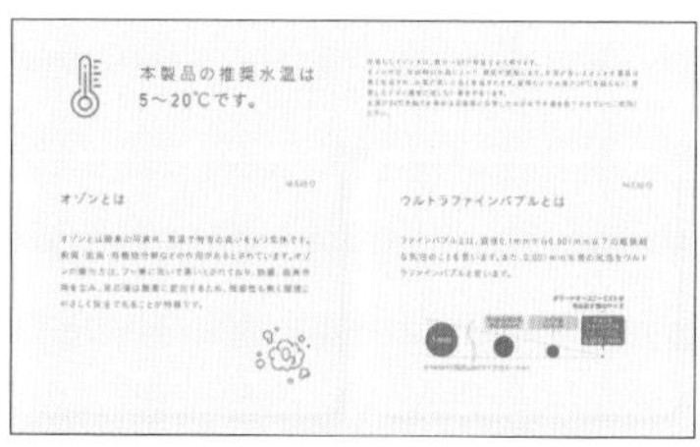

明るめの薄いシャドウで要素を包み、はっきりとした境界線を作らないようにしています。

02 背景やパーツに水彩を取り入れる

背景に使用されている水色の水彩画のようなイメージが、やわらかく映える「久留米のピラティススタジオ『BLUE PEARL』」のサイトです。

装飾には線で描かれた動く模様や波線を取り入れています。フォントは見出しにQuicksandと筑紫A丸ゴシック、説明文に游ゴシックを使用しています。

https://bluepearl.jp/

R255 G255 B255　R191 G207 B217　R217 G227 B233
R128 G158 B174　R246 G249 B250　R174 G170 B164

03 透過した色を重ねる

「ミルラシュエット」のサイトは、ベースカラーを白色、メインカラーを薄いピンク色にした余白感が気持ち良いサイトです。

写真の上に透過したピンク色のボックスを重ねて透明感を出しています。また、テキストの色は、黒を使用せず、茶色にしてやわらかい印象を作っています。

https://mille-la-chouette.jp/

R255 G255 B255　R239 G216 B215　R224 G235 B243
R076 G060 B049　R153 G153 B153　R251 G249 B248

04 見出しに細身のフォントを使用する

大きなサイズの見出しには、細身のフォントを使用すると、透明感を維持しながら言葉の意味をしっかり伝えることができます。

「ADJUVANT CLEAR GEL」は、背景にカーテンが揺れる動きを取り入れている空気感のあるサイトです。大きな日本語の見出しには細身のフォントを使用しています。

https://clear-gel.jp/

R255 G255 B255
R245 G245 B245
R113 G175 B208
R190 G228 B249

05 要素の周りに余白をたっぷりとる

「びんむすめプロジェクトキャンペーンサイト」では、写真や説明文の入ったボックスの周りに、たっぷり余白を取っています。「良いものはいつもガラスびん。」というキャッチフレーズにも細かく改行を入れ、言葉と言葉の間にも余白を作っています。無彩色と寒色を組み合わせ、ガラスの透明感を表現しているデザインです。

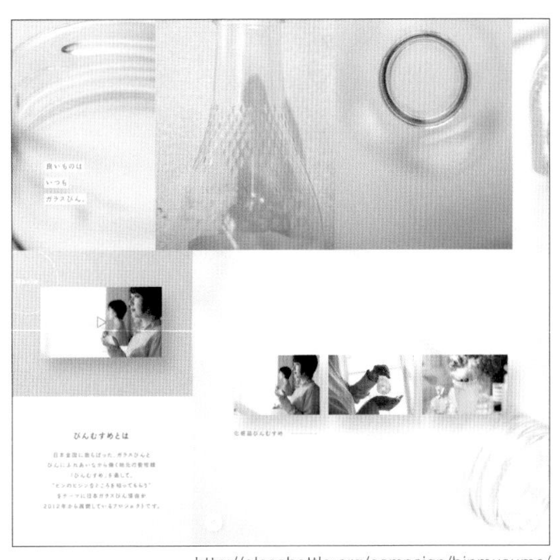

http://glassbottle.org/campaign/binmusume/

PART1

02 シンプルですっきりとしたデザイン

シンプルですっきりとしたデザインの作り方

シンプルなデザインは、ベースカラーに黒・白・灰色などの無彩色がよく使用されます。

また、レイアウトは余白をたっぷり取って要素を配置し、抜け感を出しています。

書体は、細身のサンセリフ体やゴシック体がよく使われ、行間や文字間をたっぷり取ると、すっきり読みやすい印象になるでしょう。

装飾は極力抑えて、細い線などを使い表現すると、シンプルに見せることができます。

color (色)

R000 G000 B000　R096 G113 B122　R167 G167 B167
R192 G192 B192　R238 G238 B238　R255 G255 B255

font (書体)

Noto Sans JP　游ゴシック　源ノ角ゴシック　筑紫A丸ゴシック
Como Regular　Roboto Thin　Lato　Quicksand

parts (パーツ)

01 タイポグラフィの種類や大きさのメリハリでデザインする

白色を基調としたシンプルなデザインの「WHITE株式会社」のサイトです。

❶グローバルナビゲーションは、ハンバーガーメニューに格納して、ヘッダーをすっきりと見せています。

ロゴは小さめに配置し、スクロールをすると、ロゴの「WHITE」の文字が消えて、マークだけになります。

❷細めのサンセリフ体の英文を大きく配置し、その下にゴシック体の日本語の文字を小さく入れてメリハリを付けています。上下にはしっかり余白を取っています。

❸透明感のある青みがかった流線の写真を使用して、ゆったりした空気感を出しています。スクロールをすると視差効果で立体感が生まれ写真がゆらっと動きます。

https://wht.co.jp/

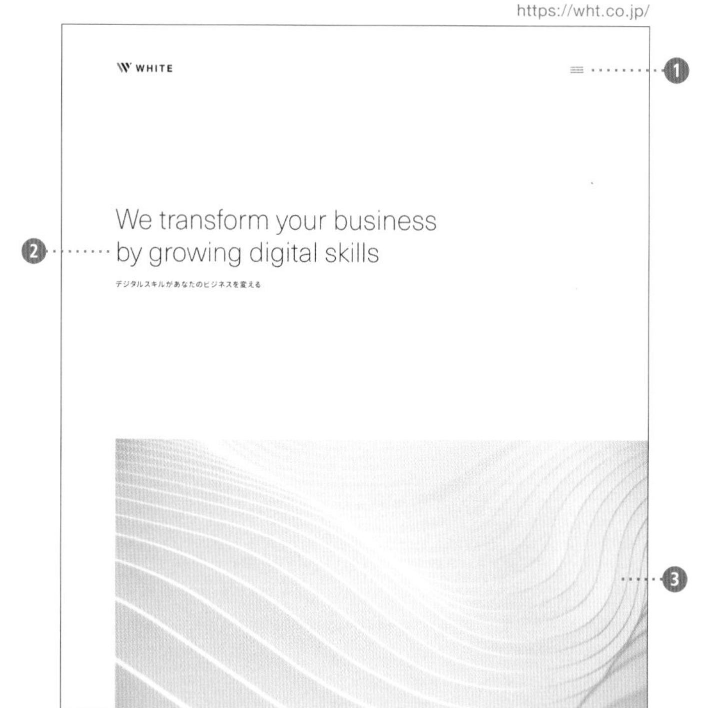

連番の小さな数字や、ボタンであることを示す細い線をあしらって、最低限の装飾をしています。

全体的に掲載内容の上下左右には余白をたっぷり取り、落ちついて読めるようにレイアウトされています。

灰色の枠線で書かれた背景の「Join us」の文字は、スクロールに合わせて右から左に動かしています。

02 白や黒の無彩色で構成する

「デザイン会社 - KNAP」のサイトは、ベースカラーに白色と黒色を使って、無彩色で構成しています。

また、写真や動画のサイズを抑えて、余白感を生かしたレイアウトになっています。

ファーストビューの「Design Agency」という大きなテキストは、筆記体とサンセリフ体を組み合わせて、タイポグラフィに変化を付け、写真に被せて見せています。

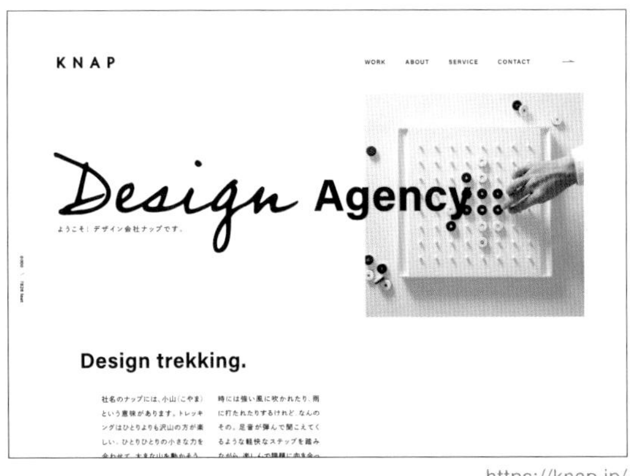

https://knap.jp/

R000 G000 B000
R100 G100 B100
R116 G116 B116
R122 G122 B122
R223 G225 B229
R255 G255 B255

03 あえて装飾を抑える

シンプルなサイトは、デザイン要素に欠かせない装飾をあえて省いて見せることがよくあります。

「Aroma Diffuser - WEEK END」のサイトでは、見出しなどに装飾を付けず、フォントの太さやサイズ、余白感でメリハリを付けてデザインされています。

アクションを促すコンバージョンボタンには、アクセントカラーとしてオレンジを指定して目立たせています。

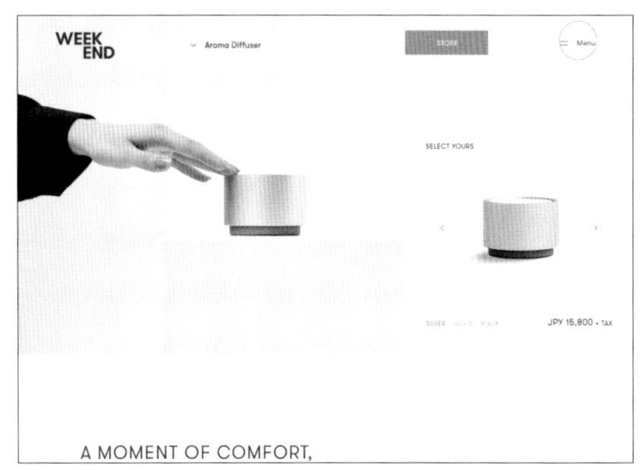

https://weekend.jp/aroma-diffuser/

R242 G243 B247
R255 G255 B255
R255 G124 B060

04 すっきりと見えるフォントを採用する

「SALONIA（サロニア）」のサイトは、細身のサンセリフ体とゴシック体を組み合わせて、すっきりとした見映えで画面を構成しています。また、テキストの行間や文字間をしっかり取っています。

スクロールに合わせた要素の出現の動きには、ゆっくりと移動したり、じわっと出現する動きを取り入れて静かな雰囲気を出しています。

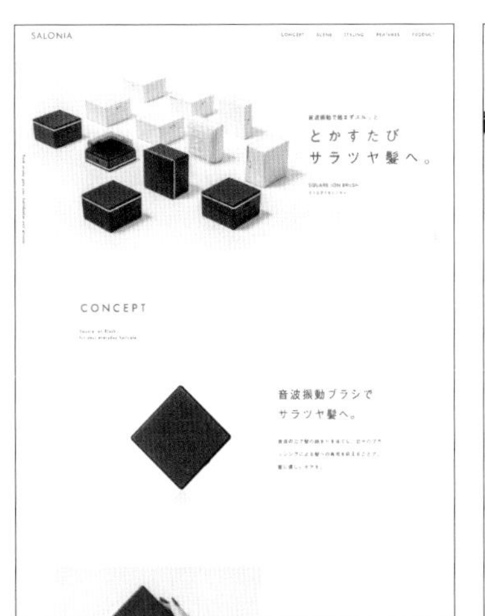

https://salonia.jp/special/squareIonBrush/

05 余白をたっぷり取る

装飾が少ないシンプルなデザインは、余白を生かしたデザインを作ることが重要です。

「UDATSU」のサイトでは、各セクションの上下に余白をたっぷり取って見せています。

カード型の要素やボタンの輪郭線の色を薄い灰色にすることで、背景の白色が生きて、抜け感のあるレイアウトになっています。

https://udatsu.co.jp/

R018 G019 B020
R243 G230 B228
R255 G255 B255

PART1

03 ナチュラルで優しいデザイン

▶ ナチュラルで優しいデザインの作り方

白やベージュを基調として、アクセントカラーにグレーや茶色といった落ち着いた色を組み合わせるとナチュラルな雰囲気を出すことができます。カラフルな色を使いたい場合は、自然の中で使われている「アースカラー」を取り入れてみましょう。

書体は、ゴシック体、明朝体の双方の組み合わせが可能です。フォントの太さは細めで、文字の行間をゆったりとるとよいでしょう。

背景にリンネルのテクスチャを敷いたり、手書き文字やイラストで装飾すると、より優しい印象になります。

color（色）

R255 G255 B255　R221 G202 B175　R240 G236 B232
R207 G206 B210　R160 G160 B160　R111 G097 B082

font（書体）

V7ゴシック　クレー　りょうゴシック PlusN　はんなり明朝
AMATIC SC　Homemade Apple Pro　Courier　Professor

parts（パーツ）

01 アースカラーの配色と自然をモチーフにした模様を使う

https://8huit.com/

「huit」のサイトは、写真の中に緑を取り入れ、手描き風の白いロゴを中央に配置した、優しい雰囲気のサイトです。

画面の読み込み時やスクロール時には、ふわっとした動きが取り入れられています。

❶ 背景には、アースカラーを使用して、手描き風の流体シェイプと、自然をモチーフにした、ドット柄や花柄の模様を組み合わせて見せています。

❷ 見出しは、細い筆記体のフォントを斜めに大きく配置して、本文にはゴシック体が使われています。

❸ グリッドに沿わさず、不揃いに要素を重ねることで、自由度の高い、堅苦しくないレイアウトを実現しています。

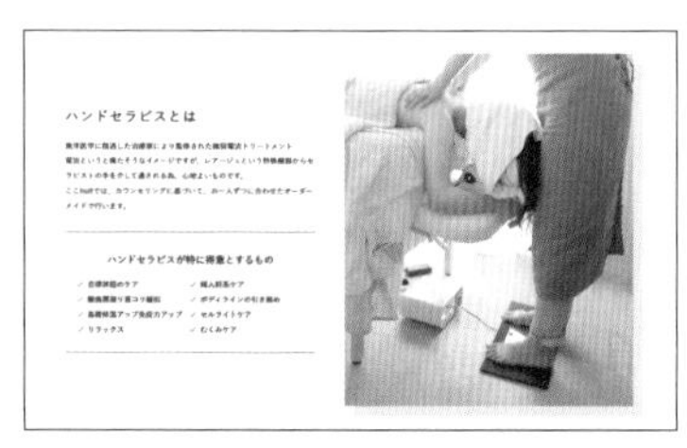

灰色の背景は、すべてを塗りつぶさず、上下に白い余白を取り入れています。チェックマークは、細い線を採用しています。

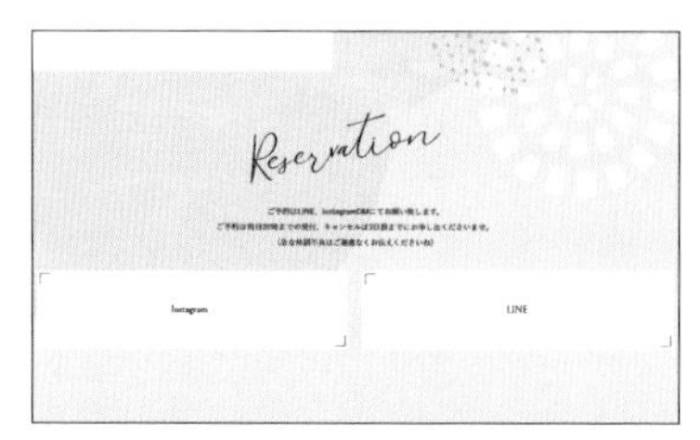

ボタンのデザインは、白背景の左上と右下に鉤括弧を設けた、シンプルなデザインにしています。

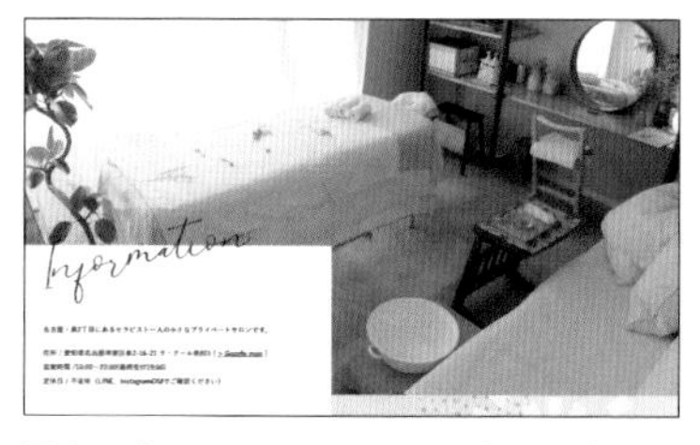

写真の上にテキストエリアの白い四角形を置き、見出しを重ねて、余白感を出しています。

02 手書き文字を取り入れる

日本語の手書き文字を取り入れると、素朴な印象になります。

「シェフのおいしいつながり」のサイトでは、タイトルと各セクションの見出しに、筆で書かれた手書き文字を取り入れています。

ベージュの背景の上に、様々な色の形が動く、ほっこりとした印象のサイトです。

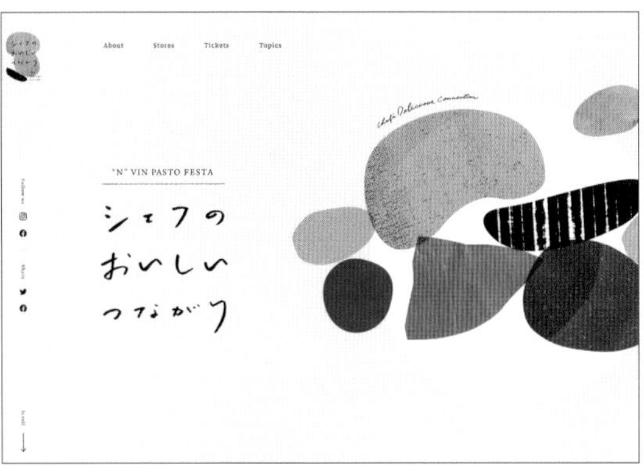

https://oic-nagoya.com/

R245 G241 B237　R026 G011 B008　R179 G177 B173
R244 G159 B153　R209 G183 B023　R255 G255 B255

03 なだらかなカーブで境界線を区切る

グルテンフリーお菓子教室「SLOW BAKE」のサイトはクリームイエローを背景に、黄色味がかった茶色をメインカラーとして使用しています。

メインビジュアルの写真は、四角のまま使用せず、周囲をちぎり絵のような不規則な形にし、下部を波の形でマスクしてやわらかい印象になっています。また、右下には丸みのある白い手書き文字を重ねています。

https://slow-bake.com/

R255 G255 B255　R253 G253 B225　R199 G199 B188
R160 G123 B053　R171 G138 B076　R073 G073 B073

04 行間・文字間・余白をたっぷり取る

「山奥チョコレート 日和」のサイトは、文章の行間や文字間をゆったりとり、コンテンツの上下の余白をしっかり取っています。

背景の紙のテクスチャと、透過させた黄緑色が合わさり、やわらかな雰囲気を作っています。

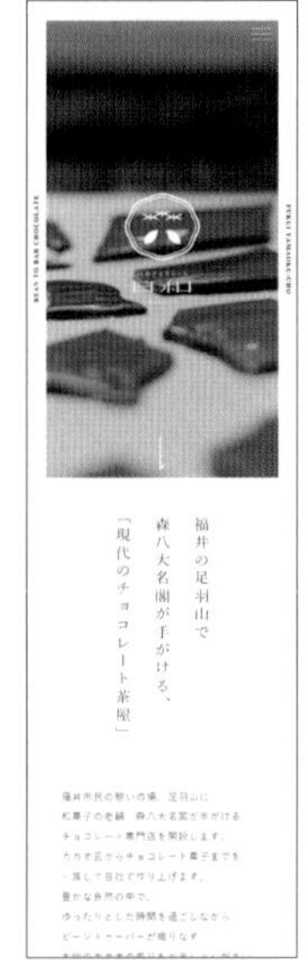

https://hiyori-morihachi.jp/

05 ベージュ、白、茶色で構成する

やわらかな明るい加工の写真をスライドショーにして大きく配置している「Rum（ラム）」のサイトです。

背景には、黄色みがかったベージュと白色を敷き、アクセントカラーに茶色を使用しています。

フォントはサンセリフ体とゴシック体を使用して、本文のテキストサイズは小さめに設計されています。

https://rumvivi.com/

R255 G255 B255　R250 G248 B237　R129 G109 B081
R230 G201 B161　R118 G118 B118　R000 G000 B000

PART1

04 エレガントで気品に満ちたデザイン

エレガントで気品に満ちたデザインの作り方

ウェディングやジュエリーといった気品のある女性向けのサイトは白や黒、茶色を基調としているデザインが多く、アクセントカラーにはゴールドなどがよく使われています。

書体は欧文ならセリフ体、和文なら明朝体をメインにして、欧文の流れるような筆記体を飾りとして使用すると華やかに見えるでしょう。

装飾は少なめに、細い線で表現するとエレガントな雰囲気を出すことができます。

color（色）

R000 G000 B000　R164 G125 B114　R142 G121 B094
R084 G090 B093　R234 G225 B222　R100 G077 B070

font（書体）

A1明朝　太ミン　リュウミン
Zapfino　Bickham Script Pro3　Sabon　Annabelle

parts（パーツ）

https://www.ys-dc.jp/

01 セリフ体の欧文フォントを大きく大胆に配置する

「Y'sデンタルクリニック」のサイトは、白を基調として、青みがかった黒色のフォントで構成されています。

❶ファーストビューのキャッチフレーズは、セリフ体の欧文フォントを使用し、明朝体の日本語と合わせて、写真の上に大きく大胆に配置しています。

❷スクロールを促すウェブパーツは、円と点線を組み合わせて、線が走るエフェクトを取り入れています。細い線を装飾に使用することで、繊細さを演出しています。

❸各セクションの見出しは、上下左右に余白をしっかりとり、セリフ体や明朝体の文字を大きなサイズでゆったりと配置しています。

本文に対して、見出しの文字サイズの比率を大きくして、すっきりとした印象の青みがかった写真の上に重ねて見せています。

セリフ体と明朝体のテキストの背景に、サンセリフ体のタイポグラフィを飾りとして薄く重ね、右から左へ動かしています。

画面読み込み中のローディング画面は、すりガラスのエフェクトから波紋が広がる優美な動きを付けています。

02 ダルトーンやグレイッシュトーン、ダークトーンで構成する

成熟した優美な印象を作る際の配色に、明度や彩度をおさえたダルトーン、グレイッシュトーン、ダークトーンが活躍します。「SOLES GAUFRETTE」のサイトでは、くすんだベージュと、濃紺色を組み合わせて、おしゃれで落ち着きのある印象を作っています。

https://soles-gaufrette.com

R203 G164 B137	R176 G132 B110	R245 G245 B245
R042 G049 B058	R005 G044 B073	R000 G000 B000

03 装飾はシンプルな線を使う

「HIBIYA KADAN WEDDING 公式サイト」は、明朝体の日本語とセリフ体の英語で構成された上品な印象のサイトです。

キャッチフレーズの背景には、スクリプト体のタイポグラフィを薄く配置し、華やかに見せています。

ベースカラーには、白色とベージュ色を採用し、全体の装飾はシンプルな線で構成しています。

https://www.hk-wedding.jp/

R255 G255 B255	R264 G244 B241	R051 G051 B051

04 テキストを中央寄せで配置する

テキストは、中央揃えにすることで、伝統的で格式のあるエレガントな印象を与えることができます。

「wonde」のサイトでは、セリフ体と明朝体のフォントを組み合わせて使用しており、スマートフォンのレイアウトでは、多くのテキストを中央揃えで配置しています。

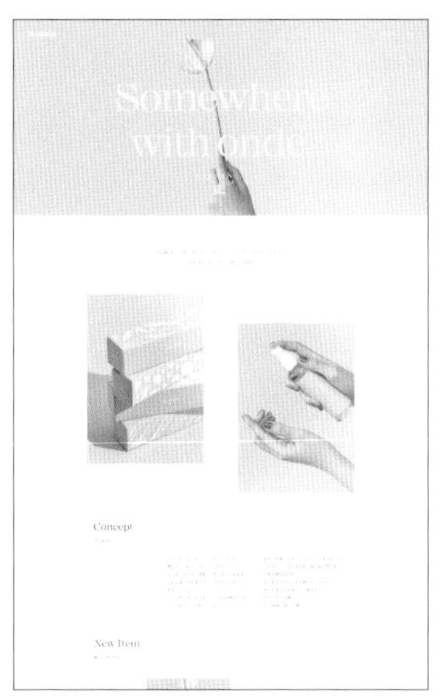

https://wonde.jp/

05 カリグラフィフォントを使う

フォントはサイトの印象作りに重要な役割を担っています。「Funachef」のサイトでは、カリグラフィフォントをロゴに使用して、手描きのニュアンスを表現した書体で上品に見せています。画面を読み込んだ後の動きは、滑らかでゆっくりした動きを採用しています。

http://www.funachef.com/

POINT

テキストを魅力的に変更できるWebフォントについては、P.180を参照ください。

PART1

05 クールで先進的なデザイン

クールで先進的なデザインの作り方

白やグレーなどの無彩色と、グラデーションを組み合わせて構成すると無機質で先進的な雰囲気を出すことができます。

書体は、細くて丸いゴシック体を使用しているサイトが多く見られます。

背景に、ポリゴンのテクスチャやグラデーションのパーツ、動くオブジェクトを取り入れたり、ファーストビューに置くメイン画像に、鮮やかな色合いのデュオトーン(2色の組み合わせ)に加工された画像を採用して、近未来的な演出をするとよいでしょう。

color(色)

開始色	終了色
R243 G154 B067	R183 G048 B140
R104 G198 B223	R022 G064 B152
R196 G221 B143	R075 G178 B066

font(書体)

源ノ角ゴシック　Noto Sans JP　游ゴシック　TA-方眼K500
Tachyon　Arboria Light　Roboto Thin　Como Regular　Teko

parts(パーツ)

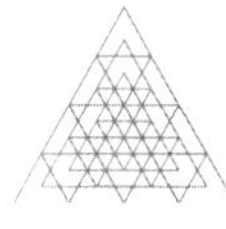
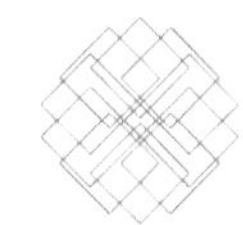

---

01 動きのあるオブジェクトを取り入れる

プログラムで動くオブジェクトをデザインに取り入れると、先進的な印象を作ることができます。

❶「マルコ株式会社RECRUITING SITE」では、透明感のある赤色と水色のグラデーションがゆっくり動くアニメーションを背景に使用しています。

❷サイト内に使用されているフォントは、細みの明朝体とゴシック体を組み合わせて使用し、行間をゆったり取っています。

❸テキストを配置しているエリアは可読性を上げるために白色の背景色の面積が広く、グラデーションも薄く構成されています。

上下の余白感をたっぷり取った抜け感のあるレイアウトになっています。

https://www.maruko.com/corp/recruit/

フッターエリアは鮮やかなグラデーションを背景に使用し、コンバージョンボタンを白色にして浮き上がらせています。

スクロールをすると、ベージュ色のセリフ体で書かれたタイポグラフィが横に流れます。

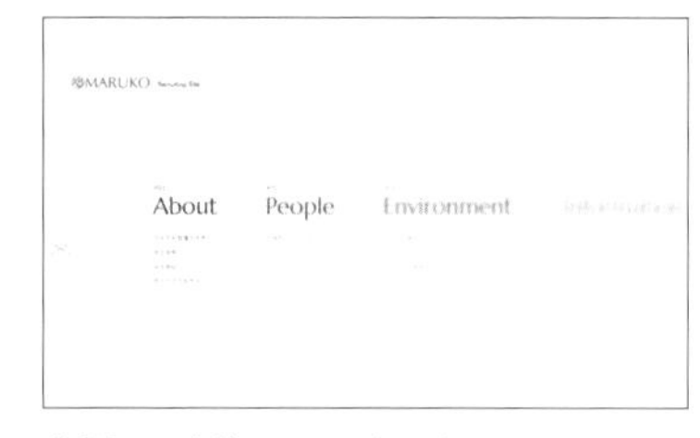

左側の2本線のハンバーガーメニューをクリックすると、メニューがぼかされた状態からじわっと出現します。

02 写真をデュオトーンに加工する

紺色の背景に、白色のテキストとアクセントカラーの水色が映える「株式会社アダコテック」のサイトです。

ファーストビューには、幾何学模様や機械が動く背景動画を取り入れて、多角形でマスクしています。マウスを動かすと水色の円が追従するマウスストーカーの技術が使われています。フッター手前のリクルートの写真は、鮮やかなデュオトーンで加工されたものを使用しています。

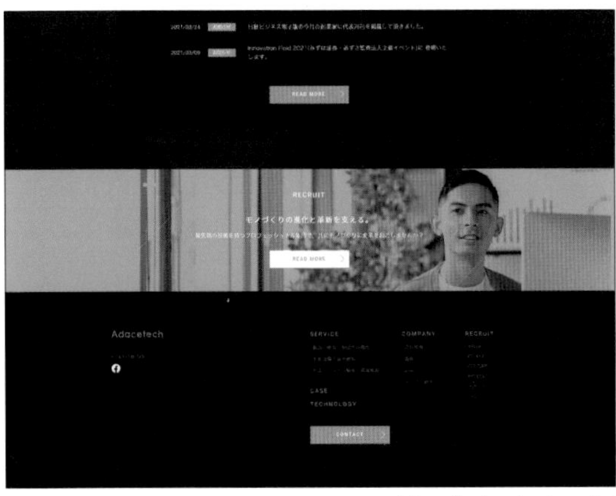

https://adacotech.co.jp/

R030 G030 B075　R051 G161 B221　R236 G236 B239

03 無機質な素材感を出す

赤い線の集合体が、ゆっくりねじれて動く「Helixes Inc.」のサイトです。

過度な装飾はせず、灰色と白のグラデーションの上に、タイポグラフィや写真を配置して、無機質な素材感を出しています。カーソルを合わせると写真が動画に変化し、スクロールをすると写真の形状がポヨンと変わる、不思議な世界観を作っています。

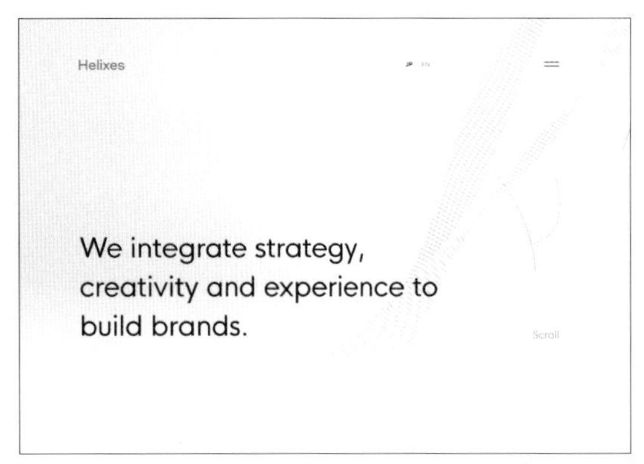

https://helixes.co/

R238 G238 B238　R255 G000 B000　R001 G001 B001
R255 G255 B255　R136 G136 B136　R255 G078 B080

04 細くて丸みのあるゴシック体を使ってすっきりと見せる

無彩色の背景に、寒色のグラデーションのパーツが、様々な形に変化して動く「株式会社OPExPARK」のサイトです。

サイト内の見出しには、細くて丸みのあるゴシック体を使用して、すっきりとした印象を持たせています。

https://www.opexpark.co.jp/

05 グラデーションを背景に使用して近未来的な雰囲気を出す

「New Stories」のサイトは、黄緑と水色のグラデーションの背景に、白を透過させた点線の罫線と地図が淡く見えるように配置しています。

地図の上にカーソルを合わせるとほんのり光る動きが取り入れられており、近未来的な雰囲気を出しています。

https://newstories.jp/

POINT

美しい色相のグラデーションをデザインに取り入れる場合、webgradients（https://webgradients.com/）といったジェネレーターを活用してみましょう。

PART1

06 キュートで可愛いデザイン

キュートで可愛いデザインの作り方

暖色系も寒色系も明度を上げた明るい色で構成すると、キュートな印象になります。

書体は、子供向けのサイトや見た目をやわらかい印象にしたければ丸みがかった文字を、フェミニンでおしゃれに見せたいなら明朝体を選択するとよいでしょう。

サイト内に使用するパーツは、背景に網掛けや水玉、水彩の絵を取り入れたり、レースやリボン、花や植物素材、手書き風のアイコンなどを組み合わせて使用すると可愛く見せることができます。

color（色）

R246 G239 B130　R248 G213 B179　R242 G197 B203
R232 G153 B175　R209 G217 B078　R179 G211 B219

font（書体）

TBシネマ丸ゴシック　じゅん　筑紫A丸ゴシック
Coquette　VAG Rundschrift D Regular　LiebeDoni　Fairwater Script

parts（パーツ）

01 ペールトーンの色を背景に使用する

Lilionte（リリオンテ）「チョコとラムネが出逢ったら。」は、ペールトーンの明るい水色のベースカラーの上に、カラフルなチョコレートや写真が浮遊するサイトです。

❶広い面積に寒色を使用していますが、明度を高い水色で見せているため、重さを感じさせず、パステルカラーの商品を際立たせています。また、商品写真を1粒ずつ切り抜いて配置し、丸の形をレイアウトに生かしています。

❷フォントは、英語に太めのセリフ体、日本語に、細みの明朝体と太めのゴシック体を指定して、行間をしっかりとって見せています。

❸切り抜いた写真と流体シェイプを組み合わせて浮遊感とやわらかさを演出しています。

https://www.choco-ne.com/

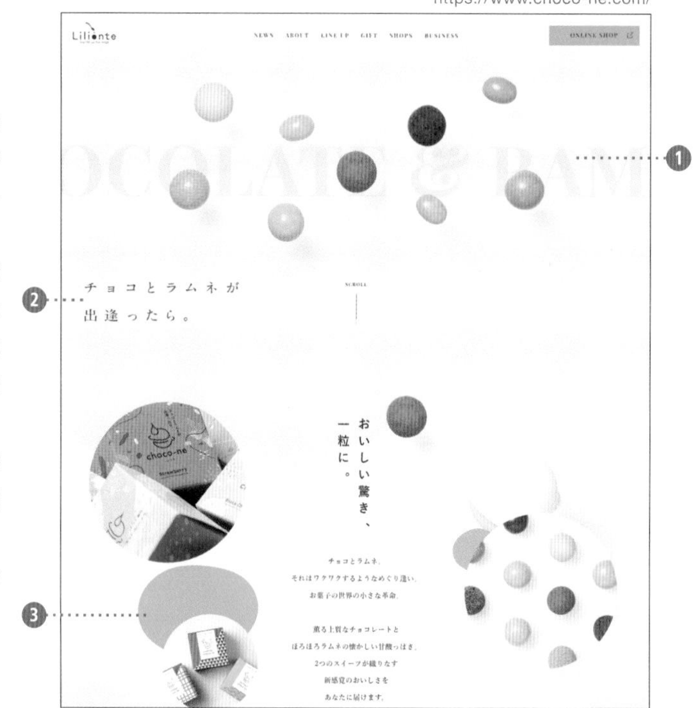

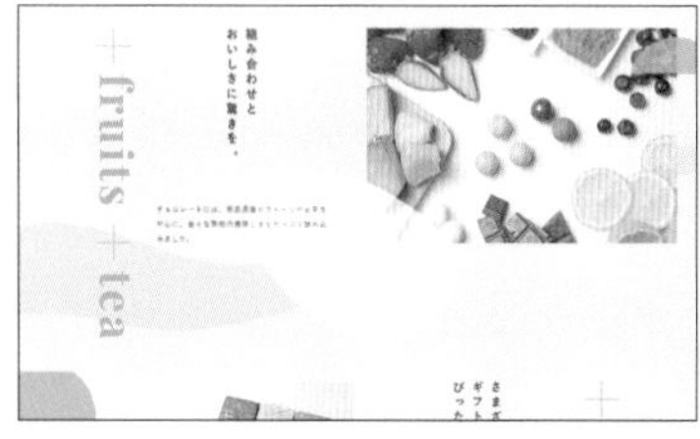

透過した流体シェイプをふわふわ動かして配置しています。シェイプの一部は、写真と重ねて見せています。

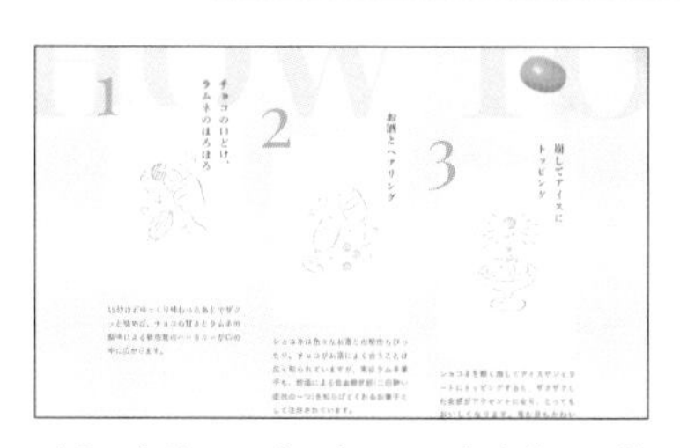

イラストは、メインカラーの色を使い、線幅の強弱が変化する手書き風のタッチで表現しています。

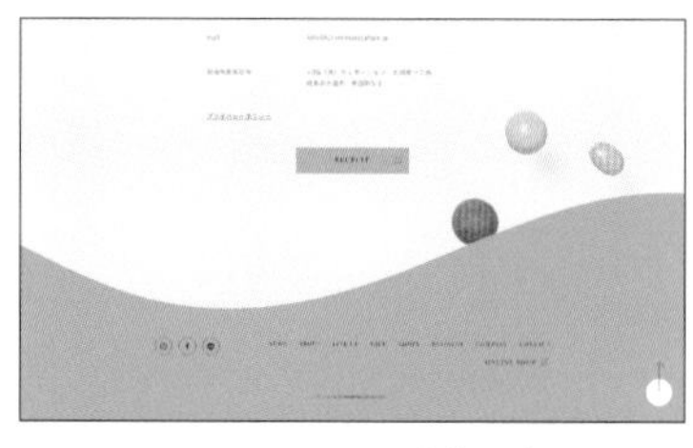

フッターは、やわらかい流線で表現し、その上にふわっとした影を付けたチョコレートを3つ配置しています。

02 キュートなモチーフの装飾を取り入れる

ペールトーンのやわらかいピンク、水色、黄色を組み合わせて構成されている「パルフェタムール　ピュリエット」のサイトです。アクセントカラーにはゴールドを使用しています。

花やリボン、蝶々といったキュートな飾りも多く取り入れられ、ファンシーな世界観を作っています。

http://www.puriette.jp

R252 G236 B238　R250 G248 B215　R209 G234 B234
R255 G255 B255　R229 G125 B117　R200 G155 B053

03 丸みを帯びたフォントを使う

明るいパステルカラーで構成されているアラカルトコスメ「IGNIS iO」のサイトです。

サイト内で使用されているフォントは、英語はGoogle Fontの「Montserrat」、日本語は「ヒラギノ角ゴシックPro」を使い、丸みを帯びた細身のフォントで構成されています。日本語は文字間の距離をゆったりとって読みやすく構成されています。

https://www.ignis.jp/io/

R255 G225 B236　R116 G185 B180　R255 G251 B204

04 円や半円を並べた模様を使う

透過した色の丸いドットで、イラストやパーツが構成されている「無二保育園」のサイトです。

メインビジュアルの写真や、セクションの区切りは、半円を並べたスカラップレースのような模様を使用し、可愛らしく見せています。明るくカラフルな配色で元気をもらえるデザインになっています。

https://munihoikuen.net/

R082 G139 B201　R225 G129 B096　R109 G192 B144
R240 G222 B036　R250 G247 B237　R255 G255 B255

05 手書き風のイラストと組み合わせる

「株式会社マーキーズ」のサイトは、ベースカラーにベージュを指定し、その上に手書き風のイラストが展開する温かみのあるサイトです。

ファーストビューの写真の周りには、茶色や黄色の線を装飾として描いています。左上には、色とりどりのフラッグを配置してデザインにアクセントを与えています。

https://www.markeys.co.jp/

R253 G249 B239　R095 G059 B024　R255 G255 B079
R000 G020 B076　R255 G163 B000　R255 G255 B255

PART1

07 ポップで元気あふれるデザイン

ポップで元気あふれるデザインの作り方

ポップなデザインはトーンのはっきりした色を複数組み合わせてカラフルに構成されています。

書体は、ゴシック体が合います。文字自体を装飾して斜めに配置したり、縁取りをしたり、丸や四角でくくったり、同じ単語内で太さを変えたりするとよいでしょう。

サイト内に使用するパーツには、背景にドットや斜線を取り入れたり、写真やイラストをステッカー風にしたり、フラッグやリボン、吹き出し素材を取り入れると、にぎやかで元気な印象になります。

color（色）

R234 G191 B042　R218 G087 B137　R232 G142 B079
R053 G174 B221　R213 G081 B103　R103 G179 B099

font（書体）

ヒラギノ角ゴ　源ノ角ゴシック　見出しゴ　平成角ゴシック
Oswald　Teko　Raleway　Heebo　Montserrat

parts（パーツ）

---

01 コントラストをはっきり付けた配色で構成する

貝印「FIRST SHAVE BOOK：ファーストシェイブブック」のサイトは、ピンク、黄色、青色、緑色のビビットトーンで構成したサイトです。

❶黒色のサンセリフ体の文字と組み合わせることにより、背景とのコントラストをはっきり付けて見せています。

❷FIRST SHAVE BOOKの説明エリアは、黄色の背景の上に、本を開いた形を作り、影を付けて浮き上がらせています。本の中のテキストは左右それぞれ斜め方向に傾斜を付けています。

❸動画のサムネイルは写真を青色に加工して背景色とトーンを合わせています。

左右には、緑色の背景で縦書きのタイトル文字を装飾として配置しています。

https://www.kai-group.com/products/kamisori/product/firstshavebook.html

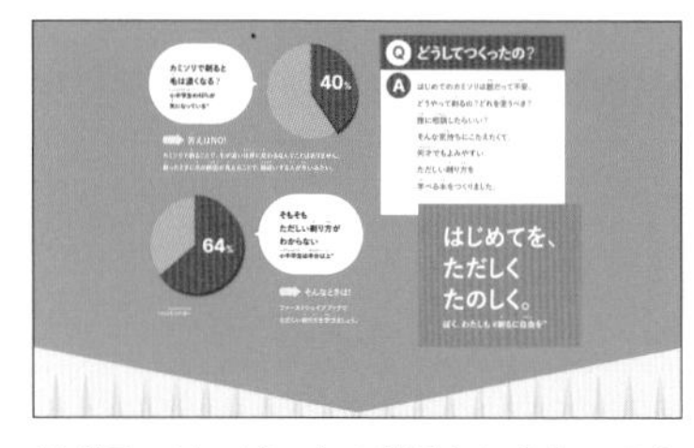

円グラフは、ピンクの背景色に白色のテキストを使い、さらにグラフとテキストに影を付けて浮き上がらせています。

見出しのテキストは白の太いゴシック体で書かれ、ピンクの円を1文字ずつ囲う装飾で見せています。

線で描かれたシンプルなイラストを両脇に配置し、中央のコンテンツは角丸の中に収めて展開しています。

02 太めのゴシック体のフォントを使う

メルカリ「インディーズ土産 全国デビューへの道 」のサイトは、補色の関係性である黄色と紫色をベースカラーに指定したサイトです。タイポグラフィは、丸みを持たせた太いゴシック体を使っています。

黒い縁取り線を付けた白抜きの見出しは、アルファベットを少しずらしてリズム感を付けています。

https://jp-news.mercari.com/localmitsukete/miyage/

03 ドット柄やサインペンで描いた線を取り入れる

「ReDesigner」の副業・フリーランス向けサイトは、白色の背景の上に手書き風の装飾が生きるおしゃれでポップなテイストのサイトです。

ファーストビューは、ドット柄や線、立体的なアルファベットのイラスト、角丸のオブジェクトを組み合わせ、ふわふわ浮き沈みをするアニメーションを付けています。

https://redesigner.jp/freelance/

04 軽快な動きを取り入れて、ポップさを演出する

ピンク、青、紫色で縁取られたタイポグラフィが、宙を舞う「株式会社Poifull（ポイフル）」のサイトです。

画面が読み込まれると、ちりばめられた小さな幾何学模様が、ポンッとはじける軽快な動きのアニメーションが取り入れられています。

https://poifull.co.jp/

05 縁取り線や文字を使う

フェリシモ「ドラえもん」のサイトは、カラフルな背景色の上に縁取りされた白のテキストが映えるサイトです。

外側の水色背景には、白い塗りと線で描かれた雲が繰り返し表示されています。

各コンテンツは、漫画のコマ割りのように、黒い縁取り線で囲われています。

コマ割りをされたコンテンツの中には、黒く縁取られた見出しの文字が、波打って書かれています。

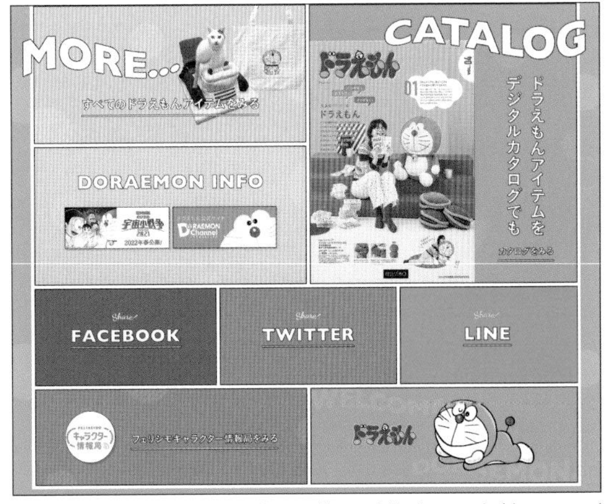

https://www.felissimo.co.jp/doraemon/

PART1
08 堅実で信頼感があるデザイン

信頼感があるデザインの作り方

企業や医療、行政など信頼感をデザインで表現する業種は数多くあります。幅広い世代にしっかりとしたイメージを伝えるには、遊び心を抑えて、わかりやすく安心感のある作りにしていくことが大切です。

一般的に信頼・冷静のイメージは青色、安心感を与えるのは緑色と言われています。グリッドに沿ったレイアウトを取り入れると構図が安定します。また、人のイメージ写真や動画を使うとユーザーとの距離が縮まります。フォントは、明朝体だと堅いイメージになり、ゴシック体だと親しみやすく力強いイメージになります。

color(色)

R008 G047 B080　R020 G078 B148　R041 G153 B196
R165 G197 B214　R102 G102 B102　R204 G204 B204

font(書体)

太ゴ B101 Bold　ゴシックMB101　ヒラギノ角ゴ Pro
リュウミン　ヒラギノ明朝　Noto Serif JP　Adobe Caslon Pro　Cormorant Garamond

parts(パーツ)

STEP1　STEP2　STEP3

直感的にわかるパーツや人の写真

---

01 青を基調にした配色で、堅実さや信頼感を表す

青色や紺色は冷静な印象を与え、信頼感を生み出す配色です。

「株式会社近畿地域づくりセンター」のサイトは、ベースカラーを白色、メインカラーを紺色で構成しています。

❶ グローバルナビゲーションの現在地表示には水色の下線を引き、所在地(交通アクセス)とお問い合わせボタンは背景色に水色と紺色を指定して、白いテキストをのせています。

❷ ファーストビューは、空の面積を広く取った写真を使い、抜け感のあるさわやかな印象を作っています。

❸ 地図のイラストは青系の水彩で描かれ、背景に使用している太字の英語フォントは、白から紺に変化する薄いグラデーションを使用しています。

https://kc-center.co.jp/

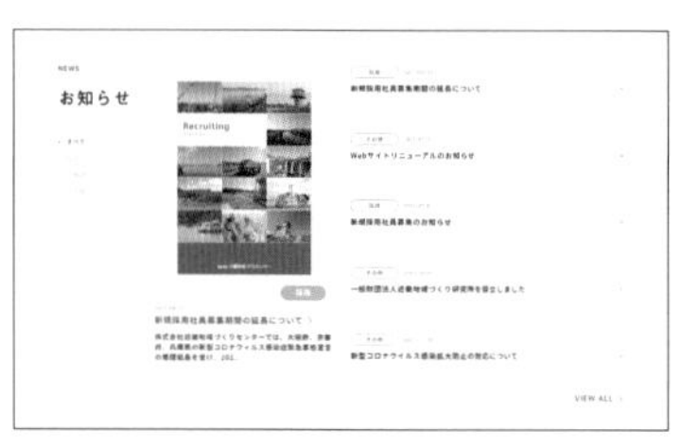

「新規採用案内」のボタンは、中間色の灰色を間に使ってなじませ、色数をおさえた配色になっています。

「RECRUIT」の写真にはユーザーが共感しやすいように、人が写った写真を使っています。

フッターには「CONTACT US(お問い合わせ先)」を大きく明示して安心感を出しています。

02 ファーストビューに実績の数字を大きく配置する

実績を数字で見せて信頼感を得る手法は、ランディングページでよく使われています。

「ワークスタイリング」のサイトでは、契約企業数や、全国の拠点数、会員数を大きな数字で表示し、ユーザーに安心感を与えています。白背景に、落ち着いた青色をメインカラーにした堅実なデザインです。

https://mf.workstyling.jp/

R000 G099 B161　R075 G167 B209　R255 G255 B255

03 人のイメージ写真や動画を使う

サイトのターゲットユーザーに合わせた人物写真や動画をファーストビューに配置すると、共感を生み、安心感を与えると言われています。

「株式会社Enjin（エンジン）」のサイトでは、スーツを着た男女の仕事風景を動画にしてメインビジュアルに使用しています。真摯に働く姿を表現することで信頼感を生み出しています。

https://www.y-enjin.co.jp/

R168 G043 B067　R068 G068 B068　R204 G204 B204

04 可読性が高いフォントを使用し、掲載内容を伝える

フォントには、筆記体のような装飾に適した可読性の低いフォントと、ゴシック体・明朝体のような掲載内容が伝わりやすく視認性の高いフォントがあります。

「株式会社明邦空調」のサイトは、太めのサンセリフ体とゴシック体を使用し、英語も日本語も意味がしっかり伝わる可読性の高いフォントを使用しています。

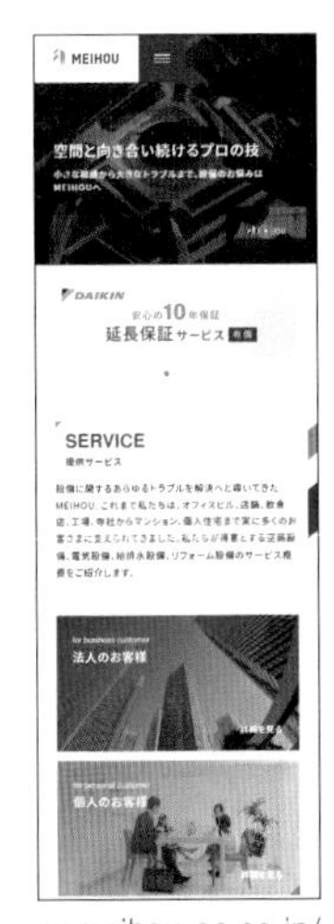

https://www.meihou-ac.co.jp/

05 グリッドレイアウトで安定感を出す

縦横の見えない線や格子状のブロックに合わせて要素を配置していくグリッドレイアウトは、各要素の大きさが違っていても、きちんと整列された印象を与えることができます。

「窪田塗装工業」のサイトは、メインビジュアルや、下に続くコンテンツを余白感を活かしながらグリッドレイアウトに沿って美しくデザインしています。

https://www.kubota-paint.jp/

R017 G017 B017　R240 G240 B240　R255 G255 B255

PART1

09 クラシックで格調高いデザイン

クラシックで格調高いデザインの作り方

古い絵画や家具、クラシック音楽など、歴史を感じさせて格調高くみせるデザインは、レトロ感と高級感を組合わせて構成していくと雰囲気が出ます。

配色は、茶色・黒・紺をベースカラーに、ゴールドをアクセントカラーに指定しているサイトが多く見られます。

フォントは明朝体やセリフ体を使用し、パーツには細身の線、ダマスク柄（イスラムの絹織物の柄）の背景画像、茶色がかった古い紙のテクスチャや額縁のような飾り枠、罫線を取り入れるとよいでしょう。

color（色）

R087 G051 B023　R197 G149 B053　R122 G044 B029
R174 G155 B079　R162 G082 B045　R000 G000 B000

font（書体）

リュウミン　游明朝体　ヒラギノ明朝　貂明朝　DNP 秀英明朝
TRAJAN　Optima　Tangerine Bold　Baskerville　Cormorant Garamond

parts（パーツ）

---

01 古い紙質や、クラシカルな模様の装飾を取り入れる

ウクライナの「Odessa Opera & Ballet Theatre」のサイトは、ファーストビューに古い紙質を連想させるノイズの入ったオペラ座の写真が画面いっぱいに広がるデザインです。
❶中央には明度を落とした赤色のコンバージョンボタンを配置しています。
❷見出しは、ゴールドのセリフ体のタイポグラフィを使用して、格調高く見せています。
❸リンクの矢印には、クラシカルな模様を使用しています。

全体的に上下の余白をゆったりとった余裕のあるレイアウトになっています。

https://operahouse.od.ua/

ページをスクロールすると、見出しが下からふわっと現れ、彫刻の写真がゆっくり描かれる動きが付けられています。

劇場の紹介エリアは、建物の写真を切り抜いて、灰色の背景の上に配置することで抜け感のあるレイアウトを実現しています。

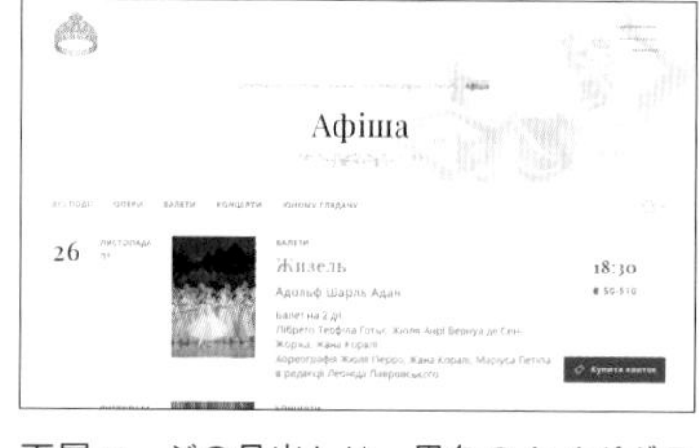

下層ページの見出しは、黒色のタイポグラフィと薄いゴールドの草木模様を組み合わせて見せています。

02 ゴールドと茶色を組み合わせる

ゴールドは高級感を感じさせる色です。茶色の背景と組み合わせると古い洋館のようなクラシックな雰囲気が出ます。「ザ・ミュージアム MATSUSHIMA」のサイトでは、ロゴや見出しにゴールドを使っています。ロゴは細い線とレトロな和文フォントで構成されており、色はグランジなゴールドで質感を出しています。ナビゲーションは明朝体の白いテキストと、ゴールドのセリフ体で見せています。

http://www.t-museum.jp

R096 G042 B000　R211 G179 B091　R025 G025 B025

03 ダークトーンでまとめる

格式のあるしっかりとした印象に見せたい時には、暗く落ち着いた配色のダークトーンやダークグレイッシュトーンが活躍します。

「bar hotel 箱根香山」のサイトでは明度を落とした動画をファーストビューの背景に設置し、テキストの背景をダークネイビーに設定、文字色の明るい茶色を組み合わせて上質な雰囲気を演出しています。

https://www.barhotel.com/

R000 G037 B056　R180 G172 B164　 R171 G099 B051

04 セリフ体と明朝体で見せる

「暖簾 中むら」のサイトでは、家紋が入った伝統的なロゴと、ゴールドのセリフ体の欧文、明朝体の和文を組み合わせて、ジャパニーズモダンな印象を作っています。

背景には、漢字の大きな縦書きの文字が装飾として薄く入っています。

罫線は、スクロールに合わせてゆっくり動く視差効果も取り入れて、優美な雰囲気を出しています。

https://nakamura-inc.jp/

R255 G255 B255
R164 G162 B155
R112 G100 B079
R006 G016 B029

05 細い線を使って装飾する

高精細な写真と動画を使って見せている、格式高い印象の「The Okura Tokyo」のサイトです。

お知らせの区切り線には、透過させた細い線を使い、マウスを合わせると、線の上に白い線が走る動きが取り入れられています。また、小さ目の明朝体のフォントを使って、繊細さを出しています。

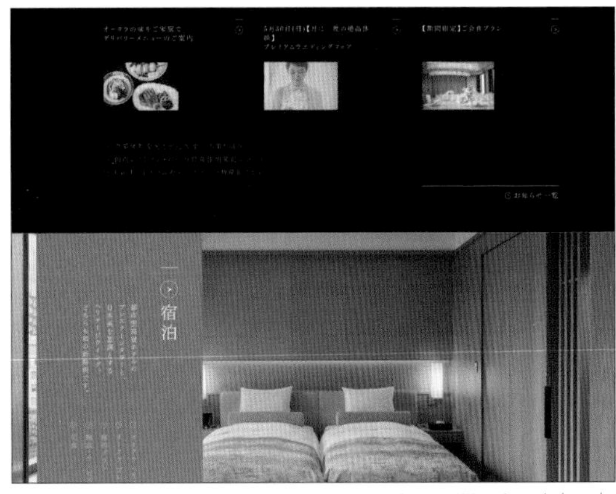

https://theokuratokyo.jp

R180 G141 B048　R247 G243 B236　R000 G000 B000
R109 G109 B109　R204 G204 B204　R255 G255 B255

PART1 10 和を感じるデザイン

▶ 和を感じるデザインの作り方

和の配色は、藍色(あいいろ)や茜色(あかねいろ)など繊細な日本の伝統色を組み合わせて構成するとよいでしょう。

書体は、明朝体や行書体、手書き風がよく使われており、縦書きのサイトも多く見られます。

背景に和紙のテクスチャを使用したり、日本の伝統的な菱形や扇形といった形や、梅・桜・松・竹のような模様、家紋などを取り入れると和風の雰囲気を出すことができます。

color（色）

R161 G031 B036　R205 G150 B073　R109 G116 B059
R082 G044 B089　R000 G000 B000　R028 G057 B082

font（書体）

A1明朝　太ミンA101　京円　新正楷書CBSK1
リュウミン　源ノ明朝　游明朝体　しっぽり明朝　貂明朝

parts（パーツ）

---

01 縦書きと和紙のテクスチャを組み合わせる

毛筆で書かれた和風のロゴがヘッダーの中央に配置されている「小山弓具」のサイトです。

メインビジュアルの写真は彩度を抑えて、年月を経た渋い印象を与える加工になっています。

❶トップ画面の左上には明朝体のフォントを使い、写真にかぶせるような形で、縦書きのリード文をまとめています。

❷グローバルナビゲーション下の背景には、和紙のテクスチャを配置し、スクロールをすると波紋の模様やテキストがふわっと出現する動きが取り入れられています。

❸見出しやリンクの装飾には矢印の形をしたシンプルな線を使い、すっきりと見せています。

https://koyama-kyugu.co.jp/

白の背景の一部分に、弓具の矢をイメージさせる伝統的な模様を薄い灰色で入れています。

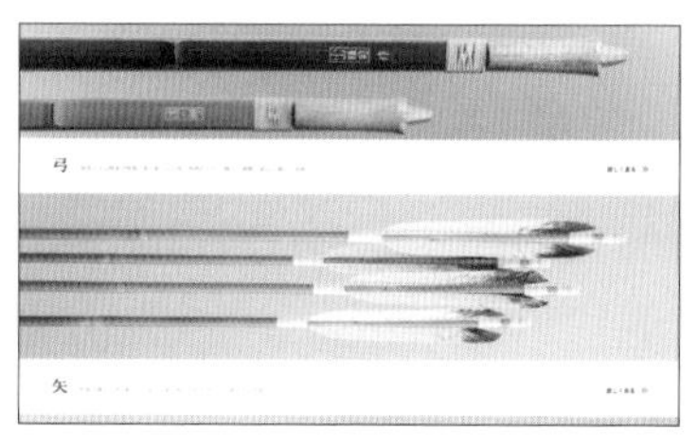

説明文には游ゴシック、フォントサイズを大きくした漢字1字の見出しには游明朝を使ってメリハリを付けています。

ベースカラーは白と黒の無彩色のシンプルな配色で構成し、キリっと引き締まった印象にしています。

02 伝統的な模様を入れる

日本には、着物や器などに使用されている伝統的な模様がたくさんあります。

「赤坂柿山」のサイトでは、明朝体とセリフ体で書かれた縦書きの見出しと組み合わせて、モノクロで描かれたすっきりとした模様を配置しています。

あしらいには飾りがついた線が使用されています。

https://www.kakiyama.com/

R255 G255 B255　R245 G245 B245　R128 G128 B128
R000 G000 B000　R161 G000 B000　R035 G024 B021

03 日本の伝統色で構成する

「つぐも-TSUGUMO-」のサイトではベージュの背景色の上に、日本の伝統色である、はっきりとした赤色と渋い緑色が使われています。

左上のロゴは、赤い雲のような形と、縦書きの文字、印鑑風のアルファベットを組み合わせています。右側の新着情報は、縦書きのテキストを上方向に動かしています。

https://tsugumo.jp/

R255 G255 B255　R223 G028 B007　R036 G060 B027
R006 G006 B005　R241 G241 B235　R127 G114 B042

04 毛筆や明朝体で文字を表現する

仕出し料理専門店「菱岩」のサイトは、鮮やかな写真と縦書きの行書体のロゴを重ねて、ファーストビューを構成しています。ページ内のテキストは細い明朝体が使われています。あしらいには、菱形の形を用いて凛とした雰囲気を出しています。

https://hishiiwa.com/ja/

R239 G235 B229
R187 G195 B164
R037 G035 B031
R134 G102 B091

05 細い線で凛とした雰囲気を出す

被写体の中央に、縦書きのタイトルを配置し、余白をたっぷり取って見せている「佐嘉平川屋」のサイトです。

滑らかなスクロールの動きが、優美な雰囲気を出しています。細身の明朝体を使用し、縦書きをメインに展開しています。

全体の色調を抑え、ボタンや区切り線などの装飾には細身の線を使用して凛とした空気感を演出しています。

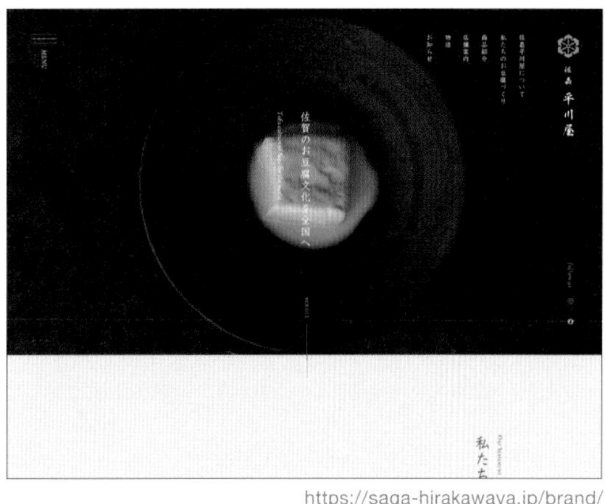

https://saga-hirakawaya.jp/brand/

R020 G020 B020　R191 G157 B109　R240 G237 B232

PART1
11 子供向けのデザイン

子供向けのデザインの作り方

明度が高い色をカラフルに使うと元気で明るい印象になります。また、パステルカラーを使うと可愛い印象の子供向けのデザインになります。

書体は、太くて見やすく読みやすいフォントや、丸みのあるフォント、手書き風のフォントなどを使用するとよいでしょう。

パーツは、愛らしいキャラクター、イラスト、フラッグや吹き出しなどを使い、マウスを近づけると回転したり、飛びはねたりするようなアニメーションを入れると、遊び心あふれるサイトになります。

color（色）

R208 G064 B055　R227 G165 B074　R114 G180 B076
R043 G152 B203　R164 G070 B134　R233 G211 B048

font（書体）

きりぎりす　キウイ丸　ロックンロール　じゅん
TB ちび丸ゴシック　Yusei Magic Regular　どんぐりかな

parts（パーツ）

EVENT

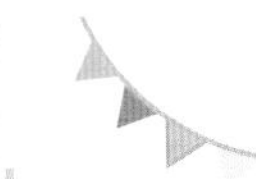

01 イラストをたくさん使う

青色と白色を組み合わせて海を連想させる配色で構成された「もぐし海の子ども園」のサイトです。

❶ヘッダー内のグローバルナビゲーションやサブリンクには、カラフルなイラストが用いられています。

また、左上の鳥のイラストを上下にゆったり動かしています。

❷メインビジュアルの上部の切り替えには半円を連ねた形のスカラップ模様を用いており、かわいらしく見せています。

また、下部の切り替えには、なだらかな形で優しく区切って見せています。

❸フォントは、丸みのある太めのフォントを使用し、大きさにはメリハリを付けて、はっきりとした色使いで構成しています。

http://mogushi.jp/

コンテンツの境界には毎回イラストが用いられており、楽しさを演出しています。

下層ページへのリンクは、写真とイラストアイコンを組み合わせてわかりやすく見せています。

フッターには、波が動くアニメーションが取り入れられ、園で遊ぶ子供や野菜や虫のイラストが散りばめられています。

02 角が丸いパーツを利用する

都立動物園や都立水族園をPCやスマホで楽しめるWebコンテンツ「東京ズービー Maps & Tours」のサイトは、ドラッグしながら画面を移動できるワクワクした作りになっています。動物園の名称の漢字にはルビがふられ、子供でも読める配慮がされています。

ボタンや、リンクマークの三角といったパーツは、角を丸くしてやわらかい雰囲気を出しています。

https://www.tokyo-zoo.net/zoovie/

R052 G159 B075　R172 G232 B000　R255 G255 B255
R124 G230 B247　R226 G230 B233　R240 G126 B099

03 アニメーションをつけて遊び心を出す

子供向けのサイトには、楽しい動きが付けられていることが多くあります。「越智歯科昭和町医院」のサイトは、イラストをメインに構成された、可愛らしく楽しい印象のサイトです。大人だけをターゲットにせず、こどもや家族連れが行きたくなるような雰囲気を作っています。スクロールをすると、イラストやテキストが様々なアニメーションで現れます。

https://ochi-dentalclinic.com/

R003 G043 B117　R066 G166 B222　R247 G174 B000
R127 G189 B112　R230 G139 B158　R252 G255 B255

04 丸みのあるフォントや手書き風フォントを組み合わせる

「妖怪ピーク」のサイトでは、本文に丸みを帯びたフォント、見出しに太めの手書き風フォントを使用し、遊び心のある画面を作っています。水彩画や切り絵の背景イラストの上には、子供たちが描いたイラストや、モノクロの小さなイラストが切り貼りされています

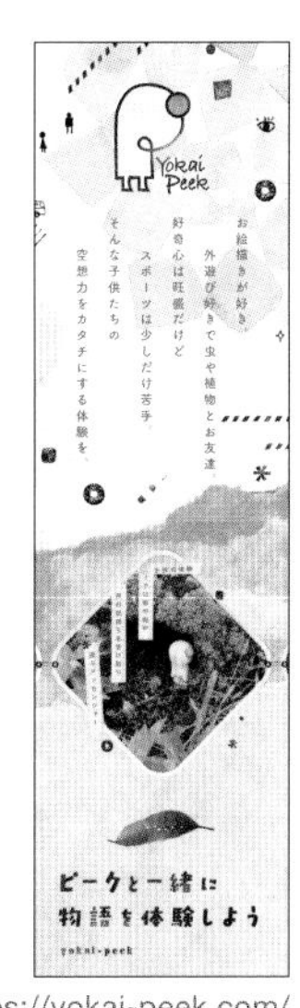

https://yokai-peek.com/

05 はっきりとしたカラフルな配色にする

「もりくま堂」のサイトは、明度と彩度の高いビビッドなトーンの配色で構成されています。

コンテンツごとに紙の質感が切り替わり、はっきりとした色合いの背景色を作っています。

スクロールをすると、イラストやテキストが動き、下まで読み進めたくなる作りになっています。

https://morikumado.com/

R245 G048 B027　R131 G195 B111　R000 G163 B217
R254 G127 B000　R024 G088 B152　R058 G189 B232

PART1
12 女性的な柔らかなデザイン

女性的な柔らかなデザインの作り方

明度が高いピンクや薄い茶色、薄い紫などで配色すると女性らしいデザインになります。彩度を低くすることで落ち着いた色合いになり年配の方にも好まれる色になります。

書体には、細めで強弱や曲線のあるフォントや手書き風のフォントを使用するとよいでしょう。

女性が普段使っていて好みそうなアイテムをイラストやアイコンで表現すると雰囲気が出ます。

宝石・花・リボン・レース・ハート・星・キラキラパーツなどはよく使われます。

color（色）

R192 G062 B093　R166 G119 B106　R140 G110 B168
R213 G109 B122　R246 G233 B230　R184 G131 B161

font（書体）

游明朝体　はんなり明朝　フォーク　筑紫B丸ゴシック
Adorn Garland　Hummingbird　Baskerville　Caveat

parts（パーツ）

---

https://www.opera-net.jp/

01 細いフォントや小さ目のフォントを使う

白地の背景に、アクセントカラーのサーモンピンクのグラデーションが映える「OPERA（オペラ）」のサイトです。

❶商品名以外のフォントは、細身のフォントを使い、サイズが小さめのゴシック体と、手書きの筆記体を組み合わせて、繊細さを出しています。

❷ボタンには、ピンクベージュのグラデーションを使い、サンセリフ体の文字の白いテキストをのせています。

シャドウをほんのり付けることで、ふんわりとした空気感を演出しています。

❸一般的な見出しは、フォントサイズを他のテキストよりも大きく見せることが多いですが、このサイトでは、灰色の小さなサイズで、装飾のようなポジションで見せています。

リンク画像の上には、ルージュの色に呼応した暖色系の色の手書きの筆記体の文字が重ねられています。

写真の周りに、縦書きや横書きで小さなテキストを配置することで、おしゃれに見せています。

リンクボタンは、テキストから余白を多めにとったシンプルな下線で表現されています。

02 ピンク×ベージュでまとめる

薄いベージュの背景の上に、グレイッシュなピンクの帯が映える落ち着いた女性の雰囲気の「MIKIYA［ミキヤ］」のサイトです。

テキストは、ライトグレイッシュの茶色とピンクで構成されており、写真にはふんわりとしたシャドウがかけられ、やわらかな印象を保っています。

https://mikiya-bag.co.jp/

R248 G243 B245 R181 G157 B161 R230 G217 B219
R231 G223 B214 R175 G159 B141 R255 G255 B255

03 やわらかい形を使って表現する

「cafe no.」のサイトは、ファーストビューを細身の筆記体のロゴ、丸い流体シェイプ、バラバラのタイポグラフィや幾何学模様を組み合わせて見せています。

コンテンツの切り替え部分である見出しの上部は楕円で表現しています。中見出しや商品の名前は、手書き風のフォントを使用しています。

https://cafeno.jp/

R065 G063 B057 R240 G236 B233 R255 G255 B255
R240 G168 B153 R102 G086 B086 R051 G051 B051

04 見出しにセリフ体と明朝体を使い、エレガントで上品な印象でみせる

「美容室mahae（マフェ）」のサイトでは、透明感のある薄いグレイッシュなブルーをメインカラーに使用しています。見出しには、英語はセリフ体、日本語は明朝体を使い、エレガントで上品な印象を持たせています。

https://www.mahae.info/

05 プリズムのテクスチャと暖色のグラデーションを組み合わせる

「透ける秋色のくちびる“Romantic Edgy”」のサイトは、背景にきらきら光るテクスチャを使用したエレガントな印象のサイトです。暖色のグラデーションやセリフ体のタイポグラフィを組み合わせることにより、透明感のあるデザインを実現しています。

https://www.opera-net.jp/special/2019sep/

R255 G255 B255 R229 G190 B235 R254 G178 B179

PART1

13 男性的な力強いデザイン

▶ 男性的な力強いデザインの作り方

男性の好む色は、寒色系の青色や黒色が多いと言われています。

青×黒、赤×黒といった、はっきりとした色と暗色を組み合わせると力強い男性の印象になり、白×青、薄茶色×青といったやわらかい色を組み合わせると落ち着いた男性の印象になります。

書体は、太いゴシック体を使うと堂々とした雰囲気を出すことができます。

パーツは、グランジのテクスチャ、ひび割れ、稲妻、炎、光フレア素材や直線的なボタンがよく使われています。

color（色）

R000 G000 B000　R038 G058 B092　R255 G255 B255
R035 G104 B175　R223 G196 B166　R195 G029 B031

font（書体）

ヒラギノ角ゴ　ゴシックMB101　ロダン　Noto Sans JP
Oswald　DIN Condensed　BEBAS NEUE　Heebo

parts（パーツ）

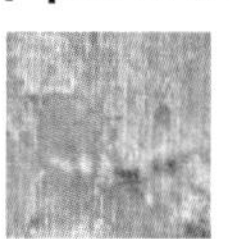

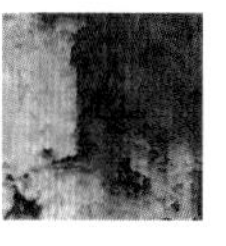

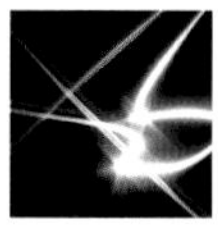

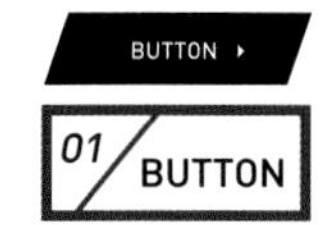

01 シャープさや陰影を付けて写真を加工する

モノクロで、スポーティーな印象の「DeNAアスレティックスエリート」のサイトです。

❶スライドショーの写真は、彩度を低めにして、陰影を付けつつ、シャープな加工を施しています。

❷写真の上に、サンセリフ体の大きなタイポグラフィを、右から左へゆっくりと流しています。

写真と重なる文字は、階調を反転させて、ネガフィルムのような効果を出し、クールに見せています。

❸パネル状のブロックの中に、背景画像を指定して、時間で切り分けて、1枚の画像と複数の画像をスライドをさせながら、交互に表示しています。

https://athletics.dena.com/

切り抜いた全身写真と、モノクロに加工した横顔の顔写真を組み合わせて選手を紹介しています。

写真の上に直線で構成された灰色の四角と文字を重ねることで、スタイリッシュに見せています。

ハンバーガーメニューをクリックすると、透過した白地背景の上にパネル状に分割された写真とナビゲーションが出現します。

02 太いフォントを使う

「新運輸株式会社」のサイトでは、見出しの文字をボールド、イタリックに変形し、さらに斜めの構図を組み合わせて、力強く勢いのある印象を作っています。

ファーストビューには、スライドショーの上に太いゴシック体でキャッチフレーズが謳われています。

グローバルナビゲーションは、日本語と英語を組み合わせて斜体で表現しています。

http://arataunyu.co.jp/

R000 G091 B165　R234 G014 B000　R000 G000 B000

03 コントラストが強めの配色

「TORQUE Style」のサイトでは、ベースカラーに黒色と赤色を使用し、その上に白色のテキストや背景色を乗せてコントラストをはっきりさせた配色で構成しています。

ゴシック体の太めのフォントで、見出しと文章のサイズを大きく変えてメリハリを付けています。過度な装飾はせず、余白を活かし、シンプルながらも堅実でかっこいい印象を作っています。

https://torque-style.jp/

R000 G000 B000　R248 G070 B070　R255 G255 B255

04 青や黒などの寒色を使う

日本では、青色は男性をイメージするカラーと言われています。「メイテック」のサイトでは、罫線が引かれた白地の背景に、黒色と青色のテキストを組み合わせてはっきりと情報が伝わる構成になっています。

また、写真の加工は、青色が強めに加工されており、知的でクールな印象を出しています。

https://www.meitec.co.jp/

05 斜めのカットで勢いを出す

白地に赤色が映える「レッズでんきマガジン powered by Enecle」のサイトでは、写真の切り抜きや、ボタンの形状に斜めの形を取り入れて、勢いを出しています。

見出しは大き目のサイズで、太めのフォントを使用し、「font-style:italic;」を指定して斜体にしています。

全体のレイアウトを、斜めの角度を交互に見せることで、下まで読み進めたくなる構図になっています。

https://magazine.reds-denki.com/

R230 G000 B018　R243 G243 B243　R000 G000 B000

PART 1

14 高級感があるデザイン

高級感があるデザインの作り方

高級感を出す王道の配色は、黒色とゴールドの組み合わせですが、派手な色を使わずに、茶、紺、グレーなどの落ち着いたトーンを使っても表現することができます。

書体は、和文だと明朝体、欧文だとセリフ体がよく使われます。飾り文字として筆記体を入れると華やかな印象になります。

文字の字間や行間はゆったり取り、余白感を大事にしましょう。装飾は、シンプルな線などで表現し、写真を際立たせると洗練された印象になります。

color（色）

R176 G151 B097　R000 G000 B000　R052 G030 B014
R018 G039 B074　R120 G120 B120　R102 G080 B053

font（書体）

リュウミン　太ミン A101　A1 明朝　貂明朝

Baskerville　Futura　Adobe Caslon Pro　Montserrat　*Playfair Display*

parts（パーツ）

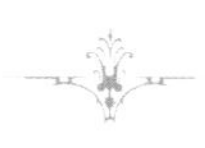

Contents
List item
List item
List item

英語の飾り文字と組み合わせる見出し *Headline*

---

01 黒色×ゴールドの王道の配色で高級感を演出する

ファーストビューに、明度を落とした背景動画をゆっくり流している「Roju」のサイトです。

画面を囲うように、左上にロゴ、右上にハンバーガーメニュー、右下にお知らせ、左下にSNSボタンを配置して、四方に重要なパーツを散りばめています。

❶ ベースカラーを黒色、アクセントカラーをゴールド、見出しや本文のテキストには白色を採用して、洗練された印象にしています。

❷ 見出しの装飾には、細い線を使い、セリフ体の大きな英字と明朝体の小さな日本語を組み合わせています。

❸ 全体的に余白をたっぷりとって写真やテキストを配置するレイアウトになっています。

http://www.roju.jp/

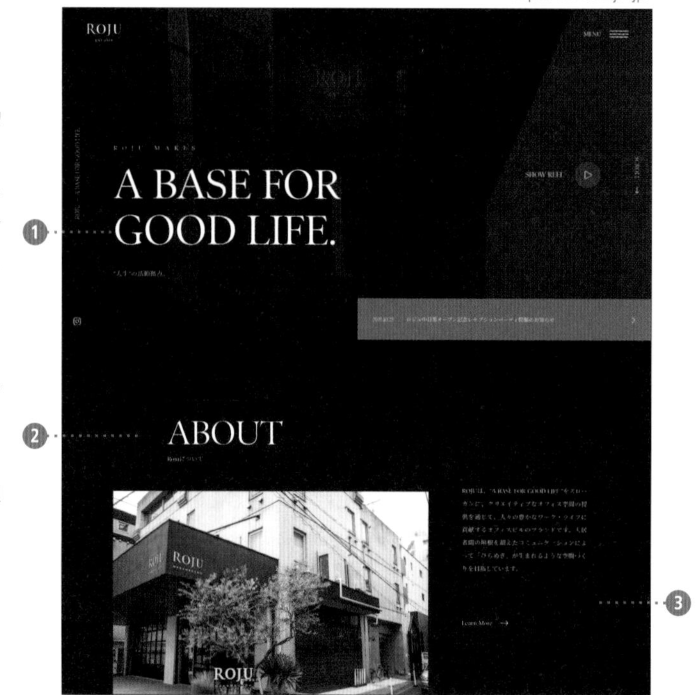

リンク画像は、彩度を落として落ち着いた印象の加工が施されています。背景が黒色であるため写真が引き立って見えます。

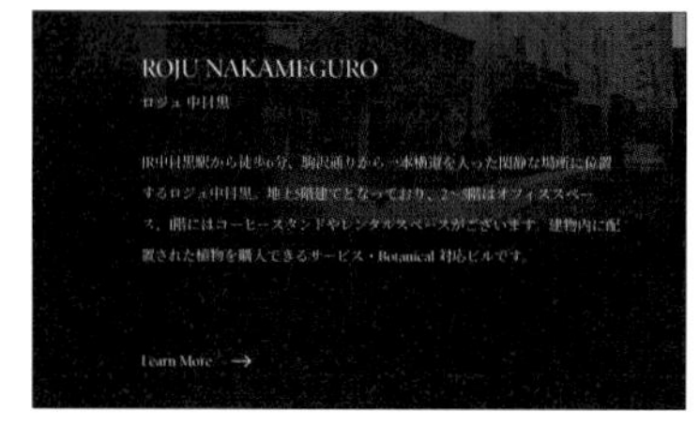

「Learn More」のリンクボタンには、細い線で描かれた正方形のパーツを使用しています。

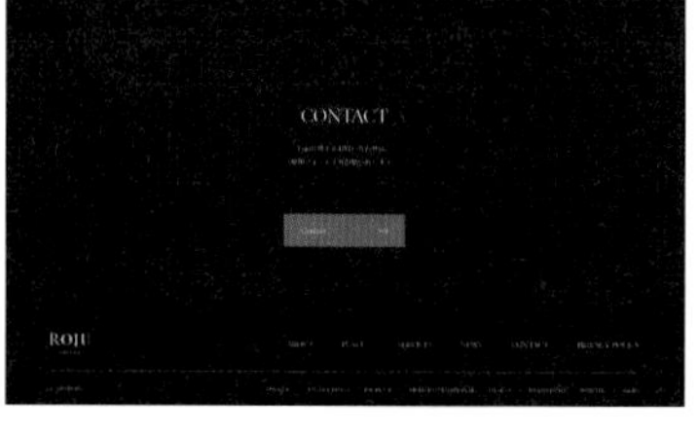

フッター「Contact」のコンバージョンボタンは塗りをゴールドにして目立たせています。

02 余白を大きく取ったレイアウトで余裕を感じさせる

ファーストビューに半円の写真を大きく見せている「板谷アイクリニック銀座」のサイトです。

ローディング後に下から上へゆっくり移動をする動きや、余白を大きく取るレイアウトで、ゆったりとした空間を感じさせるデザインになっています。

https://hangai-ginza.jp/

R140 G148 B124　R244 G244 B244　R071 G070 B069
R000 G000 B000　R255 G255 B255　R207 G207 B207

03 セリフ体とゴールドの組み合わせで、品の良さを出す

「Æbele Interiors」のサイトは、メインカラーに高級な貴金属を連想させるゴールドを採用しています。背景にはメインカラーを薄くした黄色みがかったベージュが使用されています。中央には大きなセリフ体のタイポグラフィを配置してラグジュアリーな雰囲気を出しています。

https://aebeleinteriors.com

R193 G154 B092　R249 G245 B239　R000 G000 B000

04 色の彩度を抑える

「DDD HOTEL」のサイトは、スクロールをすると滑らかに要素が動く視差効果を取り入れています。

大きなタイポグラフィと、縦長の写真を重ねて、広い面積を贅沢に使った構成になっています。

使用している写真は、色の彩度を抑え、落ち着いたホテルの様子を魅力的に紹介しています。

https://dddhotel.jp/

R004 G004 B004　R133 G109 B071　R238 G237 B233

05 装飾には細い線を使う

上品でエレガントな印象を与える、セリフ体のモダン・フェイスを使用した「FRANCK MULLER」のサイトです。

白色とベージュのベースカラーに、黒色のテキストをのせて高精細な写真で商品を見せています。各セクションの見出しは中央揃えにしており、小さめのフォントと連番を組み合わせて見せています。見出しの装飾やスライドショーの現在地表示には細い線を使用しています。

https://franckmuller-japan.com/

R000 G000 B000　R232 G230 B221　R242 G238 B232

PART1
15 食べ物が美味しそうに見えるデザイン

食べ物が美味しそうに見えるデザインの作り方

食べ物のデザインの配色は、食欲をそそる赤・オレンジ・黄色などの暖色系の色が多く使われています。

サイトに使用する画像は、明度を上げ、彩度を高くし、暖色系の色合いに寄せつつ、目立たせたい場所をくっきりと見せましょう。

写真加工の際に、ラーメンやうどんのような温かいものには湯気を、サラダやフルーツのようなみずみずしいものには水滴を追加すると鮮度のあるシズル感あふれる絵になります。

color（色）

R225 G180 B062　R231 G135 B040　R186 G027 B045
R177 G191 B038　R050 G100 B050　R149 G100 B050

parts（パーツ）

写真加工のポイント

①明るくする　②彩度を上げる
③暖色系にする　④シャープにする

---

01 明度と彩度を高くした画像を使う

食品の写真は、明度と彩度を高く補正すると美味しそうに見えます。

❶「Happy Camper SANDWICHES」のサイトでは、ファーストビューに鮮やかな色の食材を用いたサンドウィッチの画像を大きく配置しています。

食材に寄って写真をトリミングをすることで、食欲がそそられる構図になっています。

❷サンドウィッチの断面を見せることで、よりいっそう料理を美味しそうに見せることができます。

❸サイトのカラーは明度の高い黄色や黄緑色を使用しており、卵やレタスといったサンドウィッチの食材のフレッシュさを連想させる配色になっています。

https://happycampersandwiches.com/

食材選択のフローに使用されている写真は、被写体にフォーカスしたトリミングで、食材そのものに集中させています。

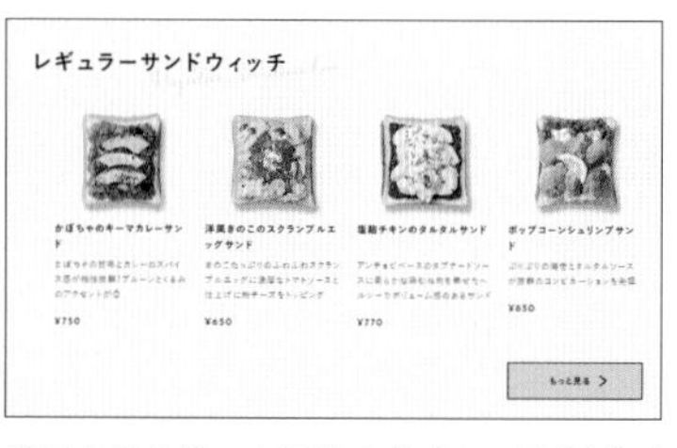

背景を切り抜いた画像を使うと、臨場感が出て、余白が生まれゆったりとしたレイアウトになります。

背景がある角版の写真には、黄色い枠線を組み合わせて明るい印象にしています。

02 「シズル感」を表現する

食品を扱うデザインには、掲載する食品のみずみずしさや活きのよさを表現し、見る人たちの食欲や購買意欲を刺激する「シズル感」が重要になります。

「大阪発！札幌スープカレーJACK」のサイトでは、ベースカラーにカレーの黄色を使用し、ファーストビューには湯気が立っているスープカレーの写真を大きく扱い、シズル感を表現しています。

https://soupcurry-jack.com/

03 暖色系の配色にする

赤・オレンジ・黄色などの暖色系の配色は、食欲を促す色で、飲食店や食品の広告によく使われています。

「大阪北堀江の薬膳・養生ごはん 天然食堂かふぅ」のサイトでは、ベースカラーにベージュを使い、メインカラーには赤みのある茶色を使用して写真となじませています。

食品の写真は、赤みを持たせ、彩度を上げて食べ物をおいしそうに見せています。

https://cafuu-shokudou.com/

R255 G246 B223
R252 G190 B097
R095 G055 B000
R255 G255 B255
R247 G117 B103
R228 G184 B138

04 背景を切り抜いた美味しそうな写真をページに散りばめる

白の背景に彩度の高い食材の写真が映える「フルーツ&ブレッド サンチ」のサイトです。全体的に明るくはっきりとした写真が使われており、背景を切り抜いた美味しそうな写真素材が散りばめられています。

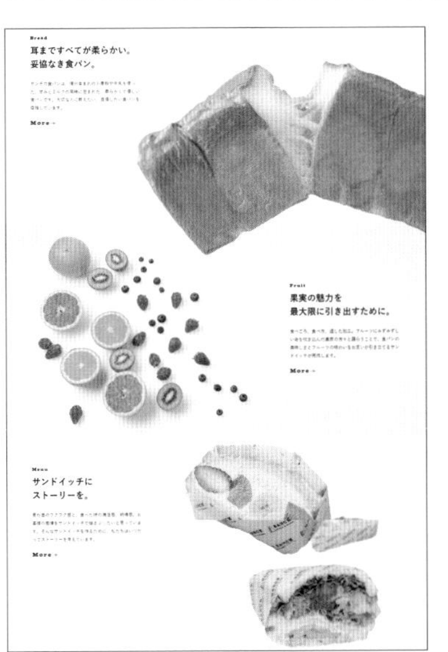

http://www.sanch-gondo.jp/

05 食材を切って内側を見せる

チョコレートキャラメルバーや、割れたナッツが浮遊している「GIGANTIC!」のサイトです。

食材を切って内側を写真で見せる手法は、野菜やサンドウィッチなど他の食材でもよく使われており、中身の構造を伝えるアピールができます。

ファーストビューのベースカラーには暖色のピンクを使い、はっきりとした赤色と黒色を組み合わせた配色でポップな印象を持たせています。

https://giganticcandy.com/

PART1

16 季節感を感じるデザイン

季節感を感じるデザインの作り方

サイトに季節感を出すためには、季節を連想する配色を意識しましょう。

春ならば桜を連想するピンク、うぐいすを連想する黄緑色。夏ならば海を連想する青や、ひまわりを連想する黄色、といったように、周囲にある自然の色を取り入れると、見る人に伝わりやすくなります。

パーツは、紅葉などの四季の草花や、クリスマスといった行事で使われるアイテムや装飾を意識するとよいでしょう。

color（色）

春	R247 G207 B225	R245 G234 B046	R206 G222 B147
夏	R244 G232 B039	R017 G131 B199	R156 G209 B237
秋	R212 G122 B015	R126 G151 B044	R123 G063 B031
冬	R129 G198 B210	R113 G152 B183	R146 G139 B187

parts（パーツ）

---

01 春：桜や若葉などを連想させるやわらかい配色で構成する

https://www.momat.go.jp/am/exhibition/springfest2021/

「美術館の春まつり 2021」のサイトです。ファーストビュー全体に描かれた日本画の花やロゴがゆったり動き、春の息吹を感じさせる温かみのあるデザインになっています。

❶ ベースカラーには肌色やベージュ、白色を使い、イラストに使用されているピンク・緑色・白色をやさしく浮かび上がらせています。

アクセントカラーにピンクを取り入れる以外は、派手な色は使用せず、無彩色の黒をメインに構成しています。

❷ 見出しとリード文は、縦書きの明朝体とセリフ体を使用しており、優美な日本の春を連想させる見せ方になっています。

❸ 花の作品画像をアクセントとして左右に繰り返し取り入れています。

グローバルナビゲーションの背景には、93％に透過させた濃い目のピンク色を使用しています。

サイトの途中の「お休み処」では、桜がはらはらと舞うイラストのエフェクトを取り入れています。

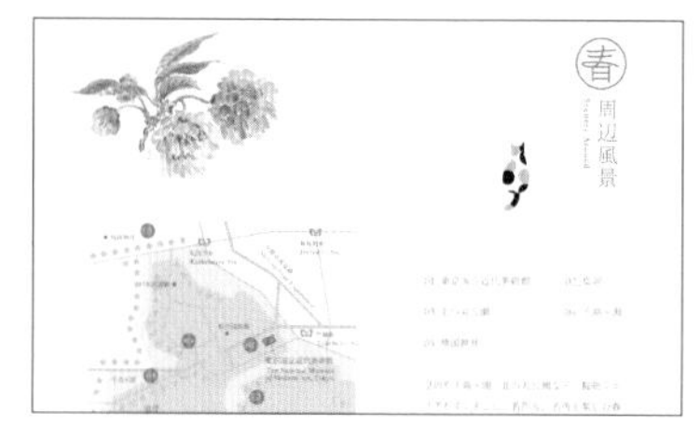

スクロールをすると、透過した状態からゆっくり時間をかけて要素が出現する動きを取り入れています。

02 夏：元気な印象を与えるポップ感を演出し、コントラストの高い色を使う

夏は、太陽の光が強く色が鮮やかに見える季節です。「USAライス連合会：夏はカルローズ」のサイトでは、ピンク、黄色、青色といった彩度やコントラストが高い色を組み合わせて、夏を表現しています。

また、使用している写真も明度と彩度を高く加工しています。装飾には、太陽や花火、ヒトデやサンゴ礁の形を使い、大見出しのアイコンには、スタンプ風のかすれ加工を取り入れています。

https://www.usarice-jp.com/summer/2020/

03 秋：紅葉を連想させる落ち着いた茶色や赤色でまとめる

ハーゲンダッツ Häagen-Dazsの「秋の贅沢スイーツ」のサイトは、紅葉を連想させる、落ち着いた赤色、茶色、緑色で構成しています。

装飾には、落ち葉や栗の写真を切り抜き、影を付けて立体感を持たせて配置しています。

https://www.haagen-dazs.co.jp/autumn_2021/

R172 G039 B056	R245 G162 B076	R241 G090 B036
R123 G064 B073	R220 G198 B188	R072 G075 B027

04 冬：寒色と彩度の低い色を組み合わせる

余白感が気持ちいい「SNOWSAND」のページです。

ベースカラーには彩度の低い灰色と白色、アクセントカラーには寒色の水色を使用して、冬の凛とした雰囲気を演出しています。

装飾には、雪山を連想させる形や、枯れ木のイラストを使用しています。

https://www.snowsand.jp/

R235 G238 B243	R019 G098 B156	R026 G029 B031
R000 G137 B216	R011 G056 B082	R136 G136 B136

05 冬：雪が降るエフェクトを取り入れる

クリスマスオーナメント、ろうそく、もみの木などの装飾をデザインに取り入れている「ビアードパパ・ココフランのクリスマスケーキ」のサイトです。

ファーストビューの写真には、雪がふわふわと降るエフェクトを重ねて季節感を出しています。

クリスマスカラーの緑、赤、茶色を組み合わせ、アクセントカラーにはゴールドを使用しています。

http://www.muginoho.com/xmas/

COLUMN ロイヤリティフリーの写真素材サイト②

PART 0のCOLUMNに続いて写真素材サイトを紹介します。

https://free.foto.ne.jp

●.foto project：プロカメラマンが撮影した世界中の5,000万点を超える高画質ストックフォトを提供するサイト。一部有料（198円（税抜）～）で販売しています。

http://www.photo-ac.com

●写真AC：個人、商用を問わずクレジット不要で使用可能。カテゴリで探しやすい。サイズによっては一部有料です。

https://www.pakutaso.com

●ぱくたそ：個人運営のストックフォトサービス。会員登録不要で1万枚以上の写真素材が無料で使用できます。

https://pixabay.com

●Pixabay：950,000枚以上の無料写真素材、ベクターイメージ、イラストレーションを配布しています。

https://unsplash.com

●Unsplash：おしゃれに加工された素材が豊富にあります。collectionsからカテゴリ別に写真を検索できます。

https://www.pexels.com/ja-jp/

●Pexels：クリエイターがシェアする、無料の写真素材や動画素材が集まっているサイト。

https://food.foto.ne.jp

●food.foto：野菜・果物などの食材や料理、ドリンク、食器、デザートなどの写真素材を配布しています。

https://pixta.jp

●PIXTA：有料（540円～）。高品質な写真素材・イラスト素材・動画素材がそろっている素材サイトです。

http://photosku.com

●フォトスク：4,000ピクセル以上の高画質写真を無料でダウンロードできます。

Googleの画像検索で無料画像を検索！

Googleの画像検索で無料で使える画像を探すことができます。検索したいワード（例：犬）を入力後、「画像」→「ツール」→「ライセンス」→「クリエイティブ・コモンズライセンス」で検索をしてみましょう。

※使用規約の詳細は、各Webサイトから確認が必要です。

PART

2

—

配色から考えるデザイン

Webデザインの配色は「ベースカラー」「メインカラー」「アクセントカラー」の3色を決めるところからスタートします。色の持つ印象や、色の組み合わせ方、調和の取り方を色相や配色理論に沿って解説していきます。

PART2

01 ロゴやブランドカラーから考える配色

Webページの基本的な構造

「ベースカラー」は背景のように大きな面積で使う色、「メインカラー」はサイトの色の方向性を決める基準となる色、「アクセントカラー」はワンポイントなど目立たせたい場所に使う色のことです。Webデザインの配色の基本は、「ベースカラー」「メインカラー」「アクセントカラー」の3色を決めるところからスタートします。色は使用する面積で印象が変わるので、色の割合はそれぞれベースカラー：メインカラー：アクセントカラー＝70：25：5の割合で使うとバランスの取れた配色になります。

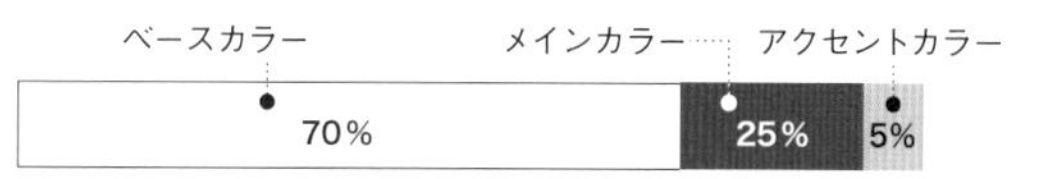

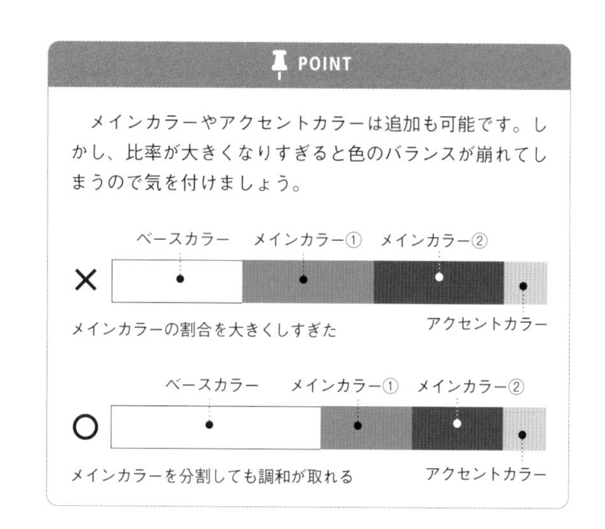

STEP 1 メインカラーを決める

まず基準となる色をロゴや商品のイメージ、ターゲット層などから決定します。メインカラーはなるべく文字、背景両方に使える色を選択しましょう。明度が高すぎる色は可読性が低くなるので注意が必要です。また、サイトの印象を左右する大事な色なので、色が持つイメージにも気を付けましょう。以下は「株式会社トンボ鉛筆」の商品のロゴとサイトになります。

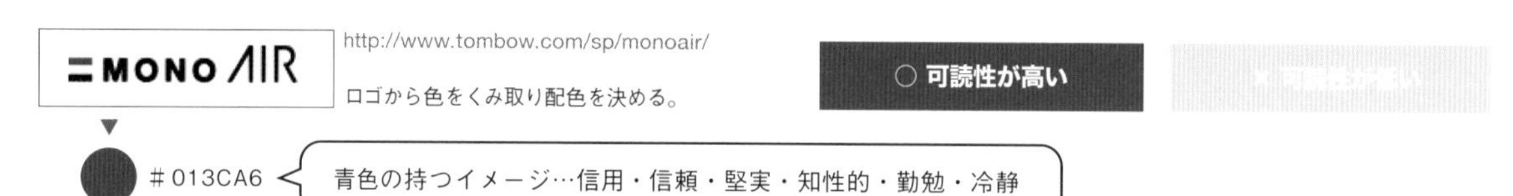

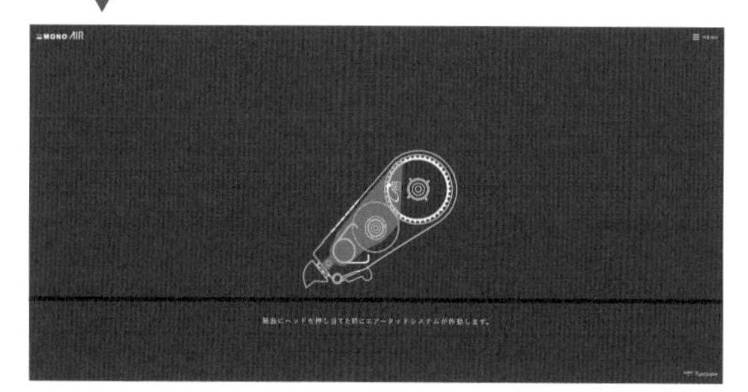

背景色にも使える。

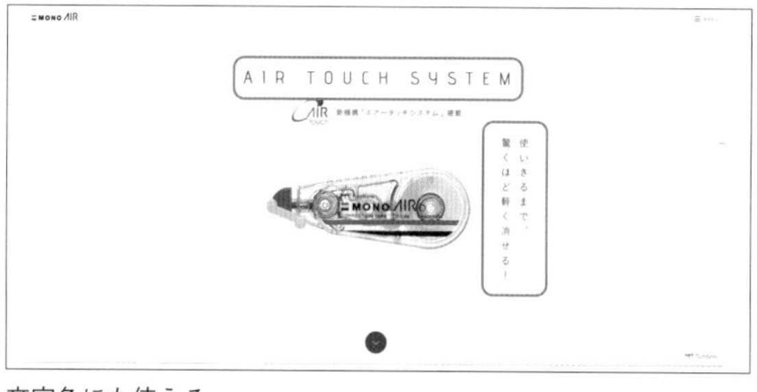

文字色にも使える。

STEP 2 ベースカラーを決める

次にベースカラーを決めていきます。ベースカラーは面積の大きな場所に使用される色です。

可読性を考慮し、慣れないうちは無彩色か、メインカラーの明度を上げた色を使うとよいでしょう。

STEP 3 アクセントカラーを決める

お問い合わせボタンや、キャンペーン情報など目立たせたい情報の場所にアクセントカラーを使います。
アクセントカラーは、色相環の中でメインカラーの補色や対照色に近い関係の色を選ぶと際立ちます。

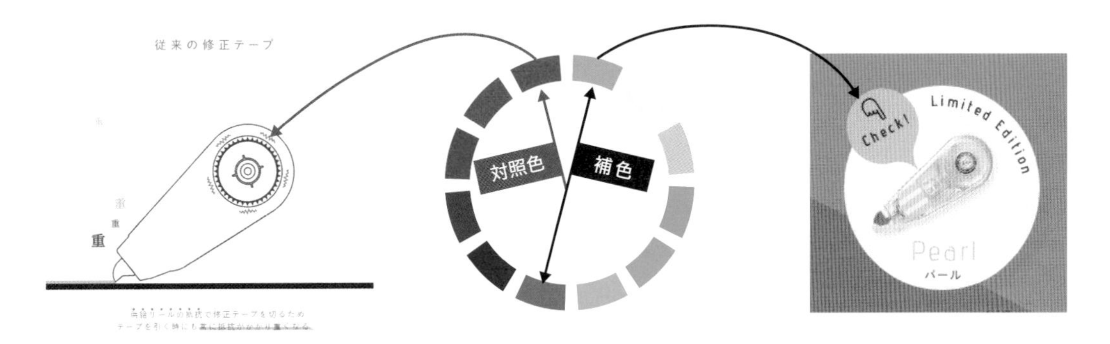

STEP 4 色数を増やしたい場合は配色理論を参考にする

サイト内に使用する色数を増やしたい場合は、配色理論を参考にするとよいでしょう。
理論に沿って作られた配色ジェネレーター（P.86）を使うと手軽に色を増やすこともできます。

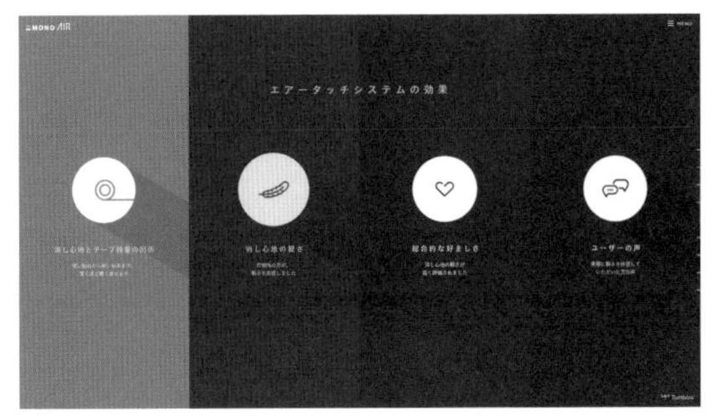

青のイメージでまとめたドミナントカラー（色相を統一した多色配色）の配色。色相を揃えることで配色の調和が取りやすく、比較的簡単に色数を増やすことができます。

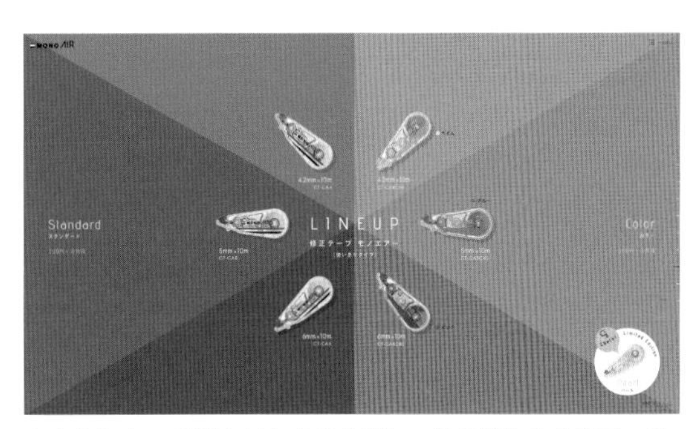

左右センターで青とピンクに分割し、色の対比をさせている。対比の配色で色数を増やす場合はトーンを揃えると調和できます。

POINT ボタンに活発な補色を用いるとクリックされやすくなる研究結果

Impact of color on marketingの研究では、商品によっては消費者が行った即決の90%が色彩のみをベースに行われていることが明らかにされています。

また、購入ボタンやお問い合わせボタンに活発な補色を用いるとクリックされやすくなるといった研究結果も出ています。

● 色彩の研究結果

色彩の研究は大変興味深いものです。普段私たちが見ている色は感情にも生理的にも影響を与えています。

続きを読む ＞

見出しとボタンで補色関係がある。

● 色彩の研究結果

色彩の研究は大変興味深いものです。普段私たちが見ている色は感情にも生理的にも影響を与えています。

続きを読む ＞

見出しとボタンで補色関係がない。

青の補色のオレンジ

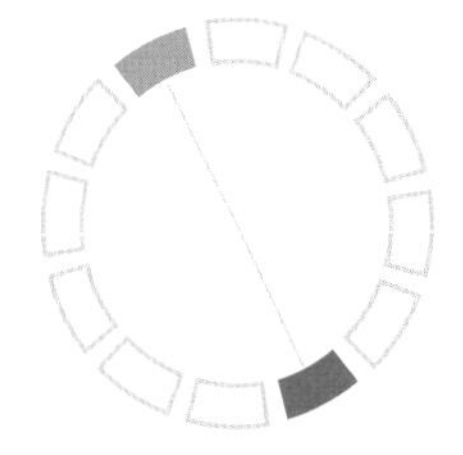

※参照：「The Psychology of Color in Marketing and Branding」 https://www.helpscout.net/blog/psychology-of-color/

PART2

02 黄を基調とした配色

黄色が持つイメージと性質

黄色は、色相環の中で一番彩度が高い色です。誘目性と視認性が高いので、注意を促す色としてもよく使われています。

ポジティブイメージ 明るい、活発、幸福、躍動、希望

ネガティブイメージ 臆病、裏切り、幼稚

連想するもの 太陽、ビタミン、ひまわり、重機、電気

黄色の階調

R255	R255	R255	R255	R243	R223	R183	R138	R091
G249	G246	G243	G241	G225	G208	G170	G128	G083
B177	B127	B063	B000	B000	B000	B000	B000	B000

01 黄色で活気のある印象を作る

黄色は、明るく活発なイメージを与えることができる色です。彩度が高い色なので、注目をさせたい時に使う色でもあります。

❶「SOCIAL TOWER MARKET」のサイトは、ベースカラーを黄色、手書き風のテキストの色を黒色で構成して、イベントの特徴である活気のある印象を作っています。

❷ロゴのテキストの一部は、黄色の類似色である緑を指定してなじませています。

❸「NEWS」や「FEATURE」といった記事が並ぶエリアは、白背景で囲み、横並びの2つのエリアの区切りをはっきり付けています。

白色を背景に敷くことで、黄色の背景の上にそのまま記事を配置する時と比較して、記事内の写真やテキストを目立たせることができます。

http://socialtower.jp/

R000 G000 B000

R255 G241 B000　R255 G255 B255　R030 G170 B057

SHOPSとFOODSのリンクに使用している背景写真は、ベースカラーに合わせるために黄色みがかった加工が施されています。

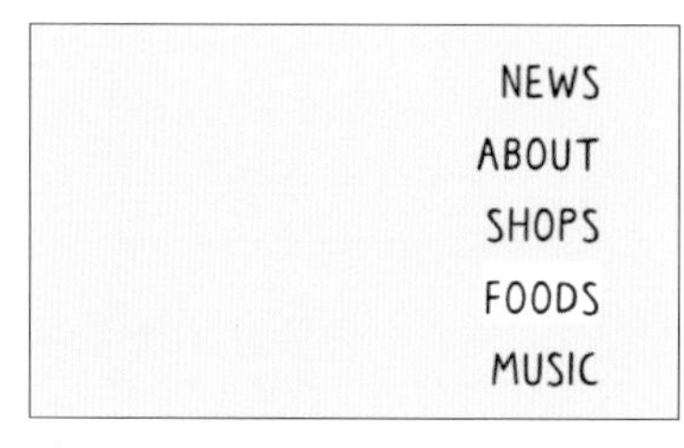

グローバルナビゲーション内のリンクにカーソルを合わせると、テキスト背景が黄色より明度が高い白色に変わります。

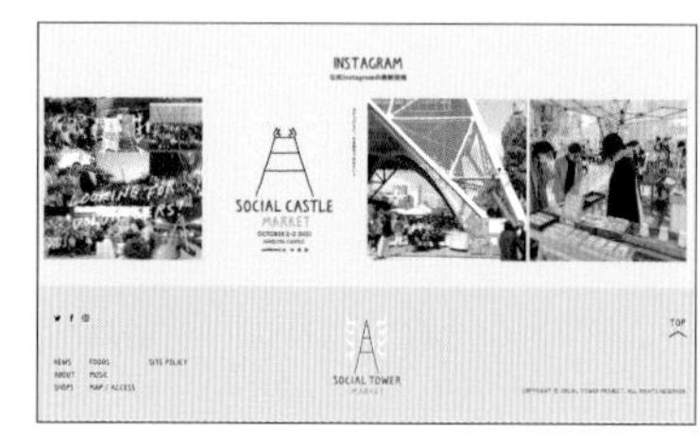

フッターは、ベースカラーの黄色の明度を落とした同系色の黄色にして区切りをやわらかく付けています。

02 ペールトーンの黄色を使い キュートな印象にする

淡い明度と彩度のペールトーンは、さわやかで若々しい印象を与えることができます。

「東京ばな奈30周年」のサイトは、ペールトーンの黄色をベースカラーにして、グラデーションと組み合わせています。また、ドット柄やストライプ、リボンのアイテムを重ねることで、キュートな印象を作っています。

https://www.tokyobanana.jp/special/30th.html

R255 G244 B123　R255 G255 B255　R093 G196 B223

03 黄色と白・黒・灰色の無彩色の組み合わせで、視認性を高める

白・黒・灰色といった無彩色の配色に、1色だけ鮮やかな色でアクセントを加えると、色が目立ち、視認性も上がります。「SEN CRANE SERVICE(センクレーンサービス)」は、ベースカラーを白色にして、その上に、黄色と黒を組み合わせたテキストやボーダーを配置しています。装飾には、中間色の灰色を使ってなじませています。

https://sencraneservice.com/

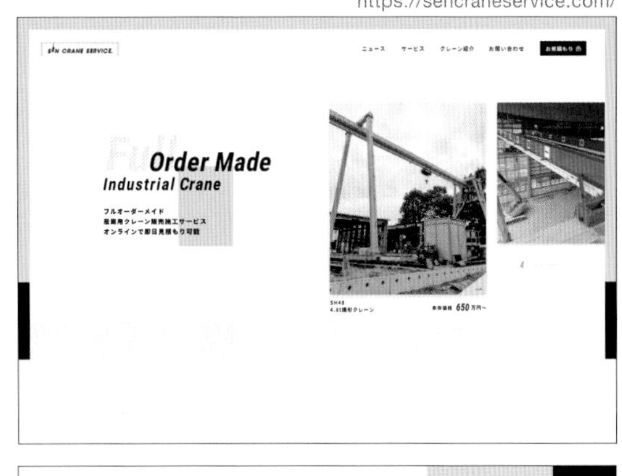

R255 G255 B255　R244 G244 B244　R255 G217 B000　R000 G000 B000

04 中間色の灰色をベースカラーに使い 黄色を程よく引き締めて見せる

中間色の灰色はどんな色にもなじみやすい色です。

「Change the Work | RaNa design associates, inc.(株式会社ラナデザインアソシエイツ)」のサイトは、ベースカラーを灰色、メインカラーを黄色、アクセントカラーを黒色で構成しています。背景を灰色にすることで、黄色を程よく引き締めて見せています。

https://www.ranadesign.com/recruit/changethework/

R242 G241 B241　R255 G229 B000　R000 G000 B000

05 明度差のある黄色と黒色を組み合わせて色を際立たせる

明度差のある黄色と黒色の組み合わせは、人に注意を促す色として使用されます。「15 лeт MELON FASHION」のサイトは、ファーストビューの背景色に黄色を使用し、大きなタイポグラフィを黒色にして際立たせています。スクロールをすると大きくなる写真と被るテキストは、明るく透過させています。

https://15years.melonfashion.ru/

R254 G215 B000　R000 G000 B000

PART2

03 橙を基調とした配色

橙色が持つイメージと性質

橙色は、会話やコミュニケーションを促進する色で、鮮やかでフレンドリーな印象を与えます。食欲を促進させる色でもあります。

ポジティブイメージ 親しみ、陽気、家庭、自由

ネガティブイメージ わがまま、騒々しい、軽薄

連想するもの 夕焼け、秋、ニンジン、みかん、かぼちゃ

橙色の階調

R252	R249	R246	R243	R228	R210	R172	R131	R086
G215	G194	G173	G152	G142	G131	G106	G078	G046
B161	B112	B060	B000	B000	B000	B000	B000	B000

---

01 親しみをわかせ距離を近づけるオレンジ色

コミュニケーションを促進させ、親しみをわかせる橙色は、学校や採用サイト、コミュニティーサイトなどによく使われています。

❶「ディスカヴァー・トゥエンティワン」の採用情報サイトでは、全体を橙色の色相でまとめ、ポジティブで楽しい雰囲気を伝えています。

❷ベースカラーのはっきりとした橙色の上には、縦組みや横組みを組み合わせた白色のテキストを配置しています。

❸ページが読み込まれると、中央に上から下に向けて縦の斜め線が敷かれる動きが付けられています。斜め線は背景色よりも明度を高くした橙色が使われ、中に書かれているテキストを印象付けています。

https://d21.co.jp/recruit/

R255 G225 B255

R243 G087 B050　R252 G101 B050

見出し部分の青色や紫色といったメインカラー以外の色を使う際は、彩度と明度を合わせてトーンを揃えています。

見出しや、リンクはメインカラーの橙色でまとめて、全体の配色に統一感を出しています。

フッターの色は、灰みがかった黒色(#393939)を背景色に使用して、橙色となじませています。

02 明度を変えた橙色を使い、調和を取る

メインカラーをベースにして、色の明るさを変化させると調和がとれた配色を作ることができます。

「アウル株式会社」では、ロゴのモチーフの形である楕円形をサイトの中に散りばめています。

楕円形の色は、橙色を基調としています。ベースとなる橙色と、明度を上げた橙色の2種類を使用して同系色の色でまとめています。

https://www.aur.co.jp/

R250 G249 B247　R232 G118 B025　R242 G171 B052

03 食品関係では王道で使われている色

橙色は赤と同じく食欲を増進させる色なので、食に関するサイトと相性が良い色と言えるでしょう。

「下川研究室」のサイトは、食を通して社会を読み解くという研究テーマを、ベージュ色と橙色を使って表現しています。

また、丸みを帯びたフォントや、流体シェイプ、ドット柄を交えることで親しみやすい印象を作っています。

https://www.waseda.jp/prj-foodecon/

R244 G240 B236　R254 G133 B024　R000 G000 B000

04 ベージュ色と橙色を組み合わせて ぬくもりのある温かい雰囲気を出す

「かのペットクリニック」のサイトは、ベースカラーに白色とベージュ色、メインカラーに橙色を使っている温かい雰囲気のサイトです。テキストの色は、ナビゲーションのリンク色に茶色を、本文に#444の黒色を指定して、全体的にやわらかい印象を作っています。アイコンやイラストに使用している色のトーンも揃っています。

https://www.kano-pc.com/

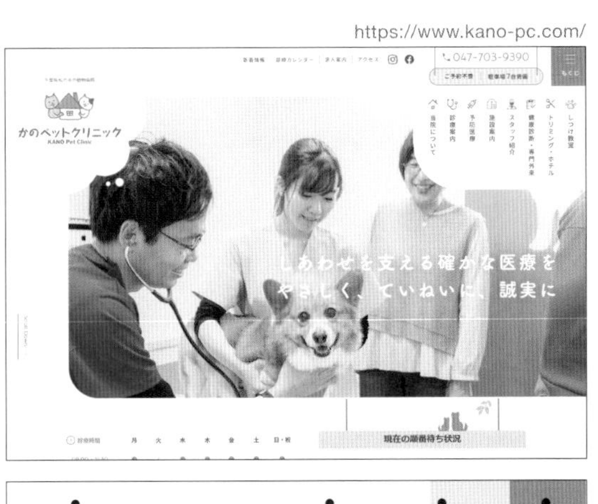

R255 G255 B255　R252 G249 B242　R251 G233 B152　R232 G124 B023

05 橙×黒でクールな印象にする

橙色は黒色と組み合わせることで誘目性が高まります。

「Umami Ware」のサイトでは、背景の橙色と大きな黒色のタイポグラフィが組み合わさり、クールでインパクトのあるトップ画面を作っています。

スクロールをすると、画面は固定されたまま、背景が横方向に移動して黒色に変化するアニメーションが付けられています。

https://umami-ware.com/

R244 G149 B092　R049 G049 B049

PART2

04 赤を基調とした配色

▶ 赤が持つイメージと性質

赤は、エネルギッシュで活発な印象を与える色です。食べ物をおいしく見せる配色や企業ロゴなどによく使われています。

ポジティブイメージ 情熱、愛情、勝利、積極的、衝動

ネガティブイメージ 危険、怒り、争い

連想するもの リンゴ、火、バラ、口紅、鳥居、血、紅葉

赤色の階調

R245	R239	R234	R230	R215	R199	R164	R125	R083
G176	G132	G085	G000	G000	G000	G000	G000	G000
B144	B093	B050	B018	B011	B011	B000	B000	B000

01 赤色でアクティブでエネルギッシュな印象を作る

赤色は活力を感じさせる色で、アクティブでエネルギッシュな印象を与えることができます。そのため、コーポレートカラーによく採用されています。

❶「株式会社イグニッション・エム」のサイトは、ファーストビューのスライドショー写真を赤色に加工して、広い面積で大胆に赤色を見せています。

❷左側に固定されているグローバルナビゲーションは黒色に指定して、画面全体の色を引き締めています。

❸コンテンツの背景は無彩色の白色を指定し、モチーフやエリアの区切りに赤色を使っています。テキストは黒色と白色を使い分けて見せています。

https://www.ign-m.com/

WORKSのエリアは、実績記事の2ブロックの背景に、メインカラーの赤い背景を縦に大きく敷いて構図に変化を出しています。

メインカラーの赤色の他には、白色、黒色、灰色といった無彩色を使って、色をまとめています。

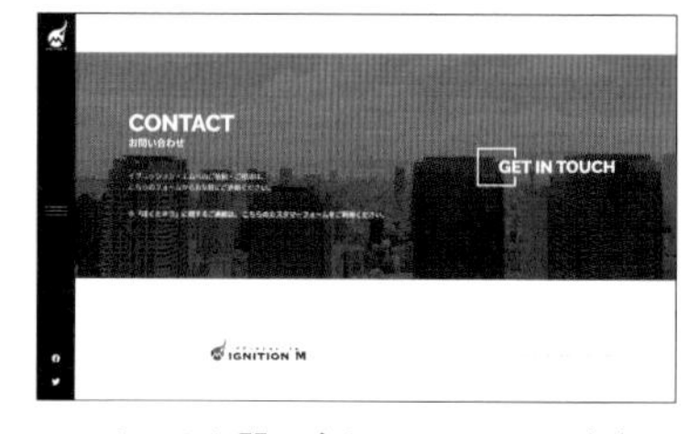

フッターのお問い合わせエリアは、赤色に加工した背景写真の上に白色のテキストでお問い合わせ先を記しています。

02 食に関するサイトに赤色を使う

赤は人間の生理作用に強く働きかけます。食欲を増進させる色とも言われており、コカ·コーラなどの飲食系のロゴにも使われています。

「Iron City Beer, the Beer Drinker」のサイトは、白色の背景の上に、赤色の見出しと商品写真を配置しています。また、トップ画面では周りを赤色の枠線で囲ってまとめています。その下に続くエリアは、赤い背景色の上に白いテキストを大きく置き、インパクトを出して見せています。

https://ironcitybeer.com/

R255 G255 B255　R234 G000 B041　R000 G000 B000

03 ディープトーンの赤を使い伝統色でみせる

「晴れ着の丸昌 横浜店」のサイトは、伝統的な印象を与えるディープトーンの赤色で構成されています。

トップ画面ではベースカラーの赤色を背景に使用し、続く画面では和紙のテクスチャのベージュと組み合わせて使用しています。

和風のイラストと、日本特有の色の組み合わせで、和の雰囲気を高めています。

http://premium753.com/

R175 G070 B056　R250 G247 B238　R061 G048 B037

04 明度を変えた赤色を使って統一感を出す

同色の色の明度を変化させて使用すると、少ない色数でも見た目に変化を付け、さらに統一感を出すことができます。

「TEO TORIATTE株式会社」のサイトでは、右上のメニューと電話ボタン、左下のお知らせタイトルと詳細を表示するボタンに、明度の違う赤色を使って見せています。

https://www.teotoriatte.info/

R255 G255 B255　R245 G242 B242　R221 G046 B030　R179 G038 B025

05 ベージュと赤色を組み合わせて明るい気持ちになれる配色にする

「Eat&Stay とまとと」のサイトは、ベースカラーに明るいベージュを、メインカラーに赤色を指定しています。

明度の高い写真や、曲線の装飾を使うことで、全体をワクワクするポップな配色に仕上げています。

また、ベージュの面積を赤色よりも広く取ることで、赤色が注目色として引き立つようになり、デザインのアクセントにつながっています。

https://tomatoto.jp/

R255 G251 B246　R203 G046 B039

PART2

05 ピンクを基調とした配色

ピンクが持つイメージと性質

ピンクは気持ちを優しくし穏やかにする色です。女性ホルモンの分泌を促す作用があると言われており、女性をターゲットにしたデザインに最適な色です。

ポジティブイメージ 可愛い、ロマンス、若い

ネガティブイメージ 幼稚、繊細、弱い

連想するもの 桜、コスモス、口紅、女性、化粧品

ピンク色の階調

R244	R238	R232	R228	R214	R198	R164	R126	R085
G180	G135	G082	G000	G000	G000	G000	G000	G000
B208	B180	B152	B127	B119	B111	B091	B067	B037

01 優しさや愛情を表すピンク色

ピンク色は、優しさや愛情を感じさせる色です。

❶「株式会社アスカフューネラルサプライ 採用サイト」は、ベースカラーを白色、メインカラーをピンク色で構成されたサイトです。

ファーストビュー内のキャッチフレーズに書かれている「ありがとう」という感謝の言葉を、ピンク色にして強調しています。

❷スクロールをすると、右下に固定されるエントリーボタンには影を付け、ピンクのグラデーションで目立たせています。

❸コンセプトを説明するエリアでは、「PRIDE &JOY」という見出しをピンクのグラデーションにしています。フォントサイズを小さくした黒字の日本語と組み合わせて、言葉をはっきり見せています。

https://asuka-recruit.jp/

❶ 世界で一番 ありがとうを あつめるチームへ

Become the most said to be "Thank you" team in the world.

❷ ENTRY 応募する

❸ PRIDE&JOY

矜持と喜び溢れる会社を創る

CREDO

3つの柱

CREDO

3つの柱

The Team

3つの柱のエリアでは、シャドウが付いたカード型の白背景の上に、手書き風のピンクのテキストを装飾として重ねています。

ミッションのエリアでは、鮮やかなピンクのグラデーションを背景にして、見出しとキャッチフレーズを白色で配置しています。

スタッフインタビューのエリアでは、スタッフの名前の英語表記を、ピンク色にしてワンポイントで目立たせています。

02 白×ピンクで優しさと穏やかさを表現する

ピンク色は女性ホルモンの分泌を促す働きがあると言われており、女性に好まれやすい色であることから、女性をターゲットにした広告によく使われています。

「お顔そり美肌サロン 東京すがお」のサイトは、ベースカラーを白色にして、メインカラーをピンク色で構成し、流体シェイプも使って、穏やかさと優しさを表現しています。

https://tokyosugao.com/

R255 G255 B255　R236 G117 B169

03 彩度の高いショッキングピンクでインパクトを出す

「THE CAMPUS」のサイトは、ベースカラーにピンク色を、アクセントカラーに彩度の高いショッキングピンクを指定して、インパクトを出しています。テキストは黒字にすることでメリハリを付けてはっきり見せています。

ビビッドなトーンのピンクは、アートや音楽系のサイトで派手さを演出する際にもよく使われています。

https://the-campus.net/

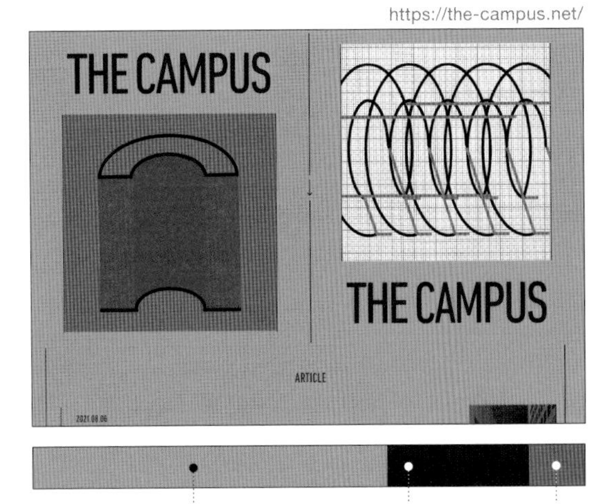

R241 G142 B142　R032 G021 B018　R255 G041 B148

04 やわらかいピンクにトーンを合わせた水色や黄色を組み合わせる

「サハルプロダクツ」のサイトは、やわらかいピンク色に、同じトーンの青色や黄色を組み合わせたペールトーンで構成されています。中央のくるくる動く3Dグラフィックスは、面によって明るさを変え、立体的に見せています。

ファーストビュー下の「サハルプロダクツ」というロゴは、明度を落として、可読性を上げています。

https://saharu.work/

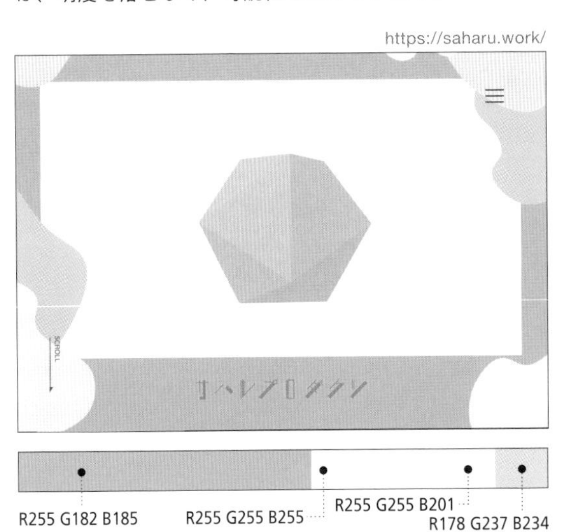

R255 G182 B185　R255 G255 B255　R255 G255 B201　R178 G237 B234

05 黒とピンクの組み合わせでおしゃれに見せる

黒とピンクは、引き締まって見え、おしゃれでファッショナブルな印象を与えます。

「KOREDAKE」のサイトは、ファーストビューのスライドショーの背景色をコーラルピンクにして、黒字を際立たせています。下に続く写真の背景も、ピンク色やベージュ色で撮影して女性らしいやわらかい印象を与えています。

http://koredake.co.jp/

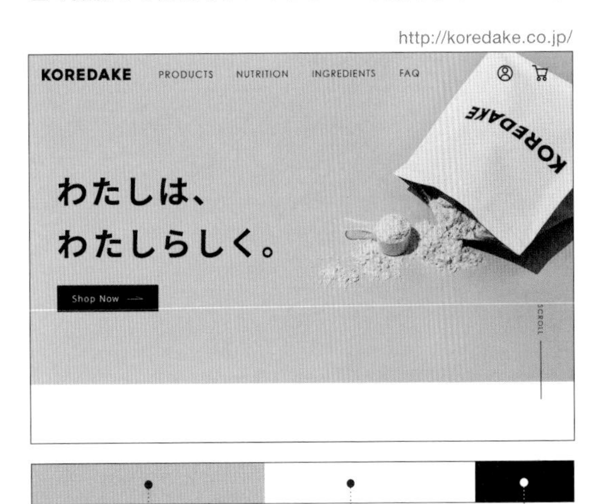

R230 G180 B170　R255 G255 B255　R000 G000 B000

PART2

06 紫を基調とした配色

紫が持つイメージと性質

紫は、気品があり神秘的で優雅な印象を与え、高貴で特権的な色です。ジュエリーや化粧品、占いなどによく使われています。

ポジティブイメージ	高級、神秘、上品、優雅、伝統
ネガティブイメージ	不安、嫉妬、孤独
連想するもの	ぶどう、ラベンダー、ワイン、ブルーベリー

紫色の階調

R207	R186	R166	R146	R138	R128	R106	R080	R050
G167	G121	G074	G007	G000	G000	G000	G000	G000
B205	B177	B151	B131	B123	B115	B095	B070	B040

01 紫色で神秘的な印象を作る

化粧品やジュエリーのサイトに代表されるように、紫は感性を鋭くし、優雅な印象を与える効果があります。

❶「株式会社manebi」のサイトは、ファーストビューの写真を明るい青紫のグラデーションに加工して、粒子を下から上に動かし神秘的な雰囲気を作っています。

❷ベースカラーの白色の上に、灰色のテキストを配置し、全体のデザインをやわらかく見せています。

❸ボタンは左から右にピンク色、紫色、青色に変化するグラデーションを指定して、シャドウを付けています。

コンセプトエリアの右上には、グラデーションの線画に、ゆっくり回転するアニメーションが付けられています。

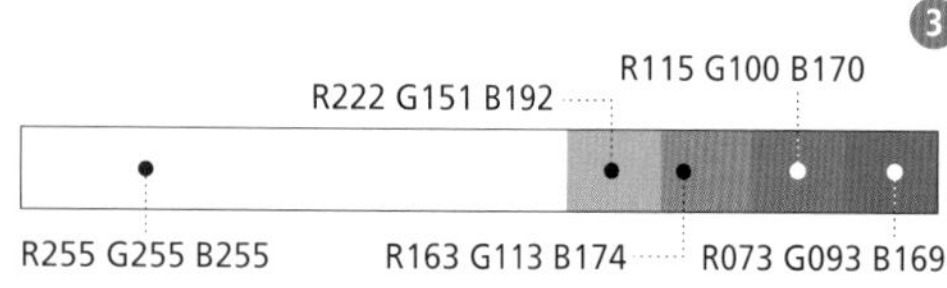

https://manebi.co.jp/

写真には、明度の高い紫のグラデーションの効果を付け、ページのデザインになじませています。

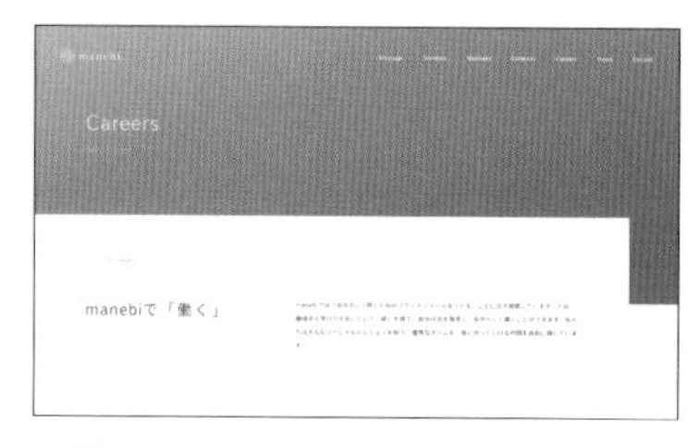

下層ページのヘッダーは、左上から右下に色が変化するグラデーションを指定しています。

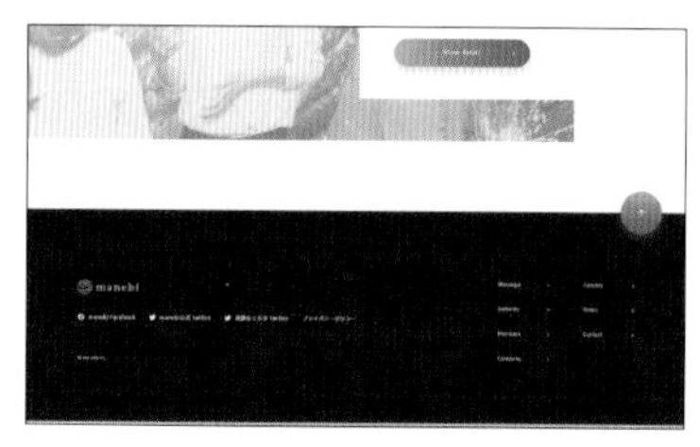

フッターは黒色にして引き締めています。ページトップリンクは、立体感のあるグラデーションの紫色を指定しています。

02 紫色のグラデーションと類似色のピンク色を組み合わせて色を調和させる

「株式会社プラスジャム」のサイトは、ベースカラーを白色に、紫色のグラデーションをメインカラーに指定してポップに見せています。

アクセントカラーには、紫色と類似色のピンク色を使用して色を調和させながらも、目立たせています。

https://plusjam.jp/

R255 G255 B255　R105 G079 B196　R238 G023 B112

03 黒色と円形状の紫色グラデーションで感性を刺激するクールな配色にする

「Pluto」のサイトは、黒色の背景の上に、左上に円形状の紫色のグラデーションを配置して、クールでスタイリッシュな雰囲気を作っています。

コンテンツを区切る線や、文字の色は白色に指定し、塗りと線を織り交ぜています。

https://www.pluto.app/

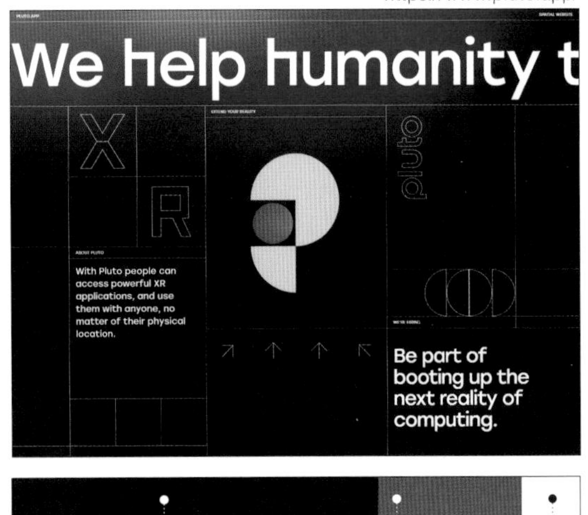

R019 G020 B020　R146 G000 B214　R255 G255 B255

04 インスピレーションを感じさせる紫色

紫色は、インスピレーションを高める色です。

「株式会社BitStar」のサイトは、ベースカラーを白色、アクセントカラーに青紫色を指定して、クリエイティブな事業を行う会社をブランディングしています。

装飾として使用している幾何学模様は、彩度を変えた紫色と黒色を組み合わせて見せています。

https://corp.bitstar.tokyo/

R255 G255 B255　R025 G030 B043　R101 G000 B252

05 日本の伝統色としての紫色

日本には菫色や、ききょう色など伝統的な紫が数多く存在し、着物の色にも取り入れられています。昔は紫の染料を得ることが難しく、染法も難しかったことから高貴で特権的な人のみが使用できる禁色でした。「花見2020」のサイトは、青紫のベースカラーの上に、日本の伝統色と蛍光色が映えるモダンな和風テイストのデザインになっています。

https://www.celldivision.jp/hanami2020/

R116 G073 B255　R006 G255 B194　R255 G065 B043

PART2

07 青を基調とした配色

青が持つイメージと性質

青は、世界中で一番好まれる色と言われています。知的で冷静な印象を与えるので信頼性や堅実性を出したい時によく使われています。

ポジティブイメージ 知性、冷静、誠実、清潔

ネガティブイメージ さみしさ、冷たい、悲しみ、臆病

連想するもの 空、海、水、雨、プール、夏

青色の階調

R163	R108	R024	R000	R000	R000	R000	R000	R000
G188	G155	G127	G104	G098	G090	G082	G073	G104
B226	B210	B196	B183	B172	B160	B147	B134	B183

01 知的で水を連想させる青色

青色は、知的で冷静な印象を与え、信頼感にもつながりやすい色なので、コーポレートサイトによく使用されています。

❶「MOLTech 商船三井テクノトレード株式会社」のサイトは、ベースカラーを白色や薄いグレーで構成し、メインカラーを青色に指定しています。メインビジュアルの中にも「海」や「空」といった青色が入った写真を使用しています。

❷お知らせの背景は、明度を下げた青色を使用し、白のテキストを中央揃えで配置して目立たせています。

❸テキストは、真っ黒な色を使わず、青みがかった黒色を使用して、トーンを揃えて見せています。

R255 G255 B255 / R243 G243 B244 / R000 G019 B172 / R005 G023 B063

https://www.motech.co.jp/

大見出しのテキストは、細身のセリフ体と明朝体を組み合わせて、落ち着いた紺色を指定して見せています。

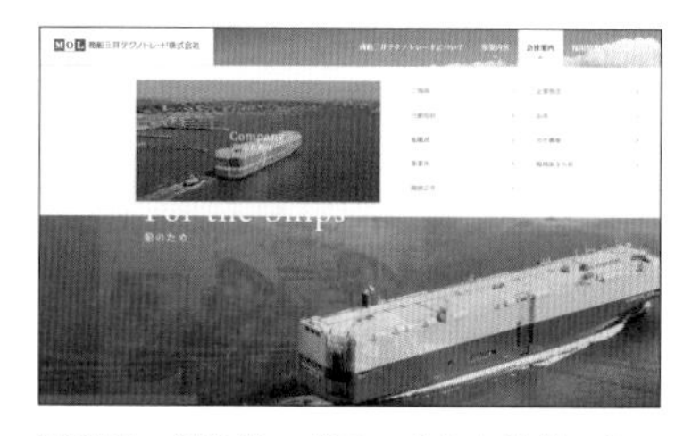

下層ページを持つグローバルナビゲーションにカーソルを合わせると、中間色の灰色が敷かれたナビゲーションが現れます。

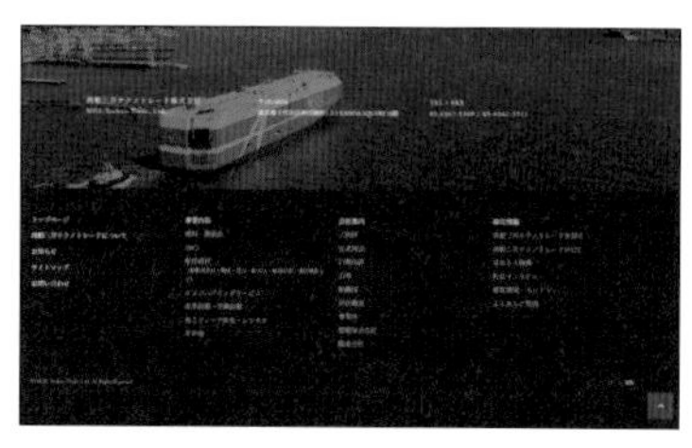

フッターは、明度を下げた背景写真と、黒色に近い青色で構成されています。ページトップリンクの色は、明度を上げています。

02 グレイッシュなトーンの青色を使い落ち着いた配色にする

彩度が低い灰みがかった色は、落ち着いた雰囲気を作ることができます。「株式会社オカキン」のサイトは、白色の背景色の上に、くすんだグレイッシュトーンの青色のイラストを大きく配置しています。

白色の面積が大きいので、明るく大人っぽいテイストのサイトになっています。

http://www.okakin.com/

R255 G255 B255　R056 G145 B186　R049 G087 B111　R041 G075 B099

03 紺色と無彩色の組み合わせでシックな印象にする

紺色は、知的で円熟した印象を作ることができる色です。「ARCHITEKTON-the villa Tennoji-」のサイトは、ベースカラーに白色、メインカラーに紺色を使用しています。また、青みがかった無彩色の灰色を組み合わせてシックな印象を作っています。ブロックを重ねたりずらしたりして、余白感を生かした構図のサイトです。

https://architekton-villa.jp/

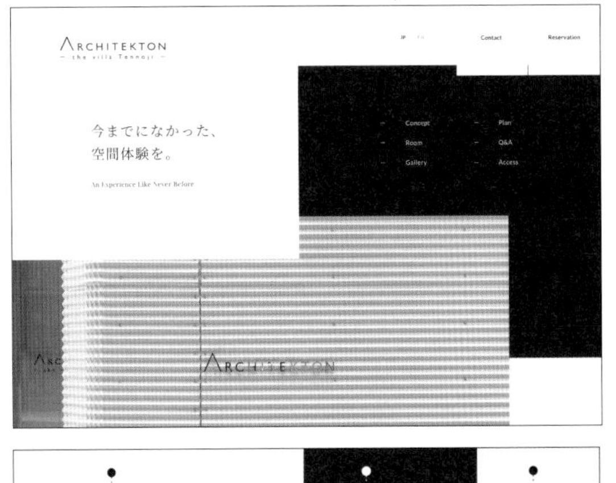

R255 G255 B255　R009 G023 B078　R239 G242 B245

04 水色のグラデーションと明度の違う青色を組み合わせて堅実な印象を作る

株式会社NTTデータMSE「NTT DATA MSE Recruiting」のサイトは、水色のグラデーションの上に、細身の明朝体で書かれた白色のキャッチフレーズが映えるサイトです。

右上の「MY PAGE」「ENTRY」の背景色には明度の違う青色を使用し、ハンバーガーメニューは黒色にして、堅実な印象を作っています。

http://nttd-mse.com/recruit/

R255 G255 B255　R110 G197 B227　R007 G111 B170　R029 G066 B139　R051 G051 B051

05 透過した青色を使い全体を引き締める

「共進精機株式会社」のサイトはトップページに透過した青色を使って、サイト全体の印象を引き締めて見せています。ファーストビューで大きく扱っている動画は、青が強く出るように加工されています。

明度の低い色の上に、白色のテキストを配置して言葉がはっきり伝わるようにしています。アクセントカラーには黒色を指定しています。

https://www.kyoshin-ksk.co.jp/

R238 G240 B242　R011 G091 B168　R048 G048 B048

PART2

08 緑を基調とした配色

緑が持つイメージと性質

緑は、穏やかな気持ちにさせ、安心感を与える色です。自然や健康をイメージさせるので環境やアウトドア、健康食品などによく取り入れられています。

ポジティブイメージ	自然、平和、リラックス、エコ
ネガティブイメージ	保守的、未熟
連想するもの	植物、森、抹茶、牧場、春、野菜

緑色の階調

R165	R105	R000	R000	R000	R000	R000	R000	R000
G212	G189	G169	G153	G145	G135	G113	G086	G055
B173	B131	B095	B068	B064	B060	B048	B031	B005

01 緑色を使い自然やエコロジーを連想させる

緑は、最も自然を連想させる色で、エコロジーやアウトドアのサイトなどによく使われています。

❶「共済・保障のことならこくみん共済 coop」のサイトは、公式キャラクターピットくんが住んでいるあんしんの森をイメージした黄緑色や緑をメインカラーに使用し、穏やかで親しみやすい雰囲気を出しています。

❷サイトで使用されているテキストの多くは緑色に指定され、ベースカラーの薄い黄緑となじませています。

❸スクロールをすると、ジグザグに描かれた明度の違う緑色のリボンが、下に向かって伸びていく動きが付けられています。

R255 G242 B127

R236 G244 B226　R002 G153 B069　R120 G188 B039

https://www.zenrosai.coop/next/

Aboutのエリアは、白背景に黄緑・緑色で構成されたボーダーを上下に指定し、重要なテキストは緑色にしています。

数字で見るこくみん共催 coopのエリアは、クリーム色の背景に黄緑色の枠線をずらして重ね、ブロックをまとめています。

社会活動のエリアは、角丸のカード型の白背景に、緑と類似色の黄色を組み合わせて、活動を紹介しています。

02 ライトトーンの緑でおしゃれにまとめる

「株式会社リンケージ」のサイトは、ベースカラーにベージュ色、メインカラーにライトトーンの緑色を使用しているサイトです。

ファーストビューの右下に配置しているイラストは、線を緑色で描き、使用している黄色やオレンジ色は、メインカラーとトーンを合わせてすっきりとおしゃれに配色をまとめています。

https://linkage-inc.co.jp/

R248 G250 B245　R037 G182 B114

03 ペールトーンの緑色を使い、優しい印象を作る

「témamori（てまもり）公式サイト」は、スクロールに伴うアニメーションが気持ちよいサイトです。ベースカラーにペールトーンの緑色を使用し、その上に、白色の流体シェイプをあちこちに配置しています。サンセリフ体のロゴと、ゴシック体のフォントも相まって、全体のデザインをやわらかく優しい印象で見せています。

https://temamori.com/

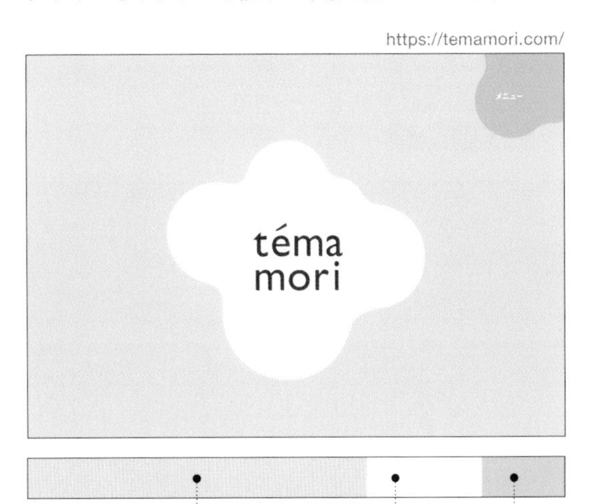

R195 G225 B210　R255 G255 B255　R148 G215 B180

04 緑色と黒色の組み合わせで安定した配色にする

「くらす はたらく いちはら」のサイトは、ベースカラーに白色、メインカラーに緑色を指定しています。

本文のテキストや、右上のお問い合わせボタンの背景色には無彩色の黒色を指定しています。緑色と黒色の組み合わせで、きっちりとした印象を作っています。

https://lifework-ichihara.com/

R255 G255 B255　R046 G149 B104　R051 G051 B051

05 明度を変えた緑色で構成する

色の持つイメージを保ちながら変化を付けたい時に、明度の変更は効果的です。

「ユーフーズ株式会社」のサイトは、フッター内の「会社概要」や「採用情報」、「ページトップリンク」といったボタンの色を、メインカラーの緑色の明度を暗く変化させて見せています。

https://ufoods.co.jp/

R255 G255 B255　R046 G150 B072

PART2

09 茶を基調とした配色

▶ 茶色が持つイメージと性質

茶色は、赤や橙のトーンを暗くした色です。堅実的で安定した印象を与え、ナチュラルで安心させる色です。秋をイメージさせる色でもあります。

ポジティブイメージ 自然、安心、堅実、伝統

ネガティブイメージ 地味、頑固、汚い

連想するもの 大地、土、枯葉、紅茶、チョコレート

茶色の階調

R209	R186	R167	R149	R140	R130	R106	R079	R049
G183	G147	G115	G086	G080	G073	G058	G039	G014
B153	B106	B067	B041	B038	B033	B020	B002	B000

---

01 茶色を使ってナチュラル感や安心感を与える

茶色は大地や木の幹の色に近く、見ている人にナチュラル感や安心感を与えます。インテリアにもよく使われている色です。

❶「mori-no-oto」のサイトは、ベースカラーにベージュ色を使用しており、木のぬくもりを感じさせる優しいテイストのサイトです。

製品写真は角丸の四角でトリミングされています。

❷大見出しは、大きな細身のフォントで白抜きにしてやわらかく見せています。

見出しに被せるようにして、小さなゴシック体のテキストが配置されています。

❸中見出しや小見出し、本文は、明度を少し上げた黒色を指定して、はっきりと見せつつも、ベースカラーと調和させています。

R237 G229 B220　R255 G255 B255　R051 G051 B051

https://mori-no-oto.com/

OTOTABIのエリアは、ベースカラーの上に角丸の白背景を敷き、テキストや写真を重ねて、1つのグループとして見せています。

フッターの面積を大きく取り、こげ茶色の背景色を指定しています。右下のSNSの文字は白色を透過させて淡くしています。

ハンバーガーメニューをクリックすると、茶色がかった黒色の背景の上に白色のテキストでメニューが現れます。

02 明るい茶色で、大人キュートな雰囲気を作る

「fortune台湾カステラ」のサイトは、ベースカラーとメインカラーに明るい茶色を使用して、大人キュートな雰囲気を作っています。写真の上には、手書き風の筆記体のロゴを装飾として重ね、本文はこげ茶色の細身の明朝体を使い、読みやすいスタイルで見せています。

http://www.and-earlgrey.jp/fortune/

R251 G246 B240　　R210 G163 B108

03 赤茶色と灰みがかった白色で、高級感のある上品な配色にする

赤茶色は、色の組み合わせによって、大人っぽさや高級感を出すことができます。

「川善商店／Kawazen　Leather」のサイトは、ベースカラーに灰みがかった白色、メインカラーにレザーの色である赤茶色を指定して上品に見せています。

https://kawazen.co.jp/

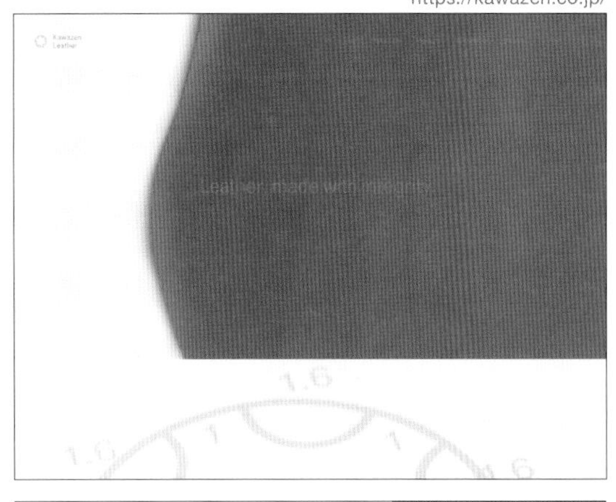

R245 G245 B245　　R235 G235 B235　　R176 G107 B066

04 赤みを帯びた写真を使い、茶色となじませる

「マッシュルームトーキョー」のサイトは、ベースカラーをベージュ色と白色に指定しています。

スライドショーの写真の切り替えには、茶色を一瞬表示させて、ぼかした写真をフォーカスする動きを付けています。使用している写真は、赤みを帯びた加工が施されており、茶色となじませています。

https://mushroomtokyo.com/

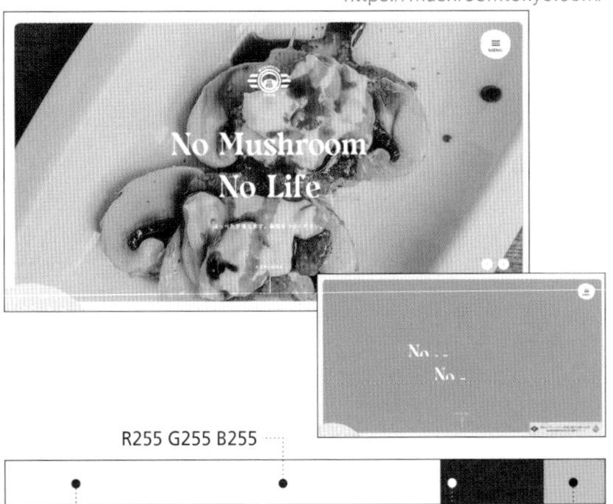

R255 G255 B255

R247 G244 B234　　R040 G043 B043　　R249 G175 B060

05 グレイッシュな茶色をベースカラーにして、落ち着いた印象を作る

「PETARI公式サイト」は、ベースカラーにグレイッシュな茶色を指定して、落ち着いた印象を作っています。

製品写真と組み合わせることで、渋さの中に温かみが垣間見えるデザインになっています。

ヘッダーは右上を一部背景を白くしてロゴとハンバーガーメニューを配置し、明るさを出しています。

https://petari.jp/

R217 G212 B203　　R115 G066 B051　　R255 G255 B255

PART2
10 白やグレーを基調とした配色

白とグレーが持つイメージと性質

白とグレーは無彩色です。白は清潔感を持ち広さや軽さを感じさせ暗い色を引き立てます。グレーは色と色を調和させる効果がとても高い色です。品格を与えつつ際立たせることができます。

白

ポジティブイメージ	祝福、純粋、清潔、無垢
ネガティブイメージ	空虚、殺風景な、冷たい
連想するもの	シャツ、紙、病院、白鳥、牛乳、砂糖、雪

グレー

ポジティブイメージ	実用的、穏やか、控えめ
ネガティブイメージ	あいまい、疑惑、不正、無気力
連想するもの	コンクリート、ねずみ、灰、石、煙、鉛

01 白色と灰色を組み合わせて洗練された印象を作る

白色は無機質な印象を与える反面、都会的で洗練された印象も与えることができます。

また、灰色はどんな色にもなじみやすい色なので、白以外の色を基調としたサイトの中でもよく使われています。

❶「KARIMOKU CAT」のサイトは、白色の背景の上に、黒色の太いテキストがはっきり見える可読性の高いサイトです。

❷フォントサイズにメリハリを付けたり、余白を生かしたレイアウトにしたりして、背景の白色を生かしています。

❸コンテンツの区切りには、中間色の灰色を指定して、色をなじませ、調和させています。

https://karimoku-cat.jp/ja/

R255 G255 B255 / R238 G238 B238 / R000 G000 B000

NEWSの背景には灰色を指定し、上下の余白をたっぷり取って、投稿日時、見出し、カテゴリの文字を黒色で記載しています。

下層ページでは、白色と灰色の背景色を組み合わせて、見出しと本文の区切りを付けて見せています。

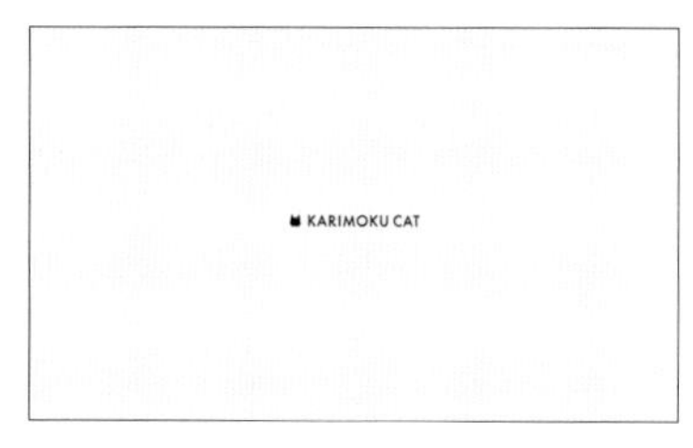

ローディング画面は、灰色の背景色の中央にロゴを配置し、下から上にエリアが移動する動きが付けられています。

02 白色とベージュ色を組み合わせて やわらかく区切りを付ける

灰色や黒色といった無彩色の他に、ベージュ色と組み合わせて、掲載情報の区切りを付けている白色のサイトをよく見かけます。

「旅する喫茶」のサイトは、薄い灰色の格子模様や、ベージュ色の背景色を使って、やわらかくエリアを区切っています。

https://tabisurukissa.com/

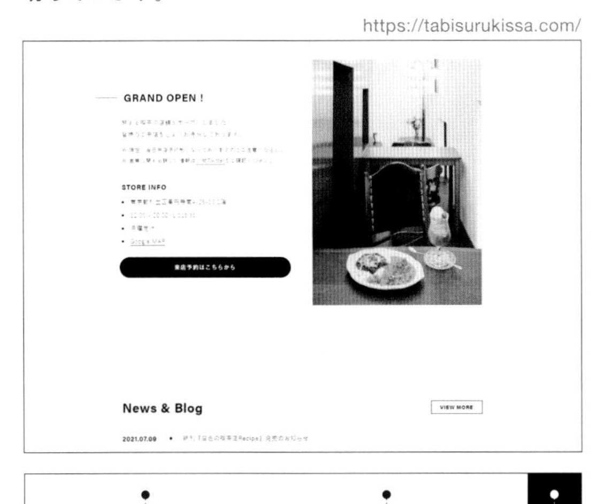

R255 G255 B255　R249 G248 B244　R001 G001 B001

03 青みがかった灰色を取り入れ 目に優しい配色にする

色のコントラストが強いと読みやすくなりますが、コントラストが強すぎると目が疲れやすくなります。

「besso」のサイトでは、ベースカラーの白色の上に、青みがかった灰色を使用しています。また、テキストもダークグレーにして、目に優しく読みやすいサイトを実現しています。

https://besso-katayamazu.com/

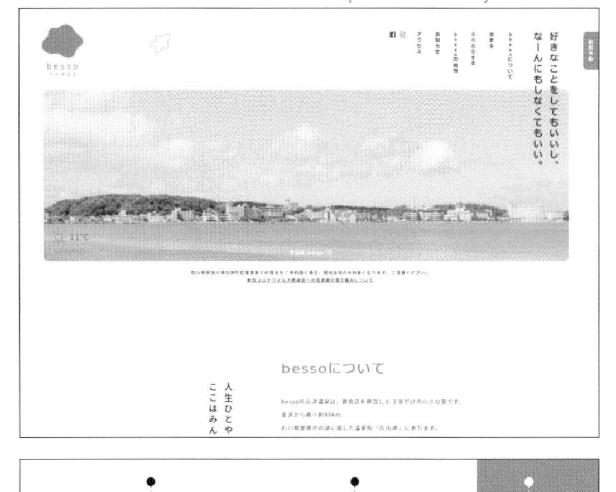

R255 G255 B255　R242 G245 B245　R128 G153 B156

04 明度の違う灰色を重ねる

「株式会社永井興産」のサイトは、灰みがかった白色をベースカラーにして、その上に明度が異なる灰色を重ねている、余白感が気持ちよいサイトです。

ファーストビューで使用している写真も、壁が白色の写真を使い、すっきりと見せています。

フッターや一部のセクションには背景色に黒色を使って引き締めています。

https://nagai-japan.co.jp/

R248 G248 B250　R221 G221 B221　R041 G046 B051

05 様々な写真の色を調和させる白色

白はあらゆる色と調和する色です。そのため、写真をデザインに生かしたい時に活躍します。

「JEANASIS MEDIA」のサイトは、ファーストビューに写真が並ぶスライドショーを配置しています。

左写真のみをカラーで表示し、他の2枚は灰色にして、写真の上に重なっている見出しの黒色が生きる構成にしています。

https://www.dot-st.com/cp/jeanasis/jeanasis_media

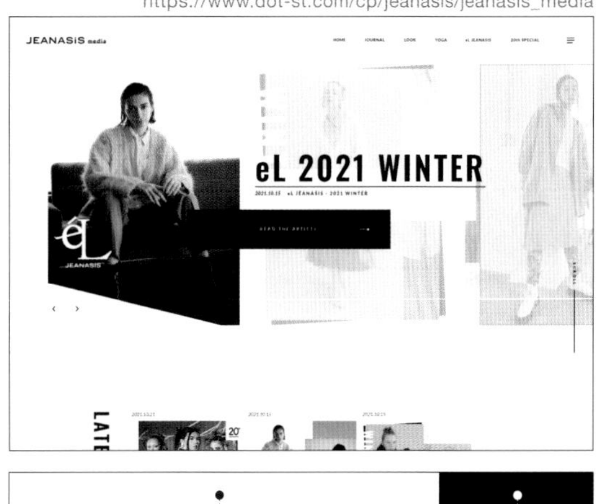

R255 G255 B255　R000 G000 B000

PART2
11 黒を基調とした配色

黒が持つイメージと性質

黒は、白色と同じく無彩色です。高級感や権威というポジティブな印象と死や悪といったネガティブな印象を持ち合わせています。

ポジティブイメージ 高級、洗練、一流、威厳

ネガティブイメージ 恐怖、不安、絶望

連想するもの タキシード、ピアノ、墨

無彩色の階調

R255	R221	R202	R181	R160	R137	R089	R062	R035
G255	G221	G202	G181	G160	G137	G087	G058	G024
B255	B221	B202	B181	B160	B137	B087	B057	B021

https://sumi.fillinglife.co/

01 色を引き締めて、洗練された印象を作る黒色

無彩色である黒は、どの色にもなじみやすく、周囲の色を引き立てる万能な色です。ファッションサイトなど洗練された印象にしたい時に使用するとよいでしょう。

❶「FIL - SUMI LIMITED」のサイトは、ベースカラーに黒、メインカラーに白の2色を使用しています。色の明度差を大きく取ることで、テキストの白を際立たせ、メリハリを付けて見せることができます。

❷横幅いっぱいに広がる製品のスライドショーは、写真の枠を見せず、背景の黒色と同化しているように見せています。

❸見出しは、サブタイトルに灰色を使用して、下に続く大見出しの白色を目立たせています。

R026 G026 B026　R255 G255 B255

Productsのエリアは、左背景に灰色の年輪模様を重ね、白背景の商品リンク写真を並べて見せています。

Featureのエリアでは、モノクロ写真を全面に配置し、右下に黒背景の説明エリアを小さめのボックスで設けています。

ナビゲーションは、写真を透過させた黒背景の上に商品画像のスライドショーが流れ、白色のリンクボタンが現れます。

02 黒色×ゴールドで高級感を出す

黒は、組み合わせた色を引き立てて美しく見せる色です。「Ivan Toma」のサイトでは、イタリアのハンドメイド家具というカテゴリーを、黒色×ゴールドの組み合わせで高級感を出して見せています。

使用している見出しのフォントは細身のセリフ体で、上品さと優雅さが感じられる、欧文フォントを使用しています。

R017 G017 B017　R194 G162 B106

03 黒色を使って、写真や映像を際立たせる

写真や映像を掲載するポートフォリオサイトに、無彩色は最適です。

「aircord」のサイトでは、背景全体に黒色を使用し、その上に3Dグラフィックスや映像を掲載しています。

各プロジェクトのページでは、横幅いっぱいの動画と、説明文、関連写真、映像が1カラムの中で展開しています。

https://www.aircord.co.jp/

R000 G000 B000　R246 G246 B246

04 無彩色の黒色と白色で構成し、都会的でクールな印象にする

黒色は、男性的で都会的な印象を与えることができます。「KUROAD」のサイトは、ベースカラーを製品と同じ黒色に指定しています。

「This is KUROAD」のキャッチフレーズを製品の後ろに白色で配置することで、製品写真が背景に溶け込んでいるようなクールなデザインになっています。

https://kuroad.com/

R000 G000 B000　R255 G255 B255

05 黒色とネオンカラーの組み合わせでフューチャリスティックデザインを作る

近年、フューチャリスティックデザインというネオンカラーを使った派手で未来的なデザインがトレンドになっています。「株式会社ON」のサイトは、黒色の背景の上に、色とりどりのネオンカラーが飛び交う動画を配置して際立たせています。また、テキストや写真にもグラデーションが現れる効果を適用しています。

https://zoccon.me/

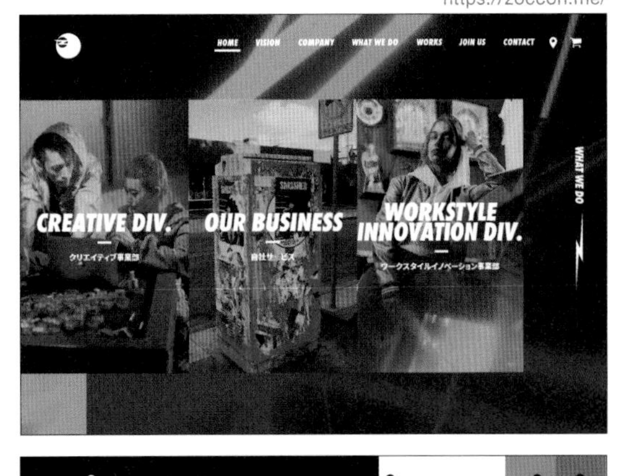

R000 G000 B000　R255 G255 B255　R029 G148 B148　R145 G097 B144

PART2

12 トーンを合わせた配色

トーンが持つイメージ

- pl ペールトーン さわやかな、若々しい
- sf ソフトトーン 穏やかな、上品な
- lt ライトトーン 陽気な、快活な
- lg ライトグレイッシュトーン 落ち着いた、おとなしい
- mg ミドルグレイッシュトーン 地味な、シックな
- st ストロングトーン さわやかな、若々しい
- vv ビビッドトーン 活気のある、派手な
- dg ダークグレイッシュトーン 高尚な、堅実な
- dl ダルトーン ぼんやりした、鈍い
- dk ダークトーン 重厚な、円熟した
- dp ディープトーン 伝統的な、和風の
- vd ベリーダークトーン 風格のある、重い

01 ライトトーンで快活さを表す

ライトトーンは、明るく健康的で陽気な印象を与えます。

❶札幌市厚別区の小児科「ひばりが丘こどもクリニック」のサイトは、ベースカラーを白に指定し、水色・オレンジ・黄色の3色をメインカラーにして、バランスよく色を配置しているサイトです。

ヘッダー内の「アクセス」「WEB予約」「MENU」の3つのボタンは、背景色を3色に分けて、区切りを明確に見せています。

❷サイトの中のイラストは、メインカラーで使用している色のトーンに合わせて、なじむように描かれています。

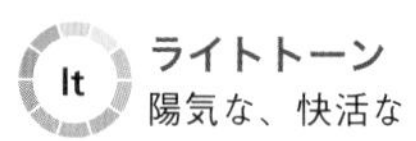

https://hibari-child.com/

02 ストロングトーンで力強さを出す

ストロングトーンは、色味がしっかりしている存在感のある色なので、情熱的で活動的な印象を作ることができます。「Heart Driven Fund」の サイトは、サイト内にカラフルな色を使った直線状のバーを設置しています。ロゴは円形状に色を変化させています。

はっきりとした色を使うことにより、ワクワクして活動的な雰囲気を伝えています。

st ストロングトーン さわやかな、若々しい

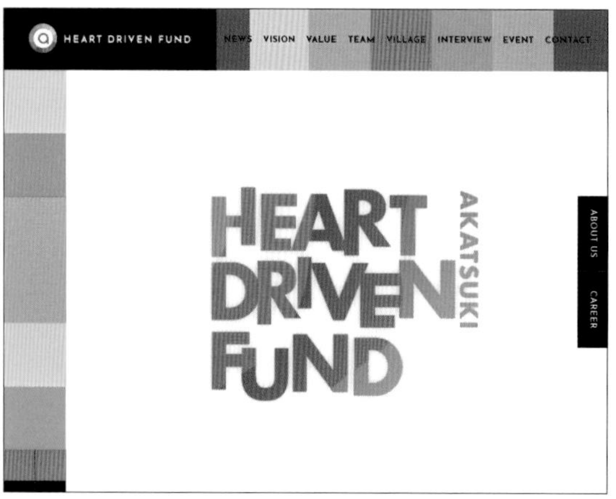

https://hdf.vc/

03 ダークトーンで円熟して落ち着いた空気感を作る

ファーストビューの、夜を連想させるイラストと、丸みを帯びたサンセリフ体のタイポグラフィが印象的な「Eat, Play, Sleep inc」のサイトです。

明度と彩度を落とした紺色と黄土色を組み合わせ、落ち着いたダークトーンの配色で構成されています。

https://eat-play-sleep.org/

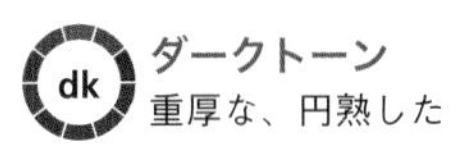

ダークトーン
重厚な、円熟した

04 ペールトーンで繊細さを出す

淡い色の組み合わせは繊細さを出すことができます。

「ていねい通販」のサイトは、背景色を可愛らしくさわやかな印象のペールトーンを主体に構成しています。

レイアウトの中で角丸や円を取り入れることで、配色と合わさり、優しく女性的でぬくもりのあるデザインになっています。

https://www.teinei.co.jp/

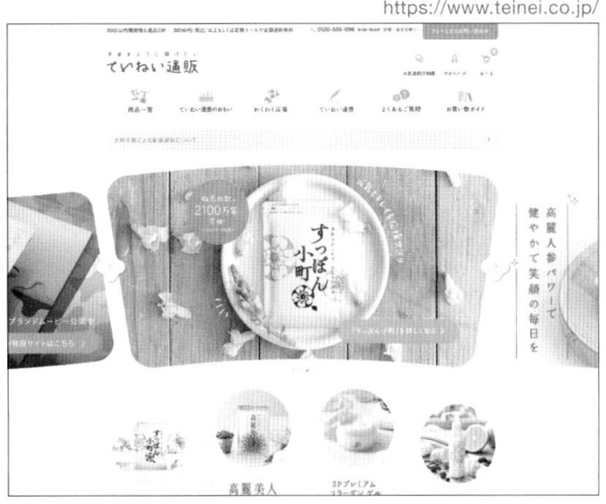

pl ペールトーン
さわやかな、若々しい

05 ビビッドトーンで活気のあるポップな雰囲気を出す

はっきりと見せるポップなサイトに、ビビッドトーンはよく使われています。「KUTANism」のサイトは、太い黒線で描かれた枠線や、赤、青、緑、紫、黄色の5色に変化するグローバルナビゲーションを組み合わせて活気のある元気な印象を作っています。

https://kutanism.com/

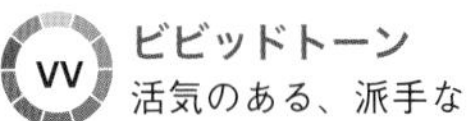

ビビッドトーン
活気のある、派手な

06 ライトグレイッシュトーンで優しく穏やかな印象にする

ライトグレイッシュトーンは明るいグレーがかった色の組み合わせです。落ち着きながらも優しい印象を与えることができます。「チーズころん by BAKE CHEESE TART」のサイトは、黄色の補色である青色を背景色に指定し、主役のチーズスイーツを際立たせています。

https://cheecolo.com/

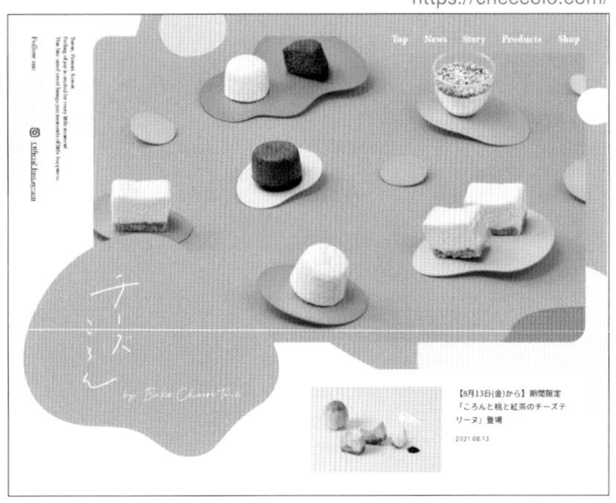

lg ライトグレイッシュトーン
落ち着いた、おとなしい

COLUMN　配色ジェネレーターとブラウザアドオン

配色が苦手な人へ！便利な配色ジェネレーター

自分で配色するのが苦手という方にはオンラインで無料で利用できる配色ジェネレーターがおすすめです。

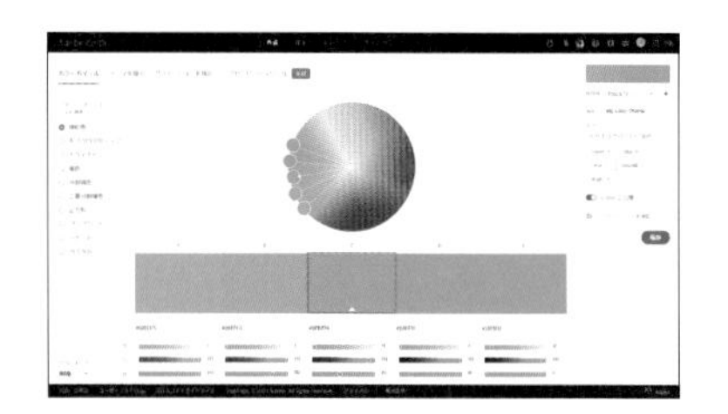

●Adobe Color

上部にあるバーの「作成」をクリックして、左の「カラーハーモニールールを適用」からルールを選択します。その後、カラーホイール内のキーカラーのセレクタを動かすと自動的にサブカラーを生成してくれます。「探索」をクリックすると、他の人が制作したカラーパレットを見ることができます。

https://color.adobe.com/ja/create/color-wheel

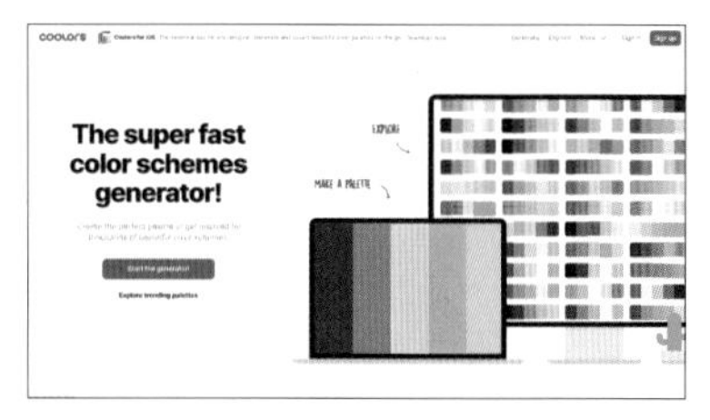

●Coolors

画像を取り込んで配色を提案してくれたり、ランダム・トレンドの配色が見れるサイトです。「Start the generator!」をクリックするとカラージェネレーターへリンクし、「Explore trending palettes」をクリックするとトレンドのカラーパレットを見ることができます。

https://coolors.co

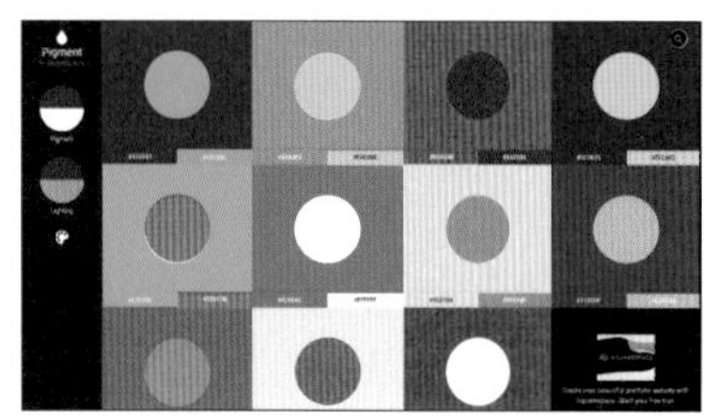

●Pigment

左エリアにあるPigment（顔料）とLighting（光量）を調整したり、カラーパレットアイコンから基調となる色を選んだりすると、配色を提案してくれるサイトです。

右上の検索アイコンを押すと、写真素材を基準に配色を選ぶこともできます。

https://pigment.shapefactory.co/

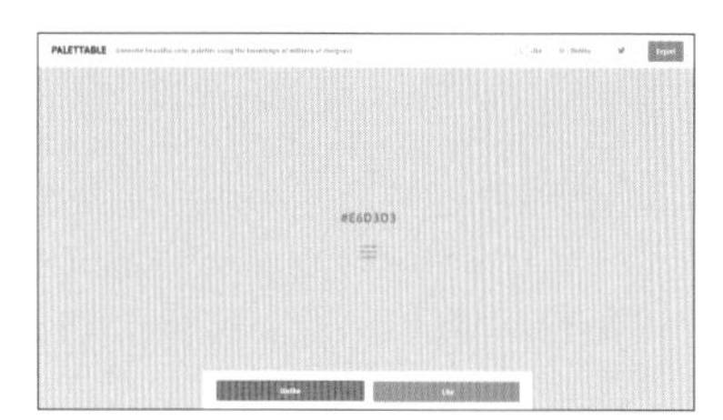

●Palettable

中央のバーアイコンを押して基本色を設定した後、下部の「Dislike（嫌い）」「Like（好き）」ボタンを押していくだけで、ジェネレーターが提案する色が追加され、カラーパレットができ上がるサイトです。ゴミ箱アイコンを押すと、選択した色を取り除くこともできます。

https://www.palettable.io/

サイトのページの色を抽出するブラウザ アドオン

配色を参考にしたいサイトで使用している色を抽出できる便利なブラウザのアドオンです。

●ColorZilla

色を参考にしたいサイトのページを開き、アドオンアイコンをクリック後「Webpage Color Analyzer」を選択すると、ページ内のCSSで指定された色が、カラーパレットで抽出できます。一部の色をピッカーで抽出することも可能です。

Google Chrome：https://chrome.google.com/webstore/detail/colorzilla/bhlhnicpbhignbdhedgjhgdocnmhomnp

●ColorPick Eyedropper

色を参考にしたいサイトのページを開き、アドオンアイコンをクリックしたら下に出てくる十字キーに持ち替えます。そのままページ内の色を抽出したい場所をクリックすると右側にカラーコードが出てきます。

Google Chrome：https://chrome.google.com/webstore/detail/colorpick-eyedropper/ohcpnigalekghcmgcdcenkpelffpdolg

PART

3

—

業種・ジャンル別から考えるデザイン

サイトの業種やジャンル別に、共通して入っている情報の設計方法、機能、色、レイアウトの傾向などを多角的に見て分析しています。実際にサイトを作る際に参考になる実践的な内容です。

PART3
01 レストラン・カフェサイト

レストラン・カフェサイトの特徴

レストラン・カフェサイトは、「食べログ」などのポータルサイトからの流入や、店舗のエリアや使用用途での検索、店舗名を直接検索するといったユーザーを想定しながら作るとよいでしょう。実際の店舗に「行ってみたい」と思わせるブランディングの高いサイト作りが大切です。

大きな写真や動画でお店の雰囲気を紹介し、おいしそうな写真でメニューを魅力的に見せると効果的です。予約方法・交通アクセス・営業時間・定休日・お知らせをわかりやすく表示させましょう。

color（色）

R208 G020 B028　R151 G183 B048　R231 G153 B096
R082 G036 B017　R088 G097 B044　R227 G104 B044

parts（パーツ）

営業時間 12:00〜19:00 (L.O 18:00)
定休日 火曜日
席 数 50席

03-1234-5678

この業種で参考になるレイアウト

P.128　カラムを組み合わせたレイアウト
P.134　フリーレイアウト

01 ファーストビューで食材や店舗の写真を大きく見せる

レストランやカフェサイトでは、ファーストビューに、店舗で使用している食材や、店内の様子を大きな写真や動画で配置して魅力的に伝えているサイトが多くあります。

❶「curation」のサイトは、写真を中心に見せるレイアウトで構成されています。

ロゴやナビゲーションは白色にして写真となじませ、上部の左右に、小さ目に配置しています。

❷ 使用しているのは、クオリティの高い高精細な写真です。料理と店舗の写真をゆっくりズームインさせながら4枚見せています。

❸ ファーストビューのすぐ下にはTopics欄を設けて、最新3件のお知らせを写真と共に見せています。

https://curation-eat.com/

お店のコンセプトを伝えるエリアでは、形の違う切り抜き写真と四角い写真を組み合わせてレイアウトをしています。

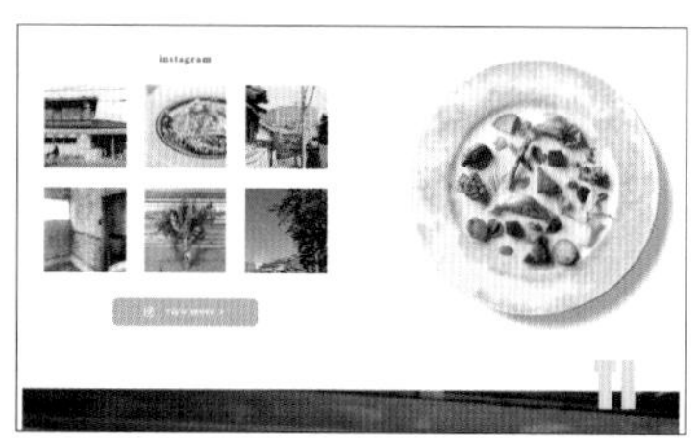

Instagramの投稿を最新6件埋め込んで、店舗のリアルタイムな情報を伝えています。

フッターに、Google Mapsや問い合わせ先の電話番号、営業時間などをまとめています。

02 明るく、暖色系に加工した食材の写真を使う

レストランやカフェに限らず、食品を取り扱うサイトでは、食べ物の写真をおいしそうに見せていくことが重要です。色の補正は色相を赤や黄などの暖色系に振りつつ、明度と彩度を上げるとよいでしょう。「YAKINIKU 55 TOKYO 恵比寿店」のサイトでは、肉の赤みを強調させたシズル感のある高精細な写真で、食材を魅力的に見せています。

https://55-tokyo.com/ebisu/

03 休業日や営業時間を明示する

「CAFE&SPACE NANAWATA」のサイトでは、ページ上部に営業日カレンダーを設置し、お知らせの中で今月の休業日をテキストで明示しています。

年始年末やお盆といったイレギュラーな休みや、時短営業を記載することで「店舗に足を運んだのに、休みだった」という利用者のマイナスな体験を防ぐことができます。

https://nanawata.com/

04 SNSでリアルタイムな情報を発信する

リアルタイムにアップデートされる情報は、活気があるお店の印象につながります。

「HALO CAFE YUZURIO」のサイトでは、ページの上部にInstagramとFacebookのアイコンを配置し、サイトの運用者が手軽に更新できるSNSを、最新情報の発信ツールとして使用しています。

Instagramを使い店内の様子を伝えている。

https://halo-cafe.com/

05 予約先をわかりやすく表示する

「【公式】鮨処 濱 – 関内、馬車道」のサイトは、コンセプトとメニュー、店舗情報が、沢山の写真と共に1ページに簡潔にまとめられたサイトです。

フッターには、予約先の電話番号を大きなフォントでわかりやすく記載しています。

また、電話番号の近くには営業時間と定休日を合わせて配置しています。

https://www.sushi-hama.jp/

PART3

02 医療・病院サイト

医療・病院サイトの特徴

医療・病院のサイトは、幅広い年齢層の人たちに利用されます。そのため、どんな人でも使いやすくわかりやすい情報設計が必要です。

特に総合病院の場合は、視力の弱い人や高齢者、色の見え方が異なる人でもサイトの内容を理解できる作りを心がける必要があります。

ユーザーの求める情報として使用頻度が高い、診療時間、交通アクセス、お問い合わせへの動線は、なるべくサイトにアクセスした時に最初に表示される「ファーストビュー」に集めて表示させましょう。

color（色）

R232 G221 B194　R274 G199 B100　R240 G148 B177
R126 G180 B043　R087 G184 B227　R017 G129 B191

parts（パーツ）

03-1234-5678

標準　大　最大　　白　青　黄　黒

この業種で参考になるレイアウト

P.120　グリッドレイアウト
P.126　2カラムのレイアウト

---

01 診療時間・診療内容をわかりやすく掲載する

医療・病院サイトを利用する人は、患者、家族、医療従事者、新卒・中途採用希望者などが考えられます。

❶「医療法人社団神明会 佐藤歯科医院」のサイトでは、ヘッダー内に問い合わせの電話番号を大きく掲載しています。また、採用サイトや医療関係者向けのリンクは赤色にして目立たせています。

❷ メインビジュアル横の目に入りやすい位置に、ユーザーの必要性が高い診療時間をテーブルでまとめています。

その下には、Google Mapsのリンクボタンと共に住所を記載しています。

❸ 中段には、大きなアイコンの診療目的別リンクボタンを8つ配置しています。

https://www.dentist-sato.com/

診療内容の下には、当院の特徴というエリアを設けて、6つの特徴を関連する写真と共に紹介しています。

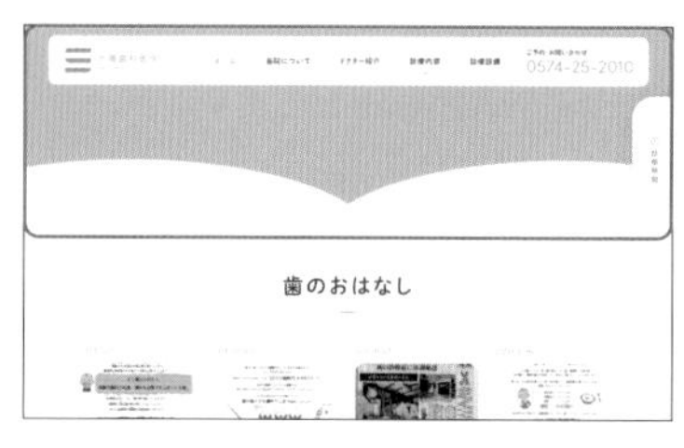

スクロールをすると、診療情報とヘッダーが固定して表示され、ユーザーに必要な情報を常に表示しています。

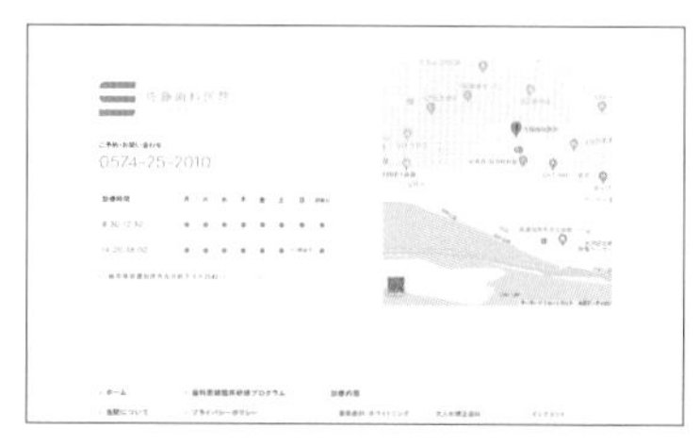

フッターには、電話番号、診療時間、交通アクセスをGoogle Mapsと共に掲載しています。

02 診療予約システムと連携して、サイトから予約ができるようにする

近年では、STORES予約やRESERVA（レゼルバ）など、手軽に利用できる予約システムが増えてきました。

順番待ちの状況を、サイトから確認できるようにしている医療系のサイトも多くあります。「医療法人あんず会 杏クリニック」のサイトでは、電話やメールフォームの予約以外に、外部サービスの予約システムである「EPARK」を利用して、外来診療の予約を受け付けています。

http://anz-homecare.com/

03 親しみやすく温かい雰囲気をイラストで表現する

「漢方内科 けやき通り診療所」のサイトは、ファーストビューやページの装飾にやわらかいタッチで描かれたイラストを採用しています。

ベージュを基調としたアースカラーの配色は、ユーザーに温かい印象を持たせ、診療所への親しみやすさが感じられます。イラストを使う医療系のサイトは、他にも小児科といった子供に向けたサイトに多く見られます。

https://www.keyaki-kampo.jp/

04 医師紹介ページで経歴や専門分野、顔写真を掲載する

医師の経歴や専門分野、働いているスタッフの顔写真やメッセージを掲載すると、ユーザーの安心感を得ることができます。

「はまだ歯科・小児歯科クリニック」のサイトでは、医師紹介のページを設けています。

医師からのメッセージを写真付きで紹介し、その下には出身大学を含んだ開院までの経歴を掲載しています。

https://hamada-dental.net/

05 求人募集を別サイトで設ける

求人サイトを充実させると、医療従事者から採用の問い合わせが直接入りやすくなります。

「医療法人社団光仁会 梶川病院」のサイトは、オフィシャルサイトから採用サイトへのリンクを設け、福利厚生や募集職種、先輩へ一問一答といったコンテンツを充実させて病院の雰囲気や方針を伝えています。

また、働いている人たちの笑顔の写真も多く取り入れています。

https://kajikawa.or.jp/recruit

PART3
03 ファッションサイト

ファッションサイトの特徴

ファッションサイトは、トレンドに敏感なユーザーや、同業者、取引先がリサーチのために訪れます。

特にブランドサイトの場合、ブランドのコンセプトがデザインから的確に伝わるよう、レイアウトや配色、フォントの選定を吟味しておく必要があります。

写真を中心に見せるレイアウトの場合は背景色をモノクロにしたサイトが多く見られ、商品写真だけでなく商品を身に着けたモデルも含めて掲載しています。

自社のブランド紹介と、オンラインで商品を販売するふたつの側面を取り入れているサイトも多い印象です。

color (色)

R255 G255 B255
R242 G242 B242
R227 G222 B220
R153 G153 B153
R090 G090 B090
R004 G000 B000

parts (パーツ)

この業種で参考になるレイアウト

P.128 カラムを組み合わせたレイアウト
P.130 フルスクリーンレイアウト

---

01 写真を大きく取り扱い、商品を魅力的に見せる

ファッションのブランドサイトにおいて、ブランドのコンセプトやテーマを、最初の印象で的確に伝えることは大切です。その役割を大きく担うのは写真です。

❶「Newhattan」のサイトでは、ファーストビューに、切り替わりが速い躍動感のある動画を配置して、画面に大きく表示させています。

中央の再生マークを押すと、YouTube動画がモーダルで現れます。

❷右下には、ピックアップして注目させたいお知らせを、テキストを使わず、写真で配置しています。

❸ブランドコンセプトの説明エリアでは、無彩色の背景で、商品写真を大きく配置して、ビジュアルを強調して見せています。

https://newhattan.jp/

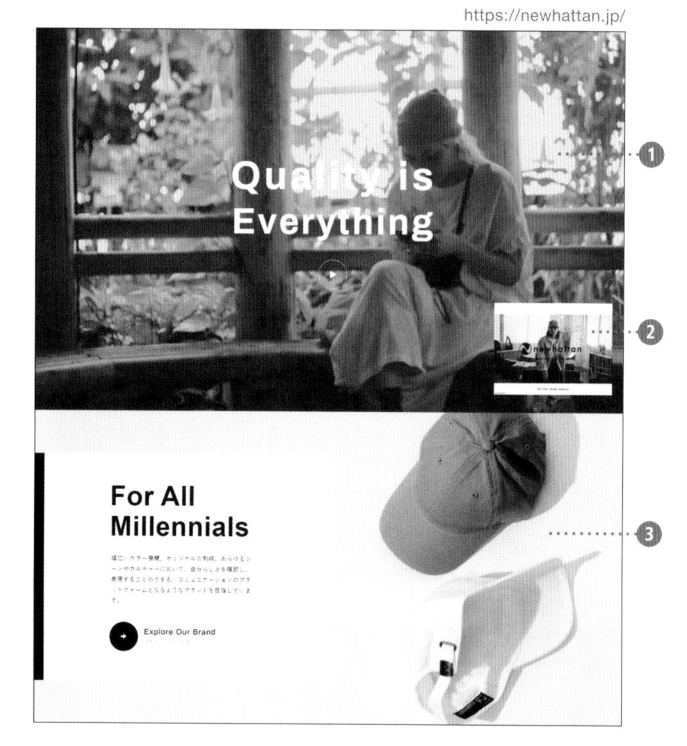

スクロールをすると、グローバルナビゲーションが、ページの途中から上から下に出現します。

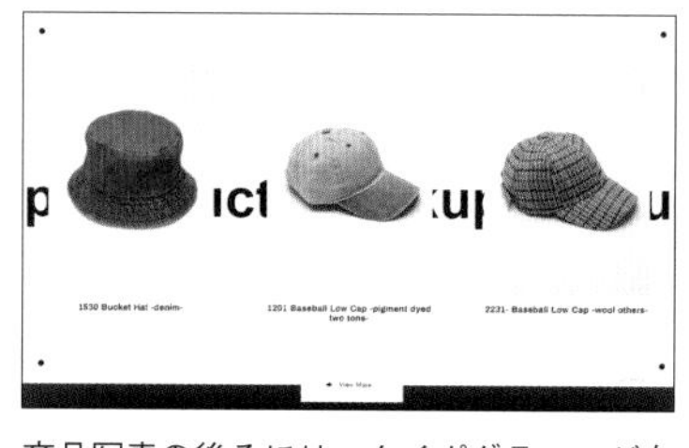

商品写真の後ろには、タイポグラフィが右から左に流れています。商品にカーソルを合わせると色の種類とリンクが現れます。

スクロールをすると、同じ言葉を並べたテキストが、下から上に消えていく遊び心のあるエリアを設けています。

02 重ね、ずらしのレイアウトで先進的な印象にする

重ねたり、ずらしたりするレイアウトは、サイトに先進的な印象をもたすことができます。

「FACT FASHION」のサイトでは、縦長の写真を組み合わせて、余白を生かした自由なレイアウトで見せています。

さらに、パララックスの効果で、浮遊感のあるおしゃれで先進的な印象になっています。

https://factfashion.jp/

03 動画や写真でスタイリング例を掲載する

商品を単体で見せるだけでなく、スタイリング例を見せることで、人が着用した具体的なイメージを伝え、複数の商品を同時にアピールすることができます。

「Tyler McGillivary」のサイトでは、商品の写真にカーソルを合わせると、スタイリング例の写真に切り替わる動きを取り入れています。また、ページの途中に商品を着用した動画も入れています。

https://www.tylermcgillivary.com/

04 SNSを活用して情報を発信する

トレンドに敏感な層が使うSNSへのアプローチは、マーケティングにおいて重要です。

「Instagram」や「Pinterest」のサイトは、女性ユーザーが多く写真に特化しているSNSです。特にInstagramは9割のユーザーが35歳以下と言われています。

「Daniella &GEMMA」のサイトは、LINEやInstagramをはじめ、様々なSNSを使い情報を発信しています。

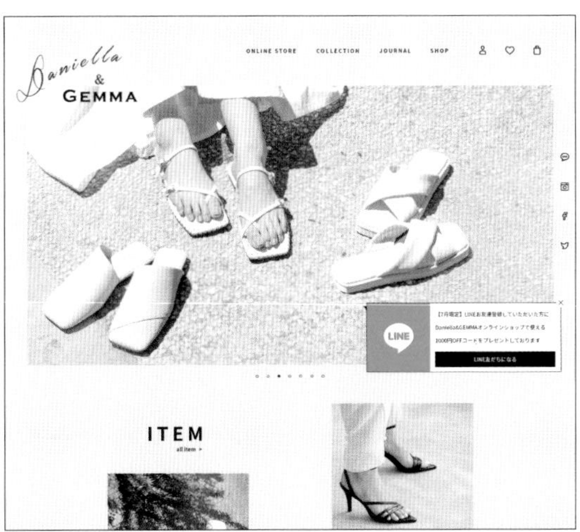

https://danigemma.com/

05 ECサイトと連動させる

ファッションサイトには、ブランドサイトとECサイトを別々に切り分けているものと、ブランドサイトの中にEC機能を取り入れているサイトがあります。

「hueLe Museum」のサイトは後者を採用しており、たくさんの魅力的な写真で、ブランドイメージを伝えながら、直接商品販売ページにつながる仕様になっています。

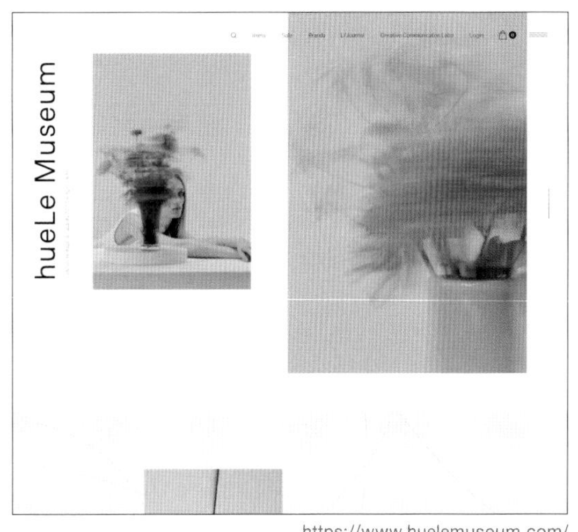

https://www.huelemuseum.com/

PART3

04 美容室・エステサイト

美容室・エステサイトの特徴

美容室・エステサイトは、新規ユーザーとリピートユーザーの双方に向けて情報を発信する作りにすることが大切です。

新規ユーザーは、写真や動画で店舗の雰囲気を知り、メニューの詳細・値段、携わる人の経歴・実績、メディア掲載などで概要を把握します。サイトの運営者は、これらを確認できるようにデザインする必要があります。

リピートユーザーには、問い合わせ先や、空き情報のページ、予約フォーム、店舗ブログなどで今の状況を発信し、キャンペーンを使って再訪を促しましょう。

parts（パーツ）

久保田 涼子
美容師歴 15 年
お客様の笑顔がモットーです！

オンライン予約

Q キャンセル料はかかりますか？
A かかりません。お早めにご連絡ください。

STEP1 STEP2 STEP3

20%OFF CAMPAIGN

お客様の声
S.K さん　30 代
初めは不安でしたが丁寧に対応して下さいました。

この業種で参考になるレイアウト

P.128　カラムを組み合わせたレイアウト
P.130　フルスクリーンレイアウト

---

01 魅力的な写真をたくさん使い、ブランド力を高める

札幌大通の美容室「STILL［スティル］hair& eyelash」のサイトは、おしゃれで魅力的な写真をたくさん使い、美容室のブランド力を高めています。

❶ファーストビューでは、縦長と横長の写真をずらして配置し、時間差でスライドショーを展開しています。

❷下に続くコンセプトのテキストは、両脇を大小の写真で囲み、見出しと説明文を短い文章で端的にまとめています。

❸グローバルナビゲーションの右側には、訴求したい店舗のSNSアイコンを表示しています。アカウントが複数ある場合は、アイコンをマウスオンすると、アカウント名が縦に並んで表示される仕様になっています。

https://still-beauty.com/

サービスを「hair」「nail」「eyelash」の3つのアイコンで説明し、その下に店舗情報へのリンクを設けています。

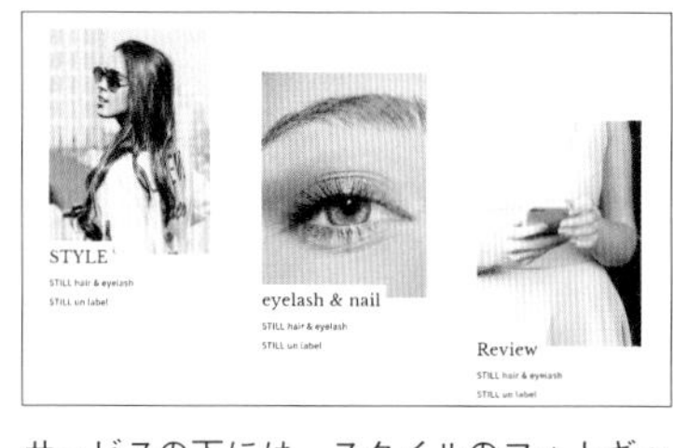

サービスの下には、スタイルのフォトギャラリーやレビューなどを外部サイトで確認できるリンクが設けられています。

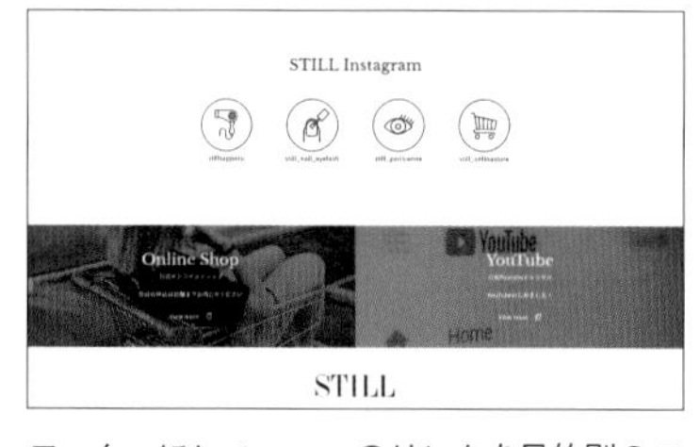

フッターにInstagramのリンクを目的別のアイコンで表示し、Online ShopとYouTubeリンクを画像リンクで紹介しています。

02 オンライン予約を導入する

営業時間外に対応可能なオンライン予約は、顧客を逃さず、しかも空き状況を事前に伝えることもできます。

「美容鍼とウェルエイジング symme（シンメ）」のサイトでは、ページの右上に電話番号と、「WEBご予約はこちら」ボタンを設け、サロン・治療院専門予約システム「ワンモアハンド」にリンクをしています。

https://symme.net/

03 事例や実績を数多く掲載する

エステサロンや美容室は、事例や実績を数多く紹介すると、ユーザーに信頼感を与えることができます。

「ラムネ 京都 美容室」のサイトでは、トップページに「STYLE」という項目を設け、カットの実績写真を多数掲載しています。「VIEW MORE」というリンクボタンを押すと、画像が追加で読み込まれ、表示される仕様になっています。

https://lamune-kyoto.com/

04 Instagramと連動させる

美容室やエステサイトでは、SNSを活用してマーケティングを行っているところが多くあります。

特にInstagramを使い、ハッシュタグをつけて事例や実績を発信しているケースが見られます。

「プライベートエステ 座禅荘」のサイトでは、Instagramのアイコンをヘッダーとフッターに配置し、各種記事の情報発信をしています。

https://www.sanko-kk.co.jp/zazensou/index.html

05 初めての方へというページを設け、コンセプトや来店時の流れを伝える

「リラクゼーションサロン・ティヨール」のサイトでは、「初めての方へ」というページを設け、お店のコンセプトや、来店時の流れ、オススメのコース、ギフトカードの案内など、初回の人が特に必要な情報を集約して掲載しています。また、ページ下部に「よくあるご質問」のリンクを設けて安心感を与えています。

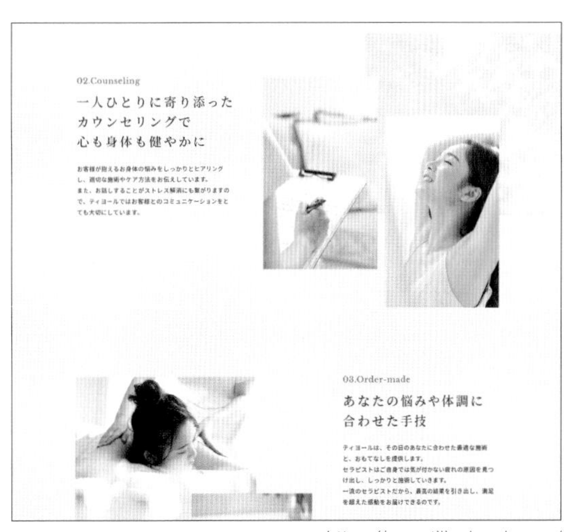

https://www.tilleul-web.com/

PART3

05 アートフェス・イベントサイト

アートフェス・イベントサイトの特徴

アートフェス・イベントサイトは、イベント概要、参加方法をわかりやすく掲載し、見ている人たちに行きたいと思わせるワクワクした作りにすることが大切です。

会期前にはSNSなどを使い企画内容や参加アーティストの情報を発信して盛り上げ、会期中は交通情報や現場の様子をリアルタイムに発信。会期後はレポートをまとめて報告する3段階の見せ方でサイトを作っていく必要があります。

デザインは、ビジュアルを全面に押し出して魅力的に見せているサイトが多く見られます。

parts（パーツ）

You Tube BUY TICKET 〒252-0186 神奈川県相模原市 XXX

2025.11.3 THU 4 FRI
AT TOKYO BAYPARK

Q 駐車場はありますか？
A 車の専用駐車場をご用意しております。

8/13 SAT.ワークショップ1日目

開催まであと 23 日

10:00-
11:00- 映像ワークショップ

【電車で来られる方】
JR 中央線藤野駅下車徒歩 10 分

この業種で参考になるレイアウト

P.124　1カラムのレイアウト
P.128　カラムを組み合わせたレイアウト

01 ビジュアルを中心にしてワクワクする印象を作る

https://rsr.wess.co.jp/2021/

「RISING SUN ROCK FESTIVAL 2021 in EZO」のサイトは、配色が明るく、イラストを中心にデザインされたポップでにぎわいのあるサイトです。

❶ グローバルナビゲーションは、チケットやグッズといったリンク先を、直感的に内容がわかりやすいアイコンと共に見せています。

❷ ファーストビューの背景には、自然の中で音楽を楽しむ現地の様子を、大きなイラストで表現しています。中央には動く流体シェイプでマスクされたスライドショーを流しています。

❸ 最新のお知らせは、ページの上部に写真付きで3件、テキストで3件表示し、記事に紐づくカテゴリをアイコンで示しています。

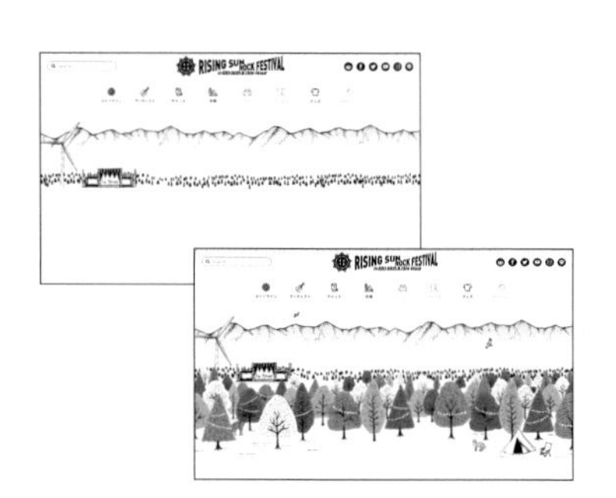

ページが読み込まれると、奥からイラストが3段階に分けて徐々に現れる動きが付けられています。

ローディング画面では、開催日が書かれたロゴの太陽のマークが回転してズームアウトする動きが付けられています。

フッターに設置されたサイトマップは、はじめは格納され、クリックすると全体が見える仕様になっています。

02 TwitterやInstagramといったSNSを使い、リアルタイムな情報を発信する

SNSは、会期前から情報を徐々に発信し、会期中は会場の様子や作品、アーティスト紹介などを取り上げて盛り上げることができるツールです。

「KYOTOGRAPHIE」のサイトでは、フッターにInstagramとTwitterを読み込み、Facebookページや YouTubeチャンネルも開設して新しい情報を発信しています。

https://www.kyotographie.jp/

03 会期や開催場所をわかりやすく明示する

イベントサイトは、いつどこで行われるかが一目でわかる構成にする必要があります。

「みちのおくの芸術祭 山形ビエンナーレ2020」のサイトでは、ファーストビューで会期と開催場所、参加費をまとめて明記しています。プログラムのページでは、プロジェクト、ジャンル、日付の組み合わせで、並び替えができるようになっています。

https://biennale.tuad.ac.jp/

04 よくあるご質問（Q&A）エリアを設ける

「夜空と交差する森の映画祭2021」のサイトは、イラストをファーストビューに設置している1ページ完結型のイベントサイトです。

ページの下部には、初めて参加する参加者に向けて、Q&Aのエリアを設け、不安を取り除く工夫をしています。

これらのページを充実させることは、事前の問い合わせや現地でのトラブルを減らすことにもつながります。

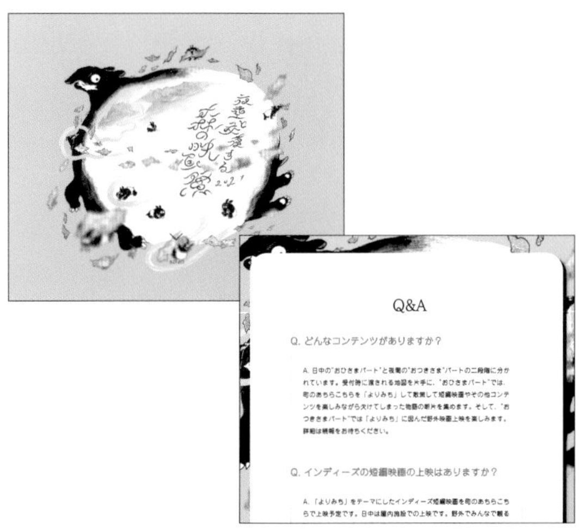

http://forest-movie-festival.jp

05 会場へのアクセス詳細と注意事項を入れる

「会話とオーダーメイド」のサイトは、会場へのアクセスをGoogleMapsの埋め込み地図、住所のテキスト、Google Mapsのリンクで伝えています。

また、注釈として「会場にはエレベーターがございません。」「会場には専用駐車場がございません。」といった会場内の注意事項を明記しています。

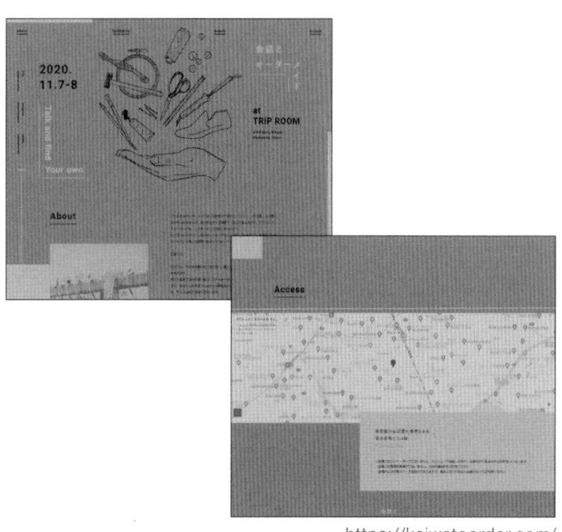

https://kaiwatoorder.com/

PART3

06 音楽サイト

音楽サイトの特徴

音楽サイトは、アーティストのコンセプトや新譜のテーマをデザインで表現し、プロフィール、バイオグラフィ（経歴）、ライブ情報や音源を掲載してプロモーションにつなげていくことが大切です。

Twitter やInstagram、YouTube などのSNS を使い定期的に情報を発信して、ファンと距離を縮めながら活動しているアーティストも多く見受けられます。

ストリーミング音楽配信サービスであるSpotify やAmazon Music と連動させて音楽を配信していくのも良いでしょう。

parts（パーツ）

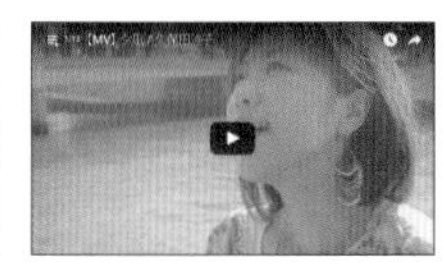

REBIRTH
2024.4.10
release
2,000 yen

11/4 FRI. ヲルガン座
OPEN 18:30/
START19:30

この業種で参考になるレイアウト

P.124　1カラムのレイアウト
P.134　フリーレイアウト

---

01 音楽配信サイトへの導線を設ける

近年では、定額制で音楽を聞くことができるサブスクリプション音楽配信サービスなどを使い、ネットを経由して音楽を聞く人が増えてきました。

❶「水曜日のカンパネラ OFFICIAL SITE」では、「LISTEN」と書かれたグローバルナビゲーションをクリックすると音楽配信サイトへのリンクをまとめたページに遷移します。

❷遷移したページには、Apple Music、Spotify、YouTube、CD（Warner Music Japan）といった4つの音楽・動画配信サイトのリンクが並んでいます。

❸ SNSの中でも一番訴求したいInstagramのアイコンをトップページの右上に設けています。

http://www.wed-camp.com/

グローバルナビゲーションにカーソルを合わせると、英語の文字が、筆文字の書体の日本語に変わります。

ページ遷移の時には、波線が右から左に2回スピーディーに流れるアニメーションが付けられています。

アーティストのSNSは「FOLLOW」ページに、facebook、Twitter、Instagramをまとめてリンクさせています。

02 アーティスト写真を大きく扱う

アーティストサイトは、ブランディングを左右する写真の品質がとても重要です。

「ギタリスト廣木光一Official Website」では、トップページにアーティスト写真を大きく使用したスライドショーを配置しています。

また、お知らせの表示にもライブの告知情報を入れて、ビジュアルを重視してデザインを構成しています。

https://hirokimusic.tokyo/

03 SNSでファンとの距離を縮める

ローディング画面に手書き風のロゴアニメーションを表示し、遊び心のある形のアイコンをナビゲーションに取り入れている「須田景凪 official website」のサイトです。

ヘッダーには、4種類のSNSアイコンを配置しています。Twitterはスタッフとアーティスト用のアカウントを分け、既存ファンへのお知らせや、新規ファンの獲得に繋げるツールとして活用しています。

https://www.tabloid0120.com/

04 スケジュールやお知らせを明示する

音楽サイトでは、ライブスケジュールや、メディア出演のお知らせなど、ユーザーに伝えたい最新の情報をトップページの早い段階で見せるとよいでしょう。

「中村佳穂オフィシャルサイト」では、Latest Infoというエリアに「Live Schedule」と「News」の2カテゴリに分けてお知らせをわかりやすく表示しています。

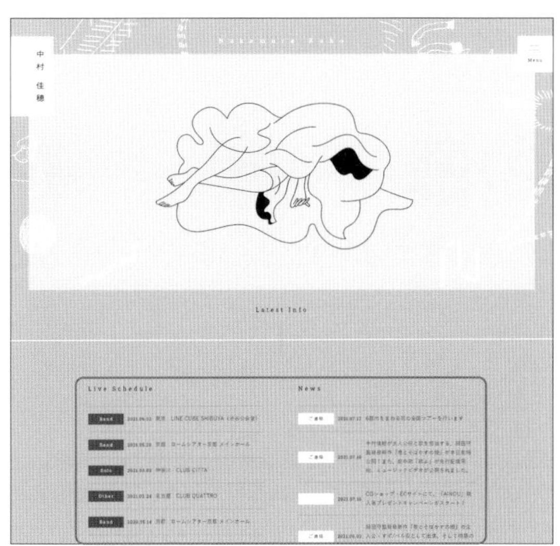

https://nakamurakaho.com/

05 プロモーション動画を埋め込む

音楽の世界観を伝えるために、プロモーションビデオは有効的です。

「End of the World | a new project by SEKAI NO OWARI」のサイトでは、ページの途中にプロモーションビデオのリンクを設け、クリックをすると、モーダルウィンドウでYouTube動画が流れるようになっています。

https://endoftheworld.jp/

PART3

07 アニメ・ゲームサイト

アニメ・ゲームサイトの特徴

アニメ・ゲームサイトは、作品の世界観を押し出したビジュアル要素が強いサイトが多く見られます。パーツに動きをつけたり、BGMを流したり、動画を取り入れたりして、表情豊かに見せています。

情報設計としては、作品紹介、キャラクター紹介、スタッフ、キャスト紹介、グッズ販売、スペシャルコンテンツなど作品に関する情報を集約してユーザーに発信しています。SNSは、10代〜20代がよく利用しているTwitterをメインに展開しており、モバイル対応にも力を入れているのがこのカテゴリーの大きな特徴と言えます。

parts（パーツ）

illust. 佑元セイラ © ドン・マッコウ / TWOFIVE

この業種で参考になるレイアウト

P.124　1カラムのレイアウト
P.132　グリッドから外したレイアウト

01 SNSリンクを設け、動画やギャラリーを充実させる

https://yokokamio.net/

「漫画家 神尾葉子 オフィシャルサイト」は、オリジナルショート漫画をはじめ、作品の動画や、ギャラリーが充実しているサイトです。

❶サイトにアクセスをすると、中央のロゴ（サイン）が一筆書きで書かれる動きが取り入れられています。

❷キャラクターが無限ループで左に動くアニメーションが表示された後、下から中央のキャラクターが現れます。

❸SNSは、YouTube、Twitter、Instagramの3つのアイコンを設け、下層ページでも常に表示して誘導する情報設計になっています。

また、アプリのインストールを促すリンクを大きな円で囲い、左下に表示しています。

ギャラリーページでは、カテゴリごとに順番を並び替える機能を入れて、イラスト一覧を表示しています。

動画のページでは、サムネイルで動画を表示し、クリックするとモーダルウィンドウでYouTube動画が開きます。

ショート漫画のページでは、SNSだと流れてしまう情報を、サイトの中でアーカイブ化してまとめています。

02 装飾のディテールにこだわり、質感のあるデザインで見せる

アクションRPGゲーム「Godfall」のサイトでは、サイト内の装飾にゴールドの飾り枠を使ったり、黒背景に輪郭をぼかした透かし画像を配置したりして、奥行きと質感のあるデザインで見せています。

また、ゲームのシーンを短い動画にまとめ、スピード感のある動きをパーツに組み込んで再現しています。

https://www.godfall.com/

03 自由度の高いレイアウトを採用する

重ね、ずらし、といった自由度の高いレイアウトは、アニメ・ゲームサイトと相性が良いレイアウトです。

オンラインアクションRPG「BLUE PROTOCOL」のサイトでは、ゲームのストーリーを伝えるエリアを、サイズが異なる画像と、縦組みと横組みの明朝体の文字を組み合わせて、魅力的に伝えています。

https://blue-protocol.com/

04 キャラクターを魅力的に紹介する

「TVアニメ「SK∞ エスケーエイト」公式サイト」では、作品に登場する各キャラクターの詳細ページを設けています。背景のレイヤーとキャラクターのレイヤーを分け、キャラクターが飛び出すように重ねて動かしています。右下の回転している「VISUAL CHANGE」ボタンを押すと、同じキャラクターのパターンが違うイラストに切り替わります。

https://sk8-project.com/

05 ファーストビューの要素を動かして世界観を伝える

アニメ・ゲームサイトは、ビジュアルインパクトが大切です。「アニメ「BURN THE WITCH」公式サイト」では、ページが読み込まれると、2人の魔女が空間を移動する躍動感のある動きが組み込まれています。

ファーストビューに動きを持たせることで、作品の持つ世界観を直感的にわかりやすく伝えています。

© 久保帯人／集英社・「BURN THE WITCH」製作委員会

https://burn-the-witch-anime.com/

PART3

08 士業サイト

士業サイトの特徴

弁護士、行政書士などの士業サイトは、色やパーツ、写真、フォント、ライティングを組み合わせて信頼性を全面に押し出す作りにしていくことが大切です。

色は落ち着いた鎮静色や少し暗めのトーンの色を使っているサイトが多く見られます。信頼性と堅実性を表現できる青色はこの業種と相性がよい色と言えます。

現実に働いている人の顔が見えるようなコンテンツを用意したり、ユーザーに役立つ内容のコラムを設けて記事を発信するとよいでしょう。問い合わせの場所もわかりやすく表示させると顧客の獲得につながります。

color（色）

R035 G024 B021　R191 G191 B191　R255 G255 B255
R035 G024 B021　R146 G104 B050　R000 G000 B000

parts（パーツ）

03-1234-5678　無料相談

〒163-8001
東京都新宿区 XXXXX00-00

法人の方へ　個人の方へ

この業種で参考になるレイアウト

P.120　グリッドレイアウト
P.126　2カラムのレイアウト

01 青色をメインカラーにした配色で、信頼感を得る

「みなとみらい総合法律事務所」のサイトは、ベースカラーを白色、メインカラーを堅実性が表現できる青色で構成しています。

全体的に、透明感のあるさわやかな印象の配色になっています。

❶メインビジュアルは、みなとみらいの街から、ビジネスマンが握手をしている風景に変わる動画を配置しています。

また、右下に最新のニュースを1件表示しています。

❷リード文は、法律事務所のコンセプトと、ユーザーに寄り添う姿勢を簡潔にまとめています。

❸その下に代表弁護士を、写真付きで3人紹介しています。

https://mmslaw.jp/

弁護士紹介のページでは、代表弁護士の経歴や取扱分野、メッセージなどが詳しく記載されています。

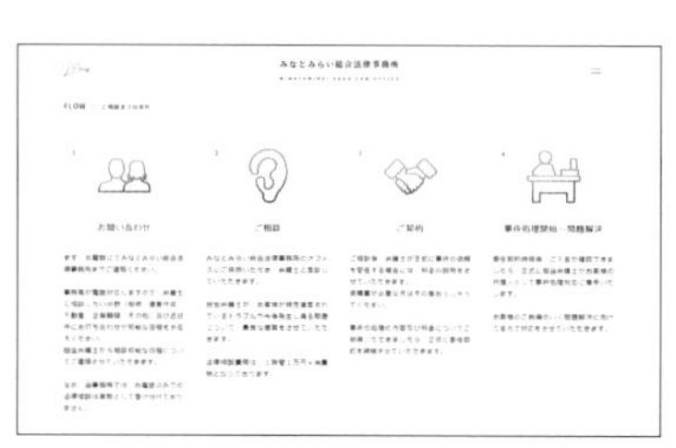

「ご相談までの流れ」のページでは、イラストを用いて、問い合わせから問題解決までの流れをわかりやすくまとめています。

「取扱業務」のページでは、業務内容とそれに付随する料金表へのリンクをセットで表示しています。

02 顔写真やイラストを入れて人柄が伝わるデザインにする

サイトの中に、顔写真を掲載すると人柄が伝わりやすく親近感を持たせることができます。

「井上寧税理士事務所」のサイトは、税理士を被写体にして撮り下ろした写真を、メインビジュアルやサイト内に使用しています。また、似顔絵をベースにしたイラストを取り入れて、サイトの印象をやわらかく見せています。

https://www.y-itax.com/

03 明朝体と茶色・紺色の組み合わせで落ち着いた雰囲気を出す

暗めの色は、落ち着いた大人のイメージを伝えることができます。

「田辺法律事務所」のサイトでは、ベースカラーに白色、メインカラーに茶色、アクセントカラーに紺色を採用しています。また各要素もグリッドに沿って配置されているので、安定感のある印象を与えています。

https://tnblaw.jp/

04 料金表のページを設けて安心感を与える

「荻野鷹也税理士事務所」は、ファーストビューに税理士とクライアントがツーショットで写った笑顔の写真をスライドショーで配置しています。

料金表のページでは、顧問契約報酬表や消費税申告報酬など、項目に分けてわかりやすくテーブルにまとめて料金を明確化しています。

https://www.oginotax.com/

05 取扱業務をカテゴリに分けて案内する

「弁護士法人 伏見総合法律事務所」のサイトでは、取扱業務を「企業様向け取り扱い業務」「個人向け取扱業務」の2カテゴリに分けて、ユーザーの目的別に情報にたどり着けるように工夫しています。

電話番号と、お問い合わせボタンはフッターにまとめられ、どのページでも表示されるように設計されています。

https://www.fushimisogo.jp/

PART3

09 学校・幼稚園サイト

学校・幼稚園サイトの特徴

学校や幼稚園サイトは、入学検討者、在校生・卒業生や保護者といった様々な立場の人たちが閲覧します。

サイト内の掲載量も多いので、ナビゲーションを明確化させ、ユーザーが目的の情報に迷わずたどり着ける情報設計が必要です。

また、モバイルユーザーにも気を配り、重要な情報は上部に表示させるとよいでしょう。学内の生活や環境をイメージできるような写真や、在校生へのインタビュー、先生の経歴・顔写真を掲載して新規の検討者に安心感を与える作りにすることも大切です。

parts (パーツ)

03-1234-5678

日本語 | ENGLISH | 中文　在校生の方へ　保護者の方へ

受験生応援サイト

資料請求・お問い合わせ

保育園関係者用フォトギャラリー（パスワード必須）

この業種で参考になるレイアウト

P.120　グリッドレイアウト

P.128　カラムを組み合わせたレイアウト

---

01 ユーザーごとの目的別リンクを設ける

「八木ヶ谷幼稚園」のサイトは、多くの情報を、レイアウトの工夫をして、すっきりまとめているサイトです。

❶ サイトの右側には「在園児保護者様ページ」「在園児用写真サービス」「未就園児用LINE」といったユーザーごとの目的別リンクを設け、様々な立場から閲覧するユーザーが迷わず必要な情報にたどり着ける工夫をしています。

❷ 左側には、住所とGoogle Maps、電話番号を掲載して、園の場所や問い合わせ先を明確に記しています。

❸ コンセプトを伝えた下には、園内で行われた企画やお知らせを、カテゴリラベルを付けて、画像付きで表示しています。

https://yakigaya.jp/

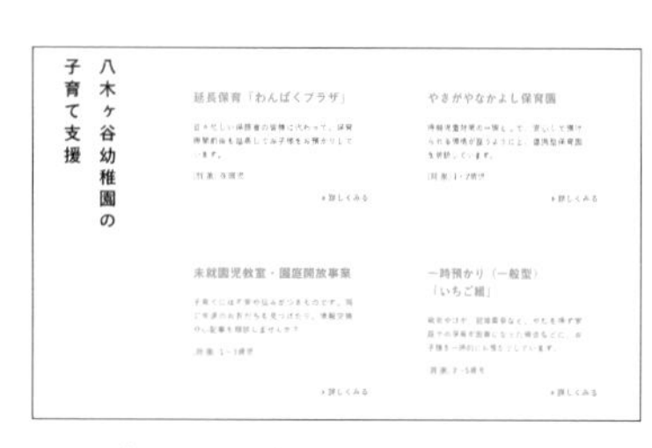

トップページの中で、園が取り組んでいる子育て支援を4つ紹介しています。対象年齢もわかりやすく明示しています。

採用情報は、大きな写真と輪郭線だけで作られたフォント、リンクボタンを組み合わせて紹介しています。

各ページのフッターには、資料請求や見学などの問い合わせ先電話番号が、共通で表示されています。

02 通っている子供たちの写真を使い、リアルな様子を伝える

「わかば保育園」のサイトのトップページは、園に通っている子供たちの写真を組み合わせてデザインされています。

写真素材をあえて使わないことで、園の様子をダイレクトに伝え、信頼感を持たせています。

https://wakabacare-hoikuen.com/

子供の写真が使用できない場合は、イラストで代用してデザインを作ることもあります。

03 学校生活の様子を年間行事や1日の流れでイメージさせる

幼稚園のサイトには、園での1日の様子や年間行事を紹介しているサイトが多く見られます。

「中央台幼稚園」のサイトでは、「年間行事」を写真で紹介しています。

また、1日の流れを3歳以上と3歳未満に分けて、タイムラインで表示しています。

https://chuodai-kindergarten.jp/

04 ユーザーに重要な情報をヘッダーに掲載する

「大阪経済法科大学」のサイトは、一般のお知らせとは別に、重要なお知らせを、ヘッダー上部に注目色の黄色で表示させています。右上の×印を押すとユーザーの意思で消すことができます。ナビゲーションは「在学生クイックメニュー」といった必要最低限の項目だけ表示させ、メニューボタンを押すと全ナビゲーションが展開します。

https://www.keiho-u.ac.jp/

05 園内の様子をトップに配置し活気ある様子を見せる

園内の様子をリアルタイムに配信すると活気のある様子が伝わるサイトになります。

「認定こども園 高木学園附属幼稚園」のサイトは、スライドショーの下に写真と日付、見出しを組み合わせて「園での日々のようす」を6件表示しています。また、見出しの右側には「一覧へ」のリンクボタンを用意しています。

https://takagi-kids.ed.jp/

PART3

10 ポートフォリオサイト

ポートフォリオサイトの特徴

デザイナーや写真家、映像作家など、自身の作品や実績を紹介するポートフォリオサイトは、画面いっぱいにビジュアルを広げたり、写真をたくさん使って華やかに見せるサイトが多くあります。

ページ構成は、プロフィール、作品紹介、問い合わせ先を掲載し、ブログやお知らせ、InstagramなどのSNSリンクを入れ、情報を定期的に発信しているサイトもあります。プログラムを使って動きを付け、魅力的に魅せることを意識して構成していくとよいでしょう。著作権の明記も忘れないようにしましょう。

parts(パーツ)

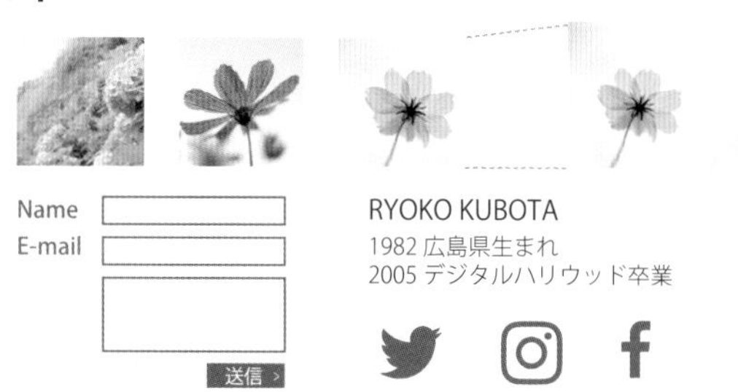

Name
E-mail
送信 >

RYOKO KUBOTA
1982 広島県生まれ
2005 デジタルハリウッド卒業

この業種で参考になるレイアウト

P.122　カード・タイル型のレイアウト
P.124　1カラムのレイアウト

---

01 写真や動画などの作品を魅力的に見せる

ポートフォリオサイトは、作品や実績を画面上で魅力的に見せていくことが大切です。

❶「Kazuki」のサイトは、ファーストビューに大きな写真を配置し、中央に細身の白い手書き風ロゴを配置している、スタイリッシュなサイトです。

❷スクロールをすると、「Works」「Photo」「Movie」の3カテゴリのエリアが出現し、各カテゴリ毎に画面が固定されます。

画面が固定された中で、関連する作品のサムネイルが上に流れていき、クリックすると詳細が現れる仕組みになっています。

❸右側のナビゲーションをクリックすると、各カテゴリにページ内スクロールをします。

http://kazuki-art.com/

作品の写真の上にカーソルを合わせると、写真をぼかした背景に切り替わり、はっきりシーンを切り替えて見せてます。

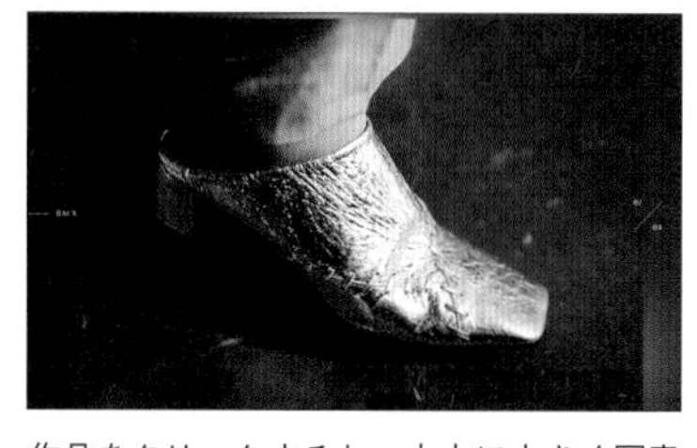

作品をクリックすると、中央に大きく写真が表示されます。左には元の画面に戻るリンクボタンを設置しています。

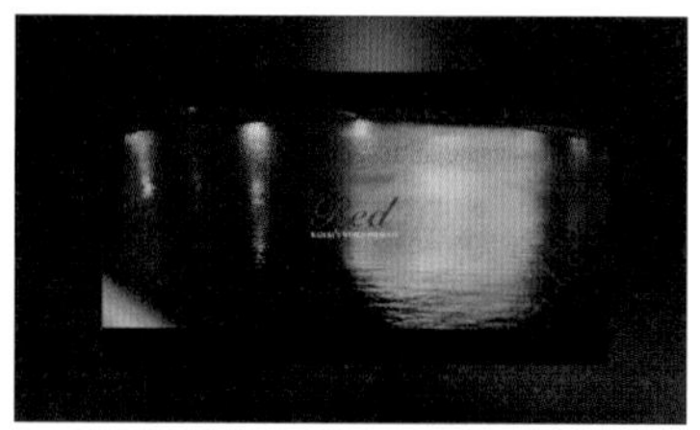

動画をクリックすると、再生ボタンが重ねられた写真が表示され、クリックするとYouTube動画に切り替わります。

02 作品画像を画面いっぱいに敷き詰める

「TAKAHIRO YASUDA」のサイトは、手がけたデザインの画像を画面に敷き詰めて、華やかに見せています。

画像にカーソルを合わせるとプロジェクトの詳細や携わったクリエイターのクレジットを見ることができます。

画面いっぱいに敷き詰めて見せる方法は、ポートフォリオの「WORKS」ページと相性が良く、ビジュアルを重視したい時に導入するとよいでしょう。

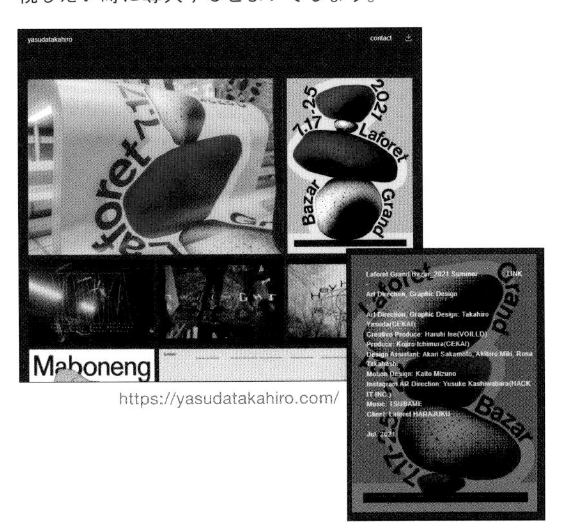

https://yasudatakahiro.com/

03 デザインとプログラミングのスキルをサイトに集約させて見せる

アートディレクションやWebデザイン、フロントエンドエンジニアリングなどを行う田渕将吾のポートフォリオサイト「S5 Studios」は、マウスの移動やクリックで画面が動きます。画面遷移やポートフォリオの見せ方も、デザインとプログラミングのスキルを集約させて魅力的に見せているサイトです。

https://www.s5-studios.com/

04 人となりを掲載して自己ブランディングにつなげる

ポートフォリオサイトは、作品をメインに見せることが多い印象ですが、プロフィールを充実させて、人となりを見せるサイトもあります。

「遠水 イッカン」のサイトでは、「100個のじぶん構成する要素」を紹介するページを設け、関連する画像のサムネイルを並べて自己ブランディングにつなげています。

https://ikkaaannnn.com/

05 フルスクリーンで動画を表示する

ナビゲーションやロゴをシンプルなテキストで置き、大きく動画を扱うレイアウトは、ビジュアルの存在感を強調させて見せる効果があります。

「TAO TAJIMA」のサイトは、トップページにアクセスするとフルスクリーンで動画が表示されます。

動画の詳細は、動画共有サイト「Vimeo」を埋め込んで見せています。

http://taotajima.jp/

PART3

11 ニュース・ポータルサイト

ニュース・ポータルサイトの特徴

ニュース・ポータルサイトは日々新しい情報が更新されていく記事の集約サイトです。一度にたくさんの情報を見せるため、カラム数の多いレイアウトで作られているサイトが多く見られます。文字が多くなるので、新着記事や、見出しを大きく表示したり、記事毎の余白や文字の行間をとって区切りをわかりやすくしましょう。

また、ターゲットに合わせたSNSボタンを入れると拡散されやすくなります。スマートフォンのレイアウトでは、記事の後に関連記事やオススメ記事を表示させると、他のページに回遊させ離脱を防ぐことができます。

color（色）

parts（パーツ）

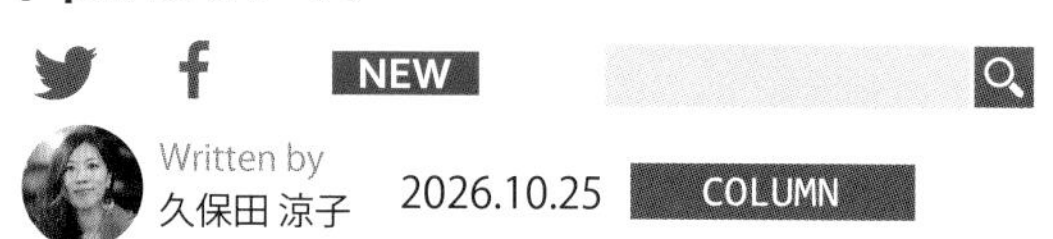

この業種で参考になるレイアウト

P.120　グリッドレイアウト
P.128　カラムを組み合わせたレイアウト

01 カード型のレイアウトで情報の区切りをわかりやすくする

たくさんの記事を視認性高く表示する際に、情報を囲うカード型のレイアウトは活躍します。

❶「UNLEASH」のサイトでは、ファーストビューに特集記事をカード型に並べ、横に移動するスライドショーで見せています。

特集記事の右上には記事数を表示し、下部には特集名を記載しています。

❷ヘッダー内は、シンプルに構成されており、左側に「UNLEASHについて」「特集」の2つのナビゲーション、中央にロゴ、右側に検索窓と、ハンバーガーメニューを配置しています。

❸最新の記事は、写真とタイトルなどの記事情報を重ねて、位置を交互にしながら縦並びで表示しています。

https://unleashmag.com/

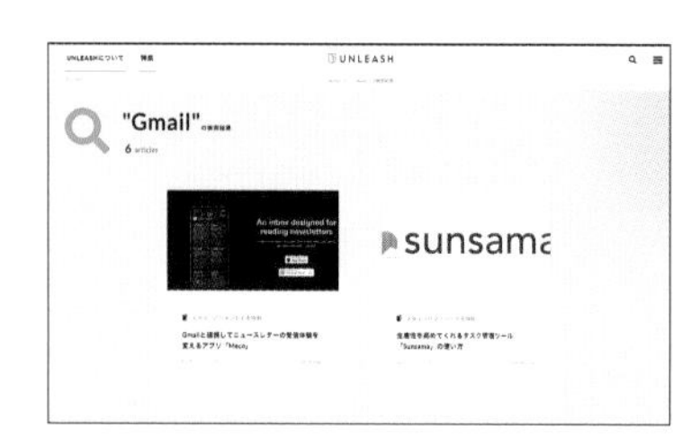

記事の検索結果のページは、検索ワードや件数を左上に表示し、カード型のレイアウトで記事一覧を並べています。

ハンバーガーメニューをクリックすると、特集一覧やタグ一覧もある、充実したナビゲーションが出現します。

各記事には、記事のシェアをするボタンが設けられ、カーソルを合わせるとSNSアイコンの一覧が縦並びで表示されます。

02 見出しのフォントサイズを大きくする

多くの情報が混在するニュースサイトは、本文に対して見出しの比率を大きくし、ジャンプ率を高くすることが大切です。そうすることで、全体が読みやすくなり、ユーザーは効率的に情報を流し読みすることができます。

「ふふふぎふ」のサイトは、ヘッドラインの記事の見出しを大きく表示させ、見出しと本文のフォントの種類を変えてメリハリをつけています。

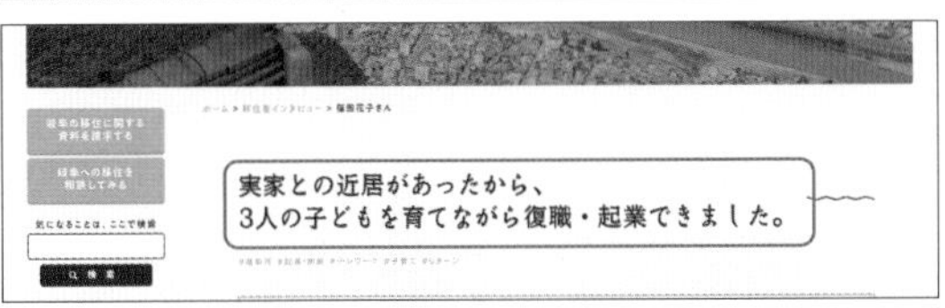

https://www.gifu-iju.com/

03 各記事の末尾に拡散用のSNSボタンを配置する

記事を多くの人たちの目に触れさせるためには、SNSボタンが有効です。特にTwitterとFacebookは多くのサイトに取り入れられています。

「ここご」のサイトでは、記事の下部に拡散用のSNSボタンを2種類設置しています。また、記事を書いたライターの紹介欄を設けています。

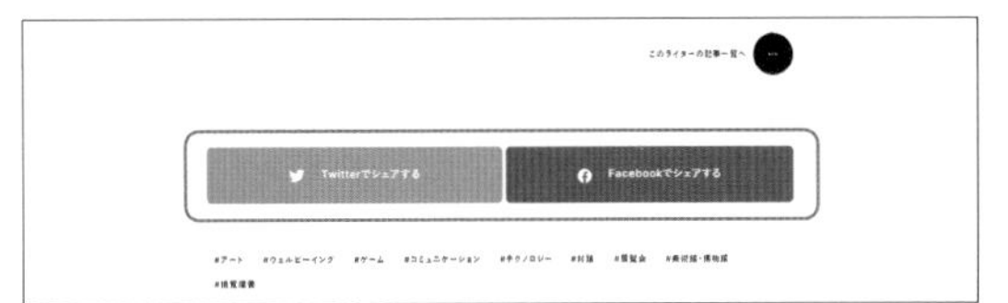

https://co-coco.jp/

04 タグ一覧を設けて、読者の興味を引き付ける構成にする

ポータルサイトは記事数が多く、最新の記事が主に目立って表示されます。サイトから離脱させず、より多くの記事を読ませるためには、フッターリンクの充実や、タグ一覧を設けるなどの工夫が必要です。

「BEYOND ARCHITECTURE」のサイトでは、フッターエリアに「Tag」エリアを設けてタグを多数表示しています。

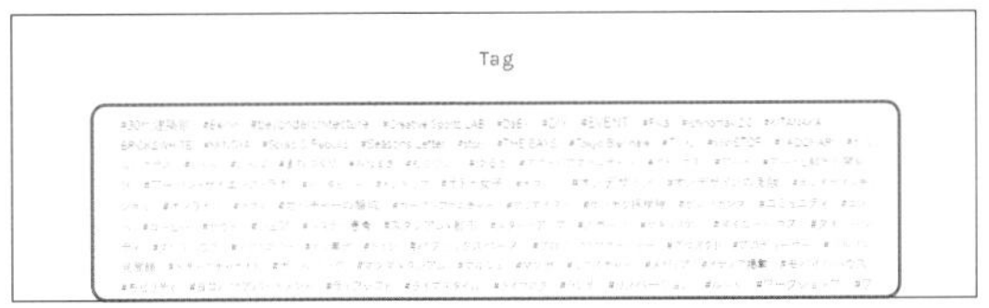

https://beyondarchitecture.jp/

05 注目させたい記事をランキング形式で取り上げる

注目させたい記事や最新記事を表示するエリアを設けると、ユーザーがアクセスするたびに情報が変化し、新しい印象を与えることができます。

「おかねチップス」のサイトでは、ページ上部にPICK UP記事を斜めのスライドショーで表示させ、サブエリアに「人気記事」をランキング形式で表示しています。

https://okanechips.mei-kyu.com/

PART3

12 ECサイト

ECサイトの特徴

ECサイトは、買い物のしやすさ、商品の見やすさ、ユーザーに購買意欲を湧かせるサイト作りが大切です。

買い物のしやすさは、視認性の高いレイアウトや内容を直感的にイメージできるアイコンの設置などを取り入れることで得られます。購買意欲をかき立てる工夫は、高品質な写真の使用や、クーポン、ランキング、おすすめ商品といったコンテンツの導入や商品にフォーカスを当てた特集ページを作るとよいでしょう。信頼性を高めるために、運営会社の情報や、よくある質問、特定商取引法にもとづく表記や問い合わせ先を明記しましょう。

parts（パーツ）

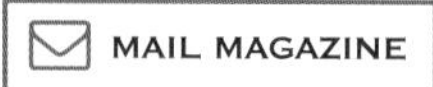

この業種で参考になるレイアウト

P.120　グリッドレイアウト
P.128　カラムを組み合わせたレイアウト

01 目的別に探すリンクを設ける

目的別に探すリンクを設けると、たくさんの商品からユーザーのニーズに合った商品をまとめて提案することができます。

❶「アイユー（aiyu）」のサイトでは、「シリーズから選ぶ」「用途から選ぶ」といった4カテゴリから商品を検索できるようになっています。

❷左上の目立つ場所に、重要なお知らせを掲載し、ユーザーに注目させるようなレイアウトにしています。

❸メインビジュアルは2段に分けて、上段が左方向に、下段が右方向に移動するスライドショーで、沢山の商品の利用シーンを見せています。

https://aiyu-hasami.com/

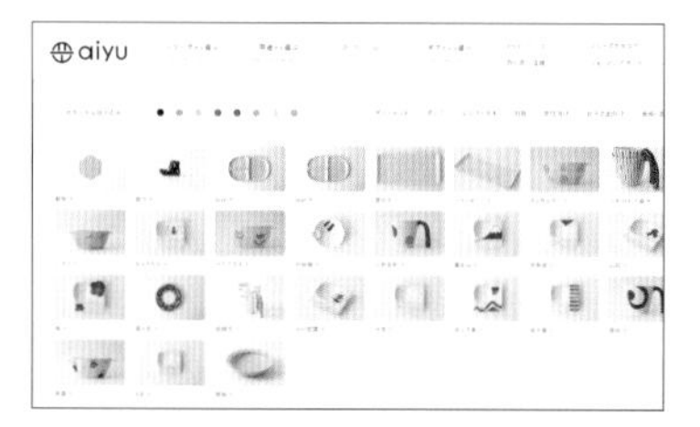

グローバルナビゲーションの内容は、写真付きリンクで充実しており、ユーザーが検索しやすい構成になっています。

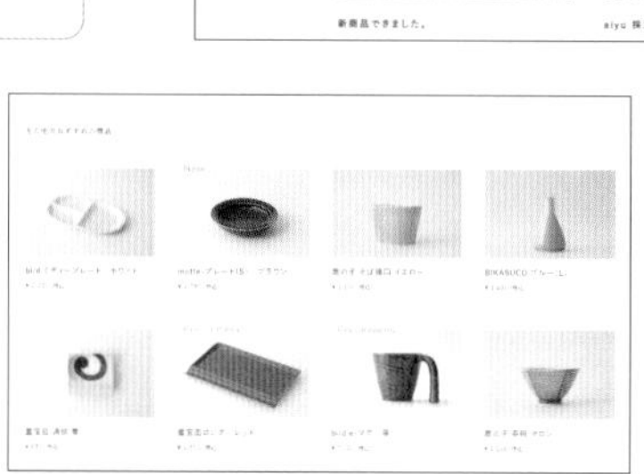

商品ページの下部には「その他のおすすめ商品」エリアを設けて商品を掲載し、サイト内を回遊させています。

WordPressで商品詳細ページを制作し、商品をカートに入れると、カラーミーショップのサイトに移動します。

02 商品詳細ページに「おすすめ商品」を掲載して、サイトの離脱を防ぐ

商品詳細ページに、おすすめ商品や関連商品を掲載するとサイトの離脱を防ぎ、ページの回遊性が増します。

「TOSACO」のサイトでは、商品詳細ページに「お得なセットで購入」や「こちらもおすすめ！」というエリアを設けて商品ページに案内しています。

https://tosaco-brewing.com/

03 商品の使用例を紹介する

ファッションや化粧品など、実際に商品を使用した例を見せると、ユーザーの共感を促し、購買につながりやすくなります。「UZU」のサイトでは、商品詳細ページに、高精細な商品写真と、実際に使用した例の写真を並べて掲載しています。また、色のボタンをクリックすると、他のバリエーションの商品ページにリンクします。

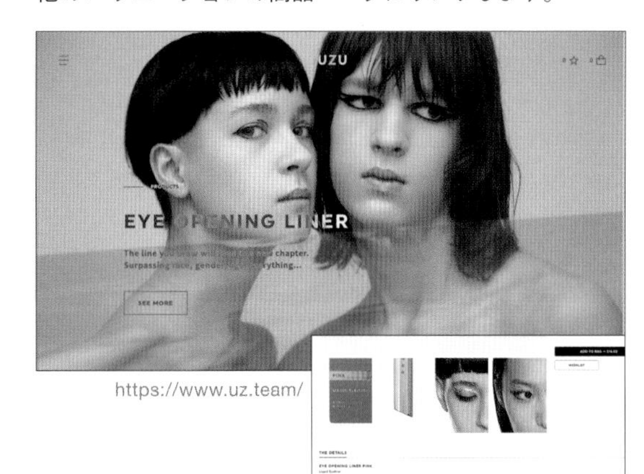

https://www.uz.team/

04 高画質な商品写真を使用する

「神戸元町辰屋」のサイトは、Shopifyで作られた、すっきりとしてわかりやすいレイアウトのECサイトです。

商品一覧ページは、高画質な写真を利用して、食材をおいしそうに見せています。

写真にカーソルを合わせると、調理後の写真に切り替わるアニメーションが付けられています。

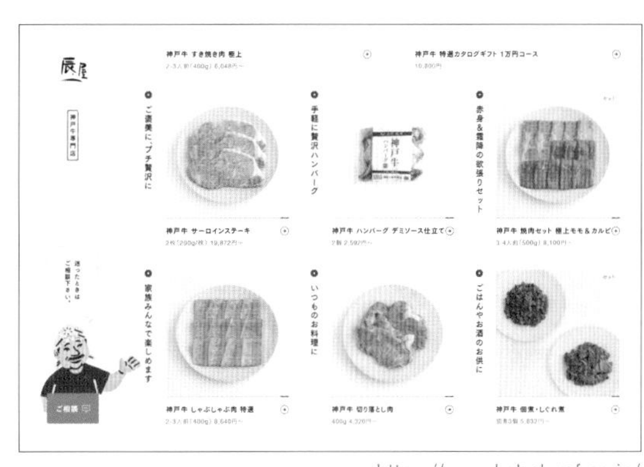

https://www.kobebeef.co.jp/

COLUMN 代表的なECサイトサービス

ECサイトの構築方法は、システムを提供しているサービスをレンタルする方法と、自分のサーバーにECの機能を取り入れる方法の2パターンがあります。ここでは、前者の代表的なECサイトサービスをご紹介します。

https://thebase.in

● BASE
無料のサービス。独自ドメインも使用可能。

https://stores.jp/

● STORES
クレジットの決済手数料が安い無料のサービス。

https://www.shopify.jp/

● shopify
世界中の170万以上の店舗が使うショッピングカートASP。

https://shop-pro.jp

● カラーミーショップ
無料ではじめられるネットショップ作成サービス。

PART3

13 コーポレートサイト

コーポレートサイトの特徴

コーポレートサイトでは自社の強みやサービスを明確に見せると共に、ユーザーに寄り添った情報提供を心がけることが必要です。

例えば、新規顧客やカスタマーに対して、よくある質問や問い合わせページを設け、依頼フローを提示したり、独立した採用サイトを制作するなど、特定のユーザーに対して豊富な情報を提供することで、信頼感と安心感を与えることができます。自社の最新情報をスピーディーに伝えるために更新しやすいシステムを導入して担当者が更新を行う会社も多く見られます。

color（色）

R038 G140 B197　R020 G078 B148　R041 G153 B196
R182 G031 B034　R102 G102 B102　R204 G204 B204

parts（パーツ）

03-1234-5678　STEP1　STEP2　STEP3

▸ プライバシーポリシー　▸ 採用情報

この業種で参考になるレイアウト

P.120　グリッドレイアウト
P.126　2カラムレイアウト

---

01 企業のコンセプトやサービスをトップページで明示する

https://www.nunob.co.jp/

ユーザーが初めに訪れるトップページで企業の特徴や業務内容をわかりやすく伝えることは大切です。

❶「株式会社 布引コアコーポレーション」のサイトは、笑顔の社員が写っているスライドショーの上に、「80年の信頼と実績。国内の主要部品メーカーとの取引。」といったキャッチフレーズを短くまとめて表示しています。

❷ その下には、最新のお知らせが3件表示され、「VIEW MORE」と書かれたボタンをクリックするとお知らせのページに飛びます。

❸ レイアウトは、重ねたりずらしたりするエリアも設けつつ、基本的にはグリッドに沿って要素を配置し、安定感のある堅実なレイアウトでまとめています。

事業案内をアイコン付きで6つ掲載しています。左上のアイコンの色を変えることで区別をはっきりさせています。

スタッフインタビューを掲載して、社内の雰囲気や所属する人たちの考え方などを紹介しています。

下層ページを持つナビゲーションは、吹き出しの中にボタンの形状でリンクを並べ、わかりやすく見せています。

02 職場の環境を動画で見せる

企業のカラーは、働く人と職場の環境で育てられます。「前浜工業株式会社」のサイトは、ファーストビューに動画を用いて職場の風景を紹介しています。

動画の内容は、社員が働いている様子や、機械が動いている様子などを組み合わせ、リアルな職場の風景が伝わるように構成されています。

https://maehama.co.jp/

03 取引先を掲載して信頼感を出す

「プロレド・パートナーズ」のサイトは、トップページに「クライアントインタビュー」というエリアを設け、取引先の感想を、ロゴ入りで4つ掲載しています。文章をクリックすると、詳細記事に遷移します。会社の信頼感を伝える方法としては、この他にも、取引先をロゴでまとめて掲載して見せる方法や、受賞歴などのアイコンを目に入りやすい場所に配置する方法などがあります。

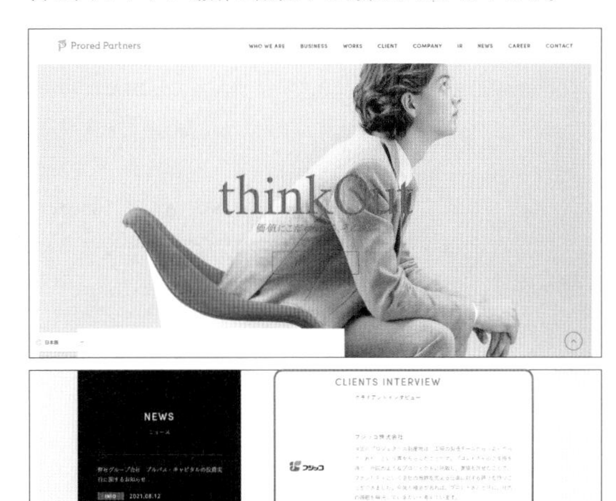

https://www.prored-p.com/

04 採用ページを1サイトとして独立させる

採用の時期になると、オフィシャルサイトから独立させた採用サイトをリリースする会社が多く見られます。

「振興電気株式会社」のサイトでは、社員や代表者のインタビューや仕事内容を伝えるページを掲載した採用サイトを作り、募集要項を掲載しています。「ENTRY」のボタンは右上の目立つ位置に表示させています。

https://www.shinko-el.com/recruit/

05 お問い合わせ先や連絡先をわかりやすく掲載する

企業サイトを検索する人の中には、企業のサービスや製品について問い合わせを行う人もいます。

「株式会社アイドマ マーケティング コミュニケーション」のサイトでは、ヘッダー右上にボタン形式で「お問い合わせ・資料請求」を置き、フッターには本社と営業本部の電話番号を掲載しています。

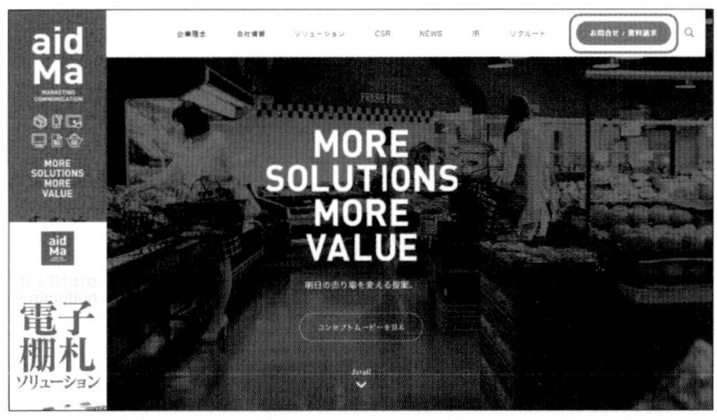

https://www.e-aidma.co.jp/

PART3

14 スポーツ・フィットネスサイト

スポーツ・フィットネスサイトの特徴

ジムやフィットネスなどのサイトは、快活で健康的な印象を与えるため、はっきりとした色と写真を組み合わせて構成されています。また、ピラティスのような女性向けのサイトは優しい色合いで構成されています。

ユーザーに問い合わせを促すため、キャンペーンバナーや、無料体験レッスン申し込みのボタンを目立つ位置に設置したり、はじめての方へのページを設けるサイトが多く見られます。通っている人に向けてレッスン予約をWeb上でできるようにカレンダーやフォームを設置するサイトもあります。

color（色）

R187 G029 B040　R232 G208 B073　R216 G084 B039
R118 G117 B086　R200 G198 B225　R221 G219 B208

parts（パーツ）

03-1234-5678
体験レッスンお申し込み
入会金0円キャンペーン
会員様レッスン予約

この業種で参考になるレイアウト

P.120　グリッドレイアウト
P.130　フルスクリーンレイアウト

01 ジムの特徴や、利用者が得た効果を見せる

ジムに入会しようと考えているユーザーは、自分の健康維持や身体能力の向上を目的としており、どのような環境で、どういったサービスを受けることができるのかをサイトの中で判別しています。

❶「EXPA（エクスパ）公式」のサイトは、暗闇フィットネスの様子を、トレーニング中の写真や、ネオンのようなグラデーションを使って表現しています。

❷ グローバルナビゲーションの2番目に「ビフォーアフター」というリンクを設けて、利用者の得た効果を紹介しています。

❸ コンバージョンにつながる「体験 / カウンセリング」ボタンは、サイトの右上に固定され、スクロールをすると追従する仕組みになっています。

https://expa-official.jp/

「結果を出せるEXPAの3つの秘密」というエリアを設けて、ジム独自の特徴を掲載しています。

ビフォーアフターのページでは、トレーニングを受けた体験者の体形や体重の変化を写真入りで紹介しています。

トレーニングの様子や空間の雰囲気を、プロモーション動画や沢山の写真を使用して伝えています。

02 実績を見せて、信頼感を出す

「NEO SPORTS KIDS」のサイトは、読みやすいゴシック体のフォントを使い、情報をわかりやすくまとめているサイトです。ファーストビューには「楽しいから続く年間継続率93.4%」といった実績を掲載し、入会を考えているユーザーに信頼感や安心感を与えています。また、「体験教室お申込み」のコンバージョンボタンを右側に固定し、いつでもクリックができるようにしています。

https://neo-sports.jp/

03 キャンペーンを打ち出す

期間限定のキャンペーンは、ジムやフィットネス入会を後押しするトリガーになります。トップページの目立つ位置に情報を掲載したり、位置を固定して見せるとよいでしょう。「buddies（バディーズ）」のサイトでは、右下に「今なら14日間基本料金無料」と書かれたキャンペーン情報を掲載し、ユーザーにオンラインフィットネスのアプリのダウンロードを促しています。

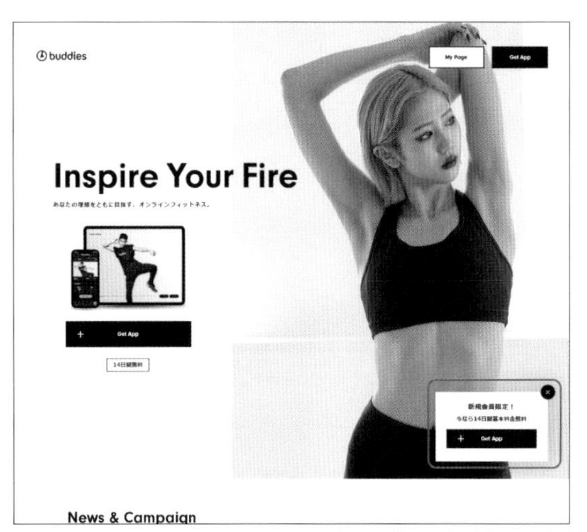

https://www.buddiesapp.jp/

04 よくあるご質問を入れて安心感を与える

「パーソナルジム「comme（コム）」公式ブランドサイト」は、グレイッシュな配色とセリフ体のタイポグラフィで構成された高級感のあるサイトです。

ページの最後には、よくあるご質問エリアを設けてユーザーの疑問点を払拭し、トライアルの予約につなげています。右下には、LINEとWebで予約ができるコンバージョンボタンを固定しています。

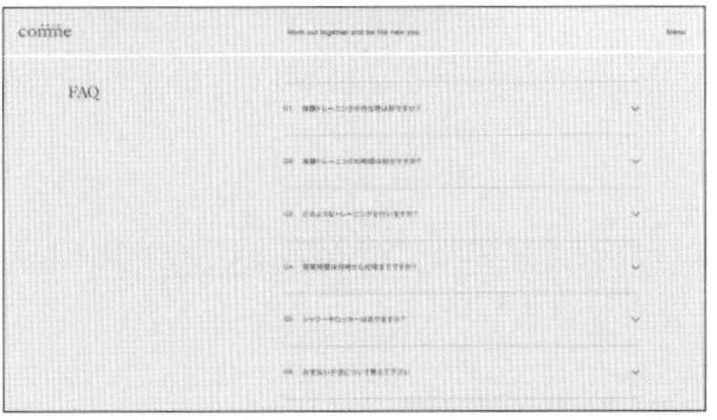

https://comme.fit/

05 施設やトレーニング風景を動画で見せる

「GYM & FUNC FIGO」のサイトは、黒色と黄色で構成されたクールな印象のサイトです。

ファーストビューには、入会金や1カ月分の費用が無料といったユーザーのメリットになる情報を集めています。

また、実際のトレーニング風景の様子を動画で見せて、ジムに入会後の様子をイメージできるようにしています。

https://www.figo24.com/

PART3
15 ランディングページ

ランディングページの特徴

ランディングページは、商品やサービスの紹介を行う縦長で1ページ完結型のページです。問い合わせや資料請求を獲得するといったサイトのゴールの設定とそこへ導くページ構成が重要となります。

また、集中して内容を読ませせることができる1カラムレイアウトで構成され、お客様の声やユーザーにとって有益な情報を掲載していることが多くあります。更新性をあまり要求されない場合は、画像ベースで文章を見せたり、紙媒体のデザインのように装飾や構図にこだわったデザインを取り入れてもよいでしょう。

parts(パーツ)

03-1234-5678 無料相談のお申し込み

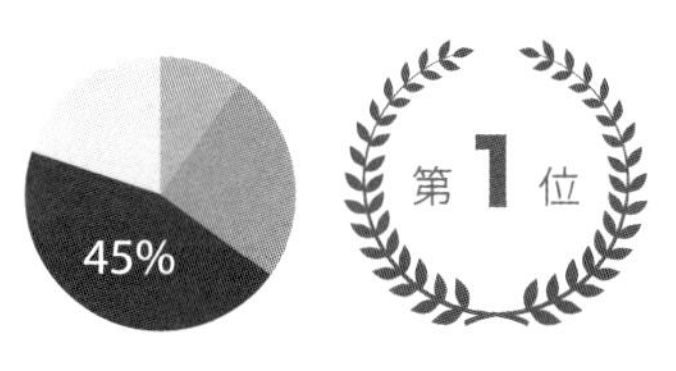

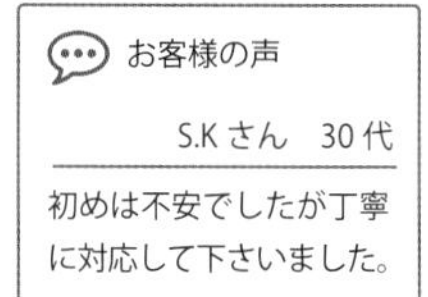

この業種で参考になるレイアウト

P.124 1カラムのレイアウト
P.134 フリーレイアウト

---

01 ファーストビューの下に、ユーザーの共感部を入れる

Webサイトに流入した約半数のユーザーは、自分の目的とサイトの内容が一致していない場合に離脱するという結果が出ています。

ランディングページは、1ページの中にコンテンツ全体の情報を凝縮させ、順を追って情報を伝えターゲットを絞り込んで訴求していきます。

❶「氣清流バランス＊coco-citta.」のサイトは、ファーストビューにサービスのキャッチコピーと「オンラインカウンセリングのご予約」「2回目以降の方 施術予約はこちら」という2つのコンバージョンボタンを置いて右に固定しています。

❷そのすぐ下には、ユーザーの共感を促す問いかけを提示し、ネガティブな要素を4つに分けて見せています。

https://coco-citta.com/lp/

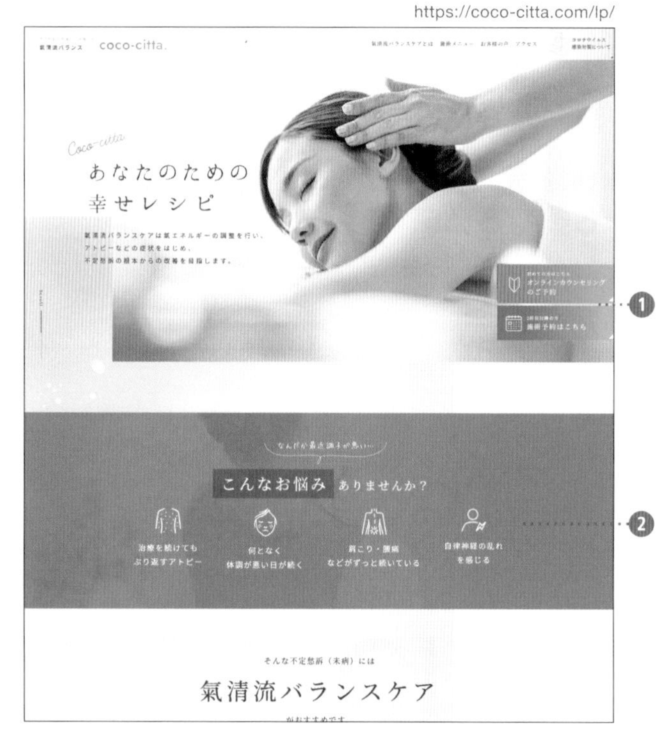

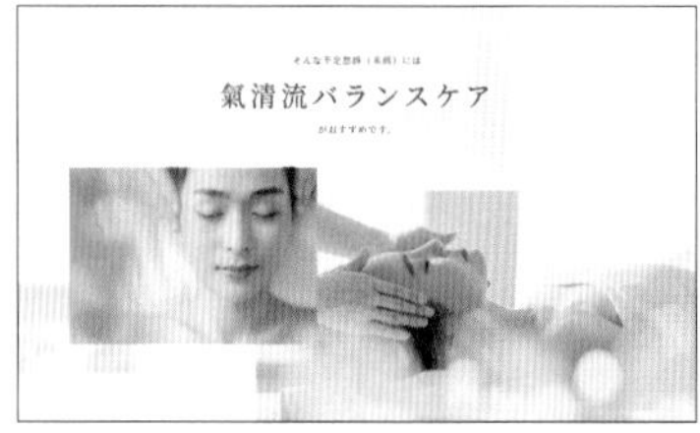

ネガティブ要素の後、改善につながるポジティブ要素を入れることで、施術を受けた際の効果を解説しています。

年代、悩み、受けたコースをセットにして施術を受けたお客様の声をスライダーで紹介しています。

よくあるご質問エリアを設けてユーザーを安心させた後、ページの最後のコンバージョンエリアに誘導しています。

02 パララックスと動画を組み合わせてストーリーを作る

「Micro Bubble Bath Unit by Rinnai」のランディングページは、スクロールに連動してコンテンツがアニメーションするパララックス（視差効果）を使い、ストーリーの読み進めを促しています。ページの途中では、コンセプトムービーがフルスクリーンで流れます。

右上のMenuを押すと、任意のエリアまでジャンプができるようになっています。

https://rinnai.jp/microbubble/

03 コンバージョンに結び付くボタンを固定して表示する

ランディングページは、ゴール設定が明確なので、ページ内に繰り返しコンバージョンエリアを表示させたり、大きなボタンを配置したりしてユーザーの行動を促します。「デジタルハリウッド-本科CG/VFX専攻」のサイトは、サイトのコンバージョンに結び付く「資料請求」と「説明会予約」ボタンを上部に固定して常に表示させています。

https://school.dhw.co.jp/p/cgvfx-lp/1708dhw/

04 ページ下部まで読ませる構図

縦に長いランディングページでは、ユーザーに飽きさせないよう、ページ下部まで読み進めてもらえるような構図やストーリーライティングが重要になります。

「B/43」のサイトでは、傾斜が付いたレイアウトや、点線、ジグザグの構図を用いてコンテンツを展開し、サービスを紹介しています。

https://b43.jp/

COLUMN

ランディングページの参照サイト

ランディングページは業種やサイトの目的によってページ内の情報設計やデザイン、文章に特徴が見られます。

「LP アーカイブ」というサイトは、カラー別、カテゴリー別、イメージ別ランディングページを検索できるまとめサイトです。リサーチの際に利用するとページのレイアウトや装飾のヒントが得られるでしょう。

https://rdlp.jp/lp-archive

COLUMN Webデザインの参考サイト

最新のデザインや技術のトレンド、情報設計の参考になるWebデザインの参考サイトを紹介します。時間のある時に眺めてデザインを見る目を養っておきましょう。

http://io3000.com/

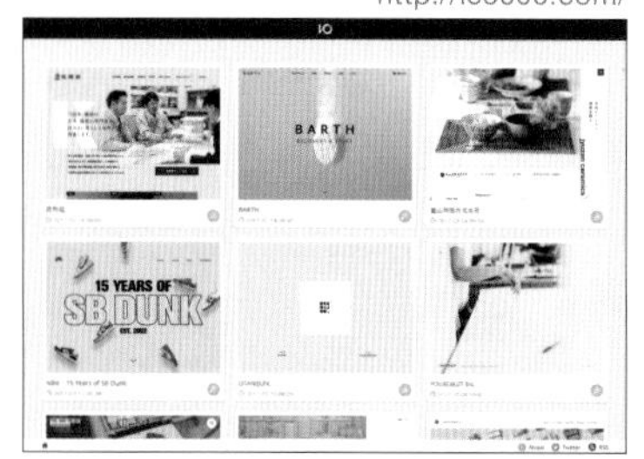

● I/O 3000
Webデザインに関わる人のためのギャラリーサイト。国内外を問わず、制作の参考となるサイトが掲載されています。右上メニューから絞り込み検索ができます。

https://sankoudesign.com/

●SANKOU!
Webデザインの参考・お手本となるサイトを集めた、Webデザイナー向けのサイトギャラリー・リンク集。スマートフォン版に特化した絞り込み検索もできます。

https://bookma.torch.blue/

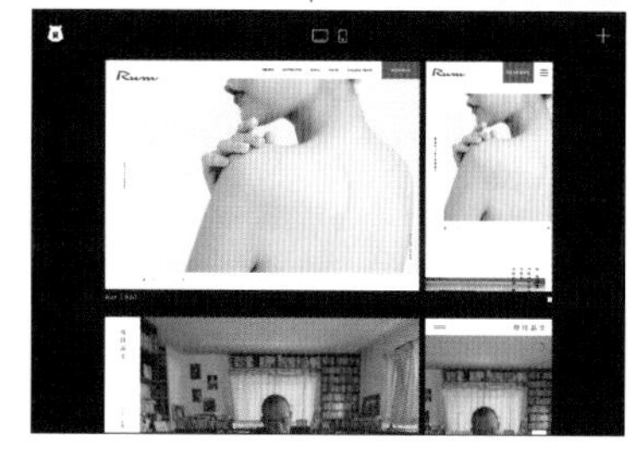

●bookma! v3
Webデザインに特化したブックマークサイトです。カラーやテイスト、カテゴリー、新しい順や閲覧順に絞り込み検索ができます。

http://81-web.com/

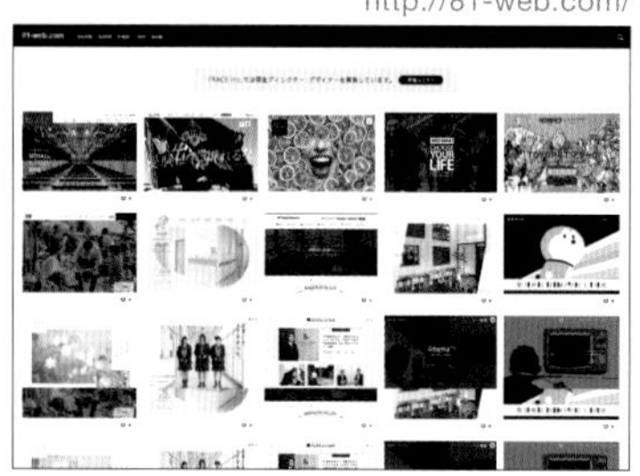

●81-web.com
Webサイト制作に役立つ、日本の優れたWebデザインを集めたサイトギャラリーとリンク集です。

http://muuuuu.org/

●MUUUUU.ORG
縦に長いレイアウトで、クオリティの高いWebデザインのリンクを集めたサイト。左のCategoryにマウスを合わせると絞り込み検索が出現します。

http://responsive-jp.com/

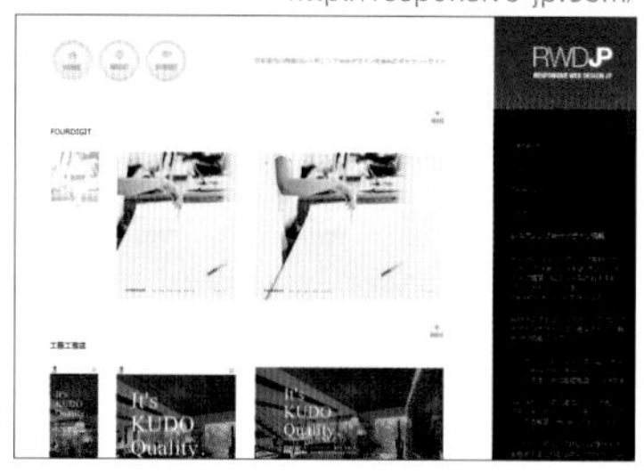

●Responsive Web Design JP
日本国内の秀逸なレスポンシブWebデザインを集めたギャラリーサイト。カテゴリーや色で絞り込み検索ができます。

http://www.zzrock.net/

●ズロック
格好いいWebデザインのリンク集。左上のタグマークを選択すると業種やカラー、レイアウト別に絞り込み検索ができます。

http://www.awwwards.com/

●Awwwards
世界のWebデザインを各国のデザイナーが採点し優秀作品を紹介するサイト。左上メニューからWinnersを選択し受賞サイトを絞り込み検索できます。

https://jp.pinterest.com/

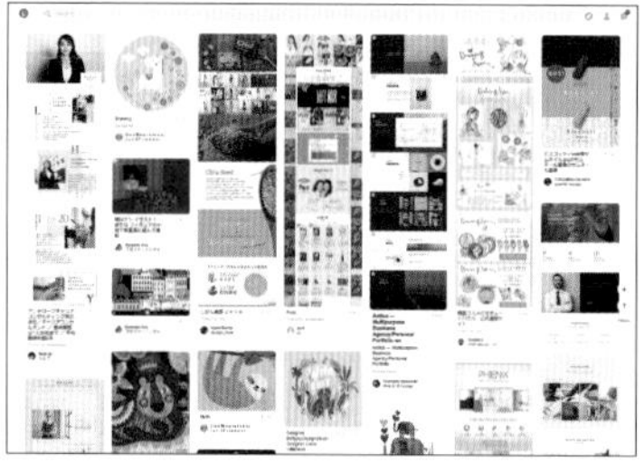

●Pinterest
気に入ったデザインのアイデアを集めて自分のアカウントのボードに保存することができるサイト。デザインセンスの良いものがたくさんあります。

その他の参考サイト：Web Design Clip（https://www.webdesignclip.com/）、S5 Style!（https://bm.s5-style.com/）、The Bset Designs（https://www.thebestdesigns.com/）などもおすすめ！

PART

4

—

レイアウトや構図から考えるデザイン

PC、タブレット、スマートフォンなど、サイトを表示するデバイスの種類やサイズに合わせ、Webデザインのレイアウトは日々進化しています。Webデザインを作る上で外せないレイアウトを種類別に解説していきます。

PART4
01
グリッドレイアウト

グリッドレイアウトの特徴

グリッドレイアウトは、雑誌などのデザインにもよく使われている縦横の見えない線や格子状のブロックに合わせて要素を配置していくレイアウトです。

きちんと整列して見えることから、整然とした安定感のある印象を与えます。

また、余白を持たせて情報を区切っているので、たくさんの情報を整理して見せたい時にも効果的です。

Adobe XDやPhotoshopといった、デザインソフトに付属しているグリッド作成の機能を使って、レイアウトをしていくとよいでしょう。

8の倍数でできているグリッド

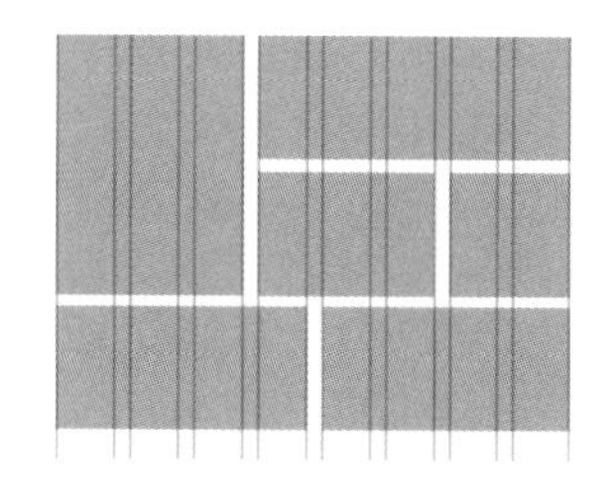

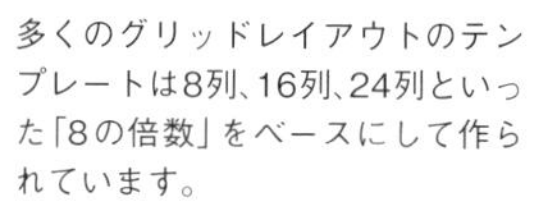

多くのグリッドレイアウトのテンプレートは8列、16列、24列といった「8の倍数」をベースにして作られています。

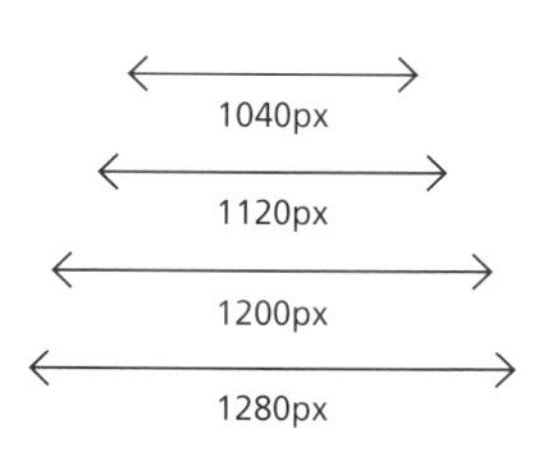

サイトの横幅も8の倍数をベースに作っていくとまとまります。

01 様々なカラムを組み合わせて情報をまとめる

グリッドレイアウトは、多くの情報を整理したい時に導入すると、美しくまとまりを持たせて見せることができます。

❶「Pen」のサイトは、細かく区切られた縦グリッドをベースにして、1カラム、2カラム、3カラム、といった様々なカラムを組み合わせて、情報をまとめています。

❷ファーストビューは、1カラムの全画面にスライドショーを配置しています。

❸ハイライト記事のエリアは、特にピックアップをしたい最新の記事を2カラムで見せ、その下に3カラムで残りの記事を配置しています。

ポータルサイトなどにも応用できる情報が詰まったレイアウトデザインです。

カラム数が多いレイアウトの下に、1カラムのスライドショーを配置してメリハリを付けています。

ビデオ紹介のエリアは、黒い背景色を付けた中にカラムを配置して、他の情報と差別化しています。

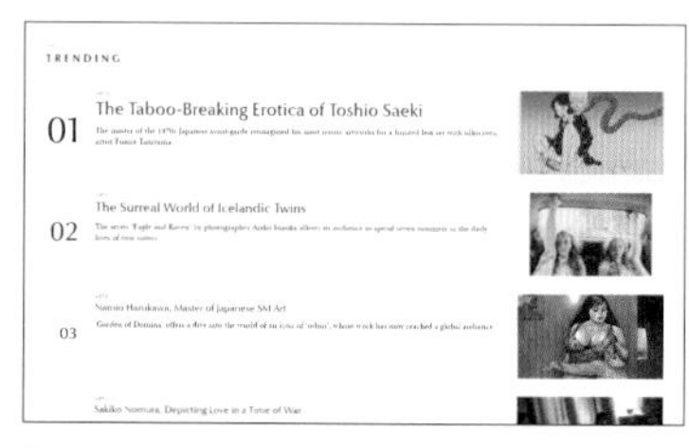

「TRENDING(トレンド)」の記事は、数字、見出しと概要、サムネイル写真、の3カラムで構成されています。

02 斜めの要素を配置して、特定のレイアウトを印象付ける

グリッドレイアウトは、グリッドに沿ってそのまま要素を配置するだけだと、単調なレイアウトになりがちです。

「好書好日」のサイトは、ピックアップした書籍コーナーに、斜めのカテゴリ名と線を入れて、リズムを作り、書籍に注目をさせています。カテゴリ名は、写真にマウスオンすると文字がアニメーションします。

https://book.asahi.com

03 テキストをかぶせてレイアウトの中にアクセントを付ける

「Kinfolk」のサイトは、グリッドレイアウトを使って、沢山の情報をすっきりとした印象でまとめているサイトです。

ファーストビューの大きなメインビジュアルの上には、テキストをかぶせて、理路整然と並ぶグリッドレイアウトに、1カ所だけ大きくアクセントを付けています。

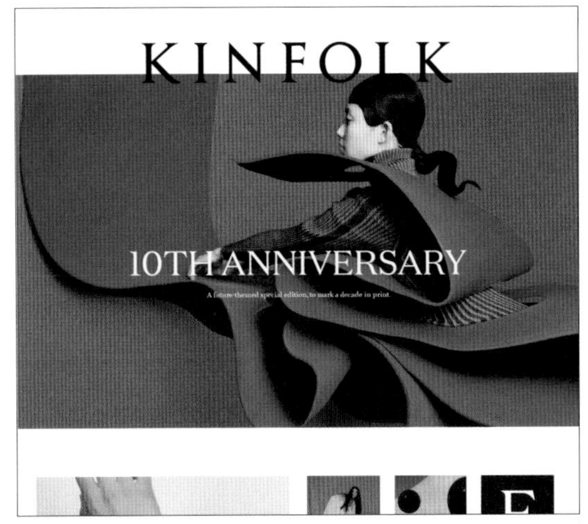

https://www.kinfolk.com/

04 余白をしっかり取り、抜け感のある印象にする

グリッドレイアウトは、余白の取り方で、デザインの印象が大きく変わってきます。

「tesio」のサイトは、各セクションの上下左右に、余白をしっかり取って、抜け感のあるレイアウトを実現しています。また、写真の配置をジグザグに変化させ、下まで読み進めやすいレイアウトにしています。

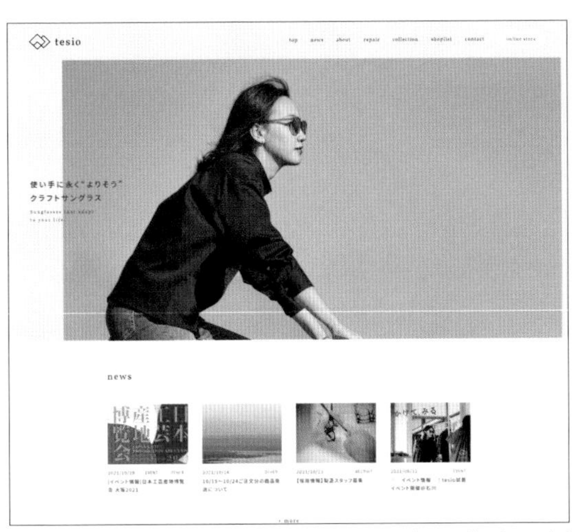

https://tesio-sg.jp/

COLUMN Adobe XDでグリッドを作成する

Adobe XDの機能を使うことで手軽にグリッドを作成することができます。

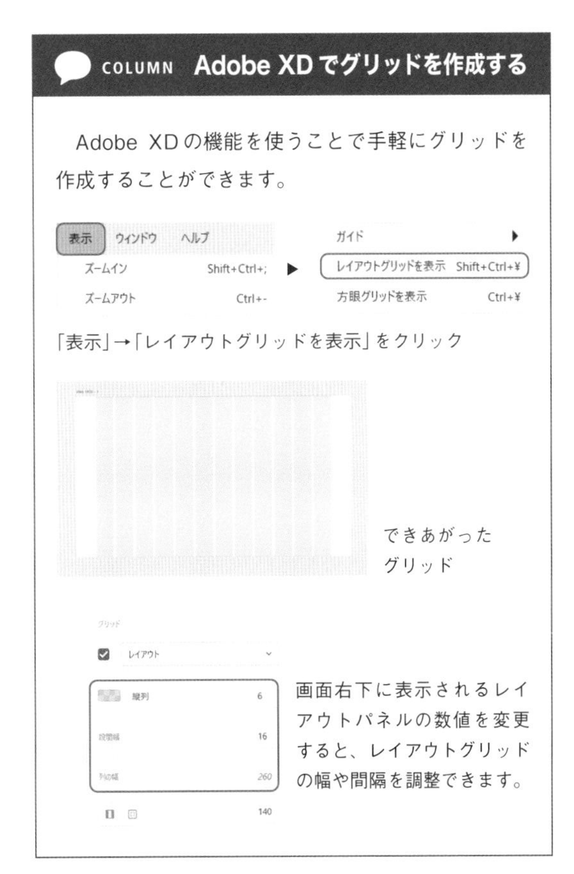

「表示」→「レイアウトグリッドを表示」をクリック

できあがったグリッド

画面右下に表示されるレイアウトパネルの数値を変更すると、レイアウトグリッドの幅や間隔を調整できます。

PART4
02 カード・タイル型のレイアウト

カード・タイル型のレイアウトの特徴

カード・タイル型のレイアウトは、グリッドレイアウトの一種です。情報が区切られて、探しやすく、レスポンシブWebデザインとも相性がよいのが特徴です。

小さなデバイスから大きなものまで使用できる万能な形で、一度に大量のデータを画面上に表示するには最適な方法です。

一方で、敷き詰めて使用する場合、情報の優先順位が付きにくい、掲載量が一定以上ないとデザインが成立しにくいという欠点もあります。

ウィンドウサイズに合わせて可変するカード・タイル型

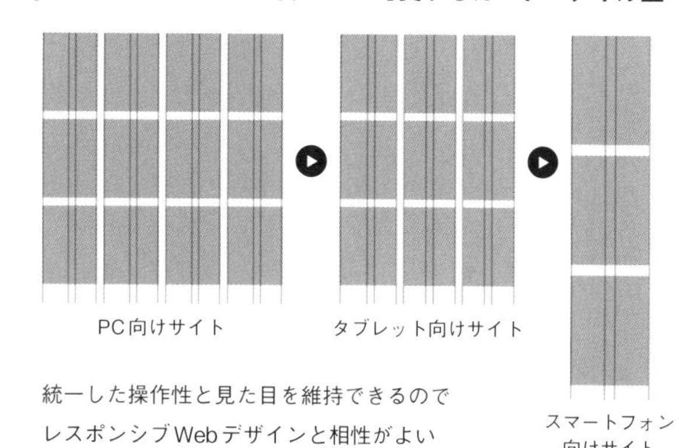

---

01 上部と左右にナビゲーションやコピーライトを固定して見せる

「オーエイチアーキテクチャー」のサイトは、写真と文章を背景色で1つにまとめた、大小様々なカードを敷き詰めているサイトです。

写真の縦横比は、ブラウザの横幅によって変化します。

❶画面が読み込まれると、記事が左から順番に現れ、リロードするたびに位置がランダムに変わります。

❷カーソルを合わせると、写真の背景が暗くなり「VIEW MORE」という言葉が浮かび上がります。

❸沢山の記事を囲むように、ヘッダーやSNSリンク、コピーライトを四方に配置し、スクロールをすると追従する設計になっています。

https://www.oharchi.com/

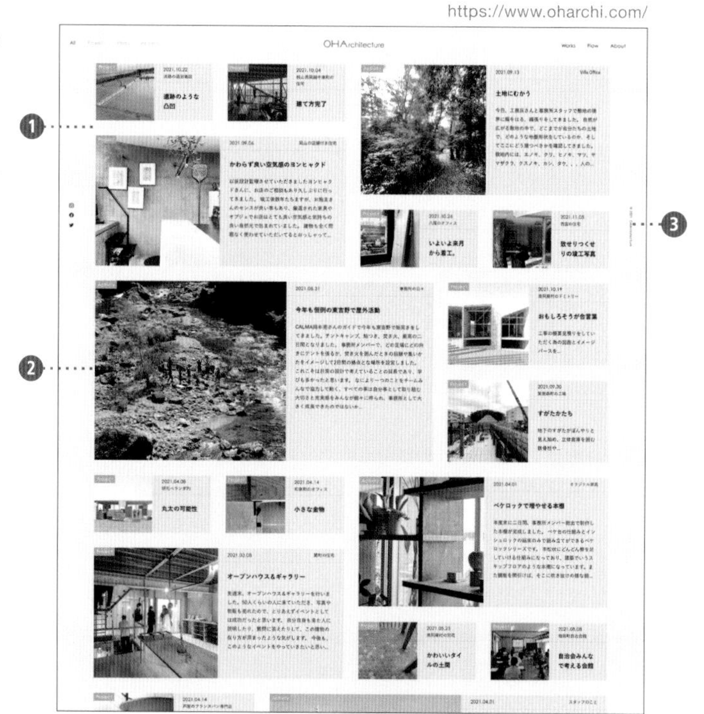

すべての記事をはじめから表示せず、スクロールをすると、途中で一定量の記事が読み込まれます。

縦幅をそろえてレイアウトを保つため、指定の文字量を超過した場合は「...」を入れて調整しています。

モバイルで表示をした時は、写真が上、文章が下のカード型レイアウトに変わります。

02 左エリアを固定して、サイズ違いのカードを展開する

「StoryWriter」のサイトは、左エリアにピックアップ記事を大きく固定して見せています。

右エリアの中で展開する小さなカードは、縦長や横長のサイズ違いの形が組み合わさっています。

ブロックの間に余白を取り、情報の境界をはっきりと付けています。

https://storywriter.tokyo/

03 タイポグラフィと写真を重ねてクールな印象にする

「城田優」のサイトは、画面いっぱいにアーティスト写真が敷き詰められているサイトです。

写真の上に、モノクロの英字のタイポグラフィを重ねて、視差効果を持たせることで、クールでスタイリッシュな印象になっています。また、画面全体に光彩が舞うエフェクトも取り入れられています。

https://shirota-yu.com/

04 クリックすると広がるエリア

「Enid」のサイトは、カード型のエリアが縦に被さって敷き詰められているレイアウトです。

1つのエリアをクリックすると、カードが上に伸びて全画面に情報が広がり、スクロールができるようになります。右上のアイコンをクリックすると、カードの被り具合が変化して、高さが変わります。

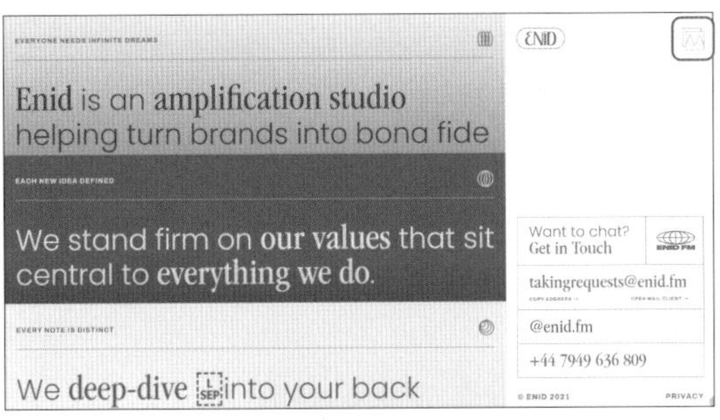

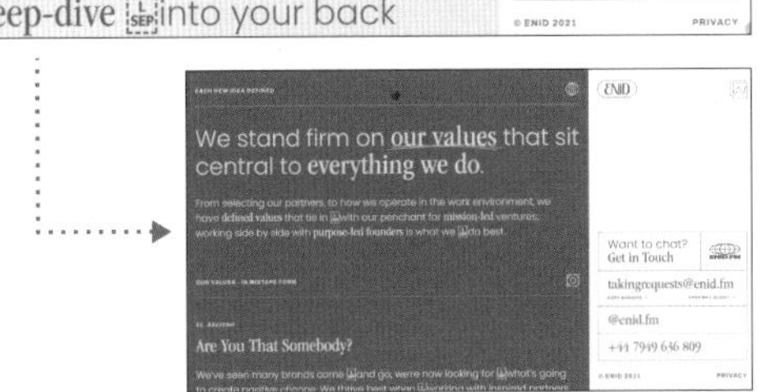

https://enid.fm/

05 グリッドに沿って同じサイズで写真を敷き詰める

カード・タイル型のレイアウトは、商品一覧を見せるECサイトや、作品紹介をするギャラリーサイトによく使われています。

「KAYO AOYAMA」のサイトでは、同じサイズと余白を持たせた正方形の写真を、グリッドに沿って整列させて見せています。

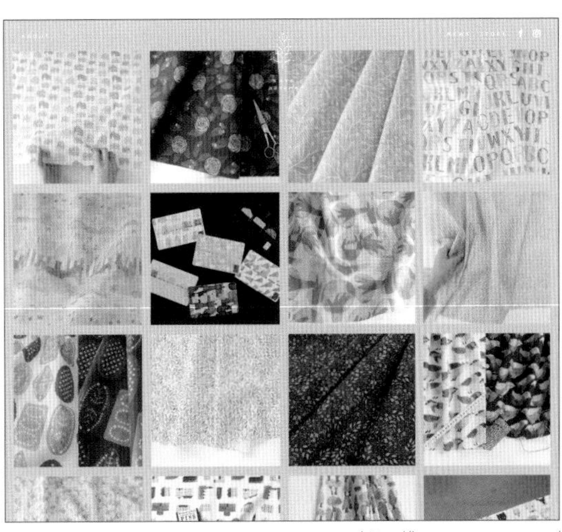

http://kayoaoyama.com/

PART4
03 1カラムのレイアウト

1カラムのレイアウトの特徴

1カラムのレイアウトは、視線の誘導が少ないため、サイトの掲載内容に集中できるレイアウトです。

ストーリー性を持たせてゴールへ導く縦長のランディングページによく使用されています。

ビジュアル要素を大きく魅力的に扱ったり、下層ページへの入口としてプレゼン資料のように1テーマを掘り下げて説明をしていく形が一般的です。

面積の少ないモバイルサイトにも相性がよいレイアウトと言えるでしょう。

縦長1カラムレイアウト

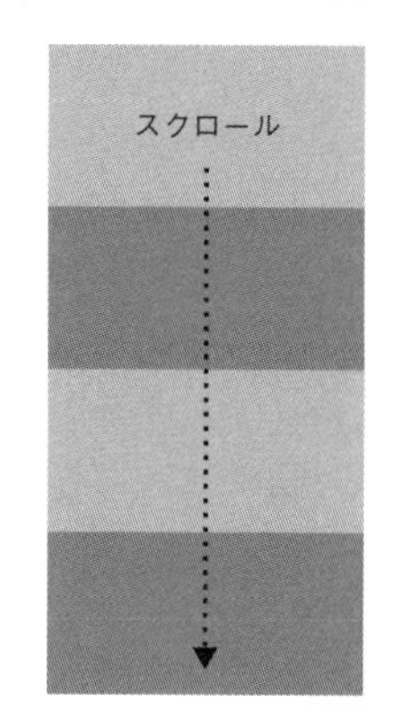

- 縦スクロールで展開
- パララックス(P.166参照)を導入し、スクロールと連動した動きで画面展開をわかりやすく
- 下層ページや詳細ページへ遷移するリンクの設置
- 上から下へストーリー性を持たせて見せる

01 斜め線を使い、下まで読み進めるように誘導する

訴求したい内容を盛り込むランディングページに1カラムレイアウトはよく採用されています。

「SALONIA日本一ありがとうキャンペーン」のサイトは、デザインの中に線を取り入れて、ページの下部まで読み進めるように誘導しています。

❶ファーストビューではヘアアイロンの写真の背景に、くせ毛を伸ばす髪の毛をあしらった線画を配置しています。

❷セクションの区切りには、右下を向いた線を取り入れています。

❸スクロールにあわせて要素が出現するアニメーションを組み合わせて、ストーリー性を持たせながら掲載内容を読ませています。

https://salonia.jp/campaign/shareno1/

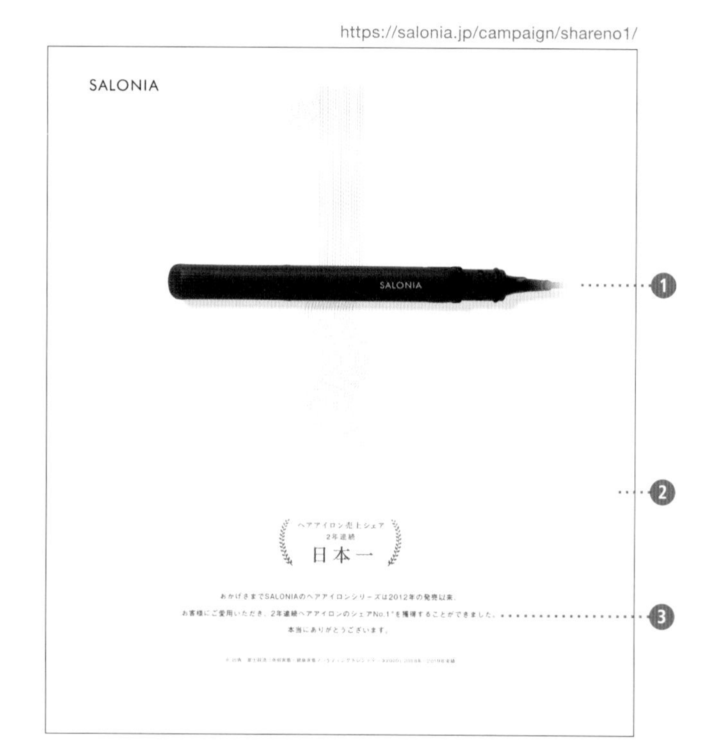

動画紹介エリアでは、ユーザーに目を留めてもらうため、斜めに傾けたマスク表示で、mp4形式の動画をループ再生しています。

セクションの区切りのあしらいとして、輪郭線で書かれたタイポグラフィを横に流しています。

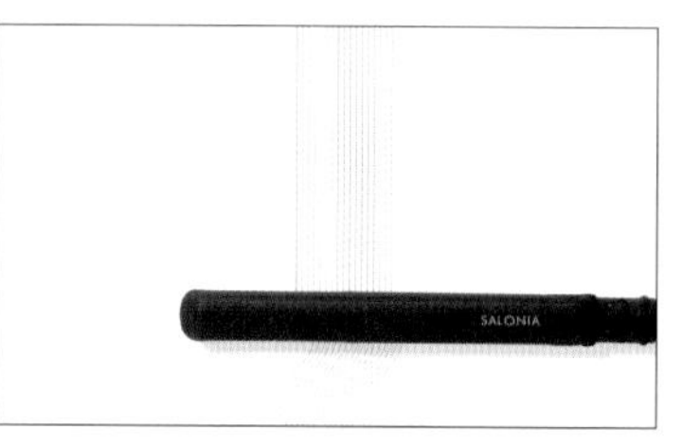

ページの印象を強めるため、ローディング時にヘアアイロンが髪の毛のクセを伸ばすアニメーションが取り入れられています。

02 1スクロールでエリアを移動して掲載内容を伝える

「KATT inc」のサイトは、動画や写真を使い、プレゼンテーション資料のように掲載内容を伝えています。

背景に動画を敷いたファーストビューからはじまり、スクロールをすると次のエリアが1スクロールで拡大して現れる作りになっています。

http://katt.co.jp/

03 要素を中央に配置し、画面サイズが変わっても、統一した印象を保つ

「サンテFX」サイトは、イメージやテキストを中央に寄せで配置し、画面サイズが狭まった際も、統一した印象を保つように設計されています。

また、青い炎のアニメーションを入れて、サイトに奥行きを出しています。

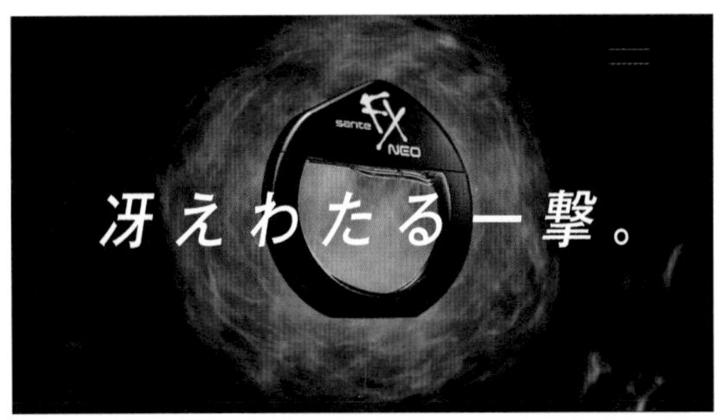

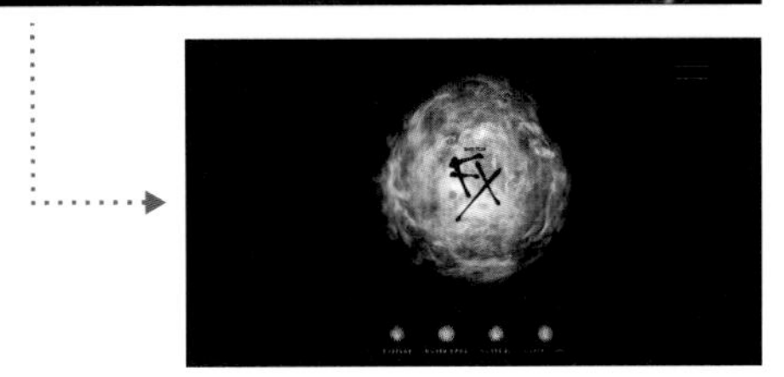

https://www.santen.co.jp/ja/healthcare/eye/products/otc/sante_fx/

04 スクロールアニメーションを用いて、掲載内容を表示する

1カラムレイアウトは、単調なレイアウトになりやすいので、スクロールアニメーションを使って要素を出現させるサイトが多く見受けられます。

「hito/toki」のサイトは、スクロールをすると、CSSで明度を高くした写真がじわっと現れるアニメーションが付けられています。

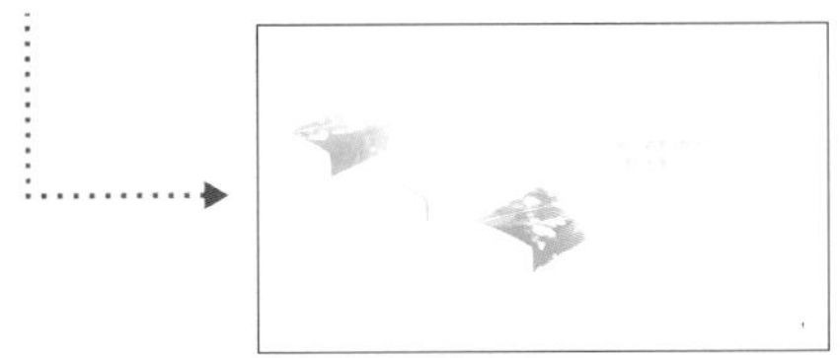

https://www.wakabayashi.co.jp/project/hitotoki/

05 追従する要素を配置して、遊び心のある見せ方にする

「HAKKAISAN RYDEEN BEER」のサイトは、商品ラベルが変化するボトル画像を、画面の中央に配置しています。

スクロールするとボトルの位置は固定され、背景画像の上を流れてシーンを切り替えています。

説明文が書かれたエリアまで移動すると、ボトルの固定が解除されます。

https://www.rydeenbeer.jp/

PART4

04 2カラムのレイアウト

▶ 2カラムのレイアウトの特徴

2カラムのレイアウトは、グリッドレイアウトの一種です。左右のどちらかにナビゲーションを置き、メインエリアとサブエリアと2分割する方法は昔からよく見かける手法です。近年はナビゲーションを固定してメインエリアだけスクロールをする形が主流になってきています。

一方、画面を中央で分断して見せる2カラムは、スプリットスクリーンと呼ばれるレイアウトです。左右の要素を対比させたり、画面の一方だけを動かしたりして特徴的に情報を見せています。

❶ 左ナビゲーション

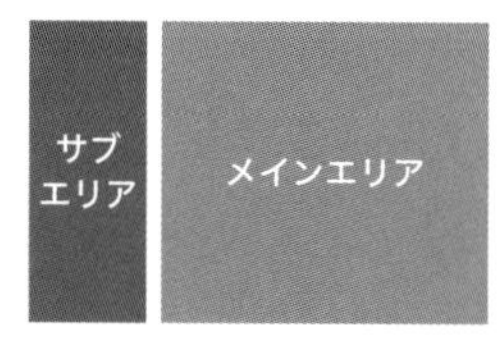

❷ 右ナビゲーション

❸ 中央画面分割

❹ 小さなメインエリア

---

01 左エリアにナビゲーションを固定して見せるレイアウト

「AMACO」のサイトは、左にナビゲーション、右にコンテンツを配置している2カラムのレイアウトのサイトです。

❶ ナビゲーションエリアは、上部にロゴとグローバルナビゲーション、下部にSNSボタンとコピーライトを配置しており、スクロールをしても固定されて動かない仕様になっています。

❷ 右エリアのファーストビューの写真は、全画面で表示する際の横長写真と比べて、縦に長い写真を使用しています。

右下には、セリフ体のフォントでページ内リンクを並べています。

❸ 文章がメインの「About」セクションでは、上下左右に大きく余白を取り、可読性を上げてゆったり見せています。

https://www.nishiri.co.jp/amaco/

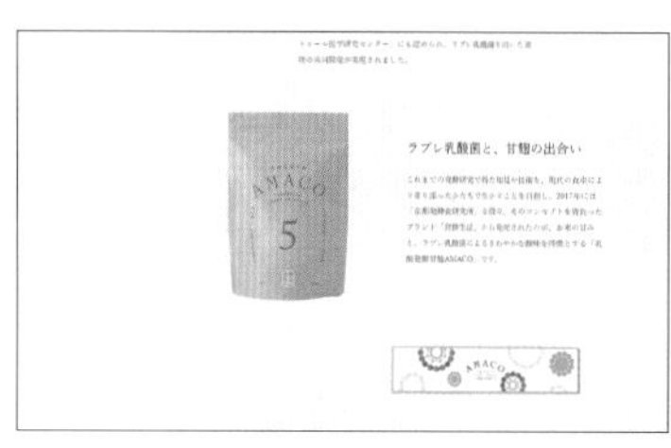

右エリアのコンテンツは、1カラムと2カラムを中心に、余白を生かしたレイアウトになっています。

大きく写真を扱っている場所は、余白を作らず、エリアの端まで写真を寄せて面積を広く見せています。

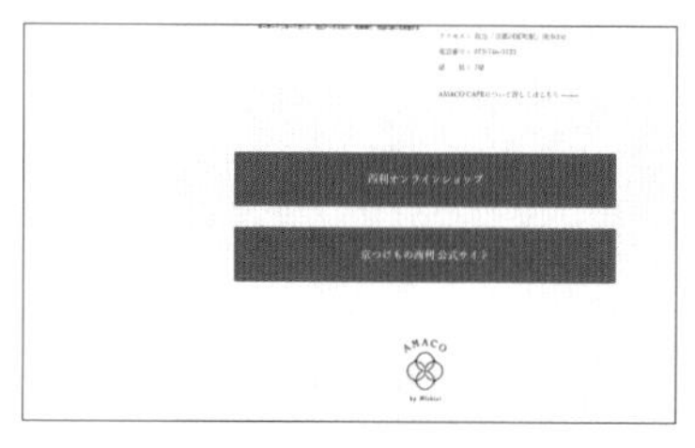

オンラインショップと公式サイトのボタンは、右カラムに縦並びで大きく配置しています。

02 メニューを細く設置して、メインエリアをしっかり見せるレイアウト

「GO inc. The Breakthrough Company」のサイトは、右エリアのナビゲーションの横幅を細くしてメインエリアをしっかり見せているレイアウトです。

ナビゲーションを画面右側に固定することで、掲載内容の邪魔をすることなく、いつでもメニューが開けるようになっています。

https://goinc.co.jp/

03 画面が狭まるとメインエリアだけが残るレイアウト

現在、Webサイトを閲覧する環境の約半分はモバイル端末だと言われています。

「PLAYFUL」のサイトでは、PC環境で閲覧した際、横幅を375pxに設定したメインエリアが右側に固定されスクロールします。画面幅が狭まると、メインエリアだけが残るレイアウトになっています。

https://salonia.jp/limited/summer/

04 メインカラムに被せても、抜け感のある2カラムの構図

「オートクチュール発想の、サータ」のサイトは、スクロールをしていくと、途中からカラム数が変化するレイアウトです。左上のハンバーガーメニューと左下のご案内ボタンの間に、背景色なしの縦書きのテキストを入れることで、メインカラムに被さった抜け感のある2カラムの構図で見せています。

https://www.serta-japan.jp/

05 中央で画面分割をして見せるスプリットスクリーンレイアウト

「minico」のサイトは、左エリアが固定され、右エリアがスクロールする、中央画面分割レイアウト（スプリットスクリーン）で作られています。

背景に紙のテクスチャを敷いた左エリアの中で、共通のロゴとメッセージを見せながら、右エリアで、リンクが付いた商品写真を紹介する情報設計になっています。

http://minico.handmade.jp/

PART4

05 カラムを組み合わせたレイアウト

カラムを組み合わせたレイアウトの特徴

2カラム以上のレイアウトのことをマルチカラムレイアウトといいます。

ECサイトやポータルサイトなど情報量の多いサイトでは、スクロール量を減らして見せる場合にカラムを組み合わせて構成することが多くあります。

3カラムレイアウトは、モバイルファーストの影響で少なくなりつつありますが、以前に比べ大きくなったPC向けのモニター画面の横幅を有効に使う目的で、中央のメインエリアの幅を大きく取り、左右のカラム幅を小さく扱うレイアウトが増えてきました。

カラムを組み合わせた例

3カラム

中央のメインエリアの内容と同等か重要度が高い内容を同時に掲載したい場合

モニター画面の横幅を有効に使うメインエリア主体の場合

01 左右の余白を変化させながらカラムを組み合わせる

「株式会社ヴィーコ」のサイトは、1カラム～4カラムを組み合わせて、左右の余白を変化させながらレイアウトに変化を付けて見せているサイトです。

❶ ファーストビューは、左にロゴエリア、右に余白なしのメインビジュアルを大きく配置して、2カラムで見せています。

❷ 下に続くお知らせのエリアは、左右に余白を取り、縦組みと横組みのテキストを組み合わせて、3：7：2の比率で見せています。

❸ コンセプトエリアは、左に正方形の写真を、右に上下左右に余白を取った文章を配置して、2カラムで見せています。

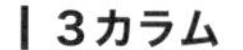

https://vico-co.jp/

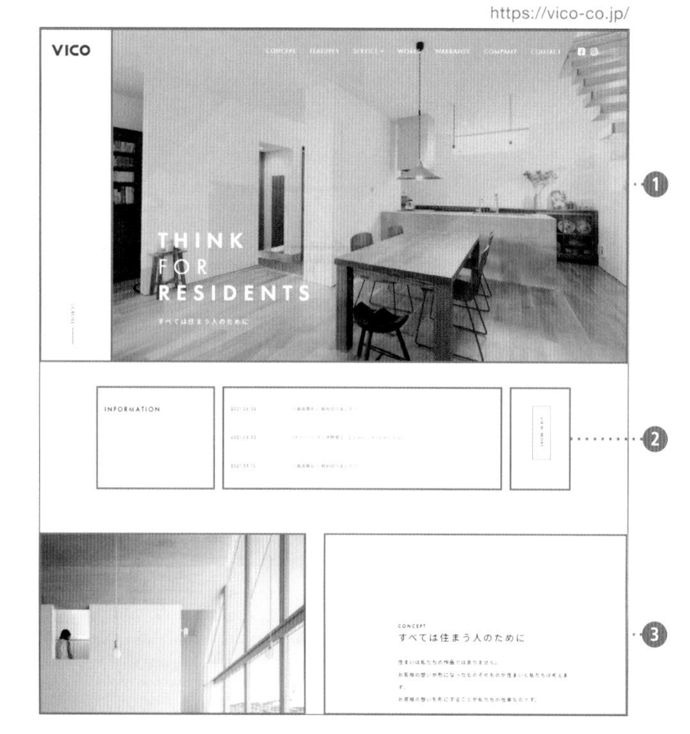

サービスのエリアは、縦長の写真を使った3カラムと、横長の写真を使った2カラムを組み合わせています。

実績を紹介する2カラムのエリアは、右エリアを左エリアから少し下げて見せています。

1カラムの写真の下に、背景色をずらして置くことで、単調になりがちなレイアウトに表情を付けています。

02 カラムにロゴの形を取り入れ自由度を出す

「MIYASHITA PARK 公式ウェブサイト」は、1カラム、2カラム、3カラムのマルチカラムで構成されています。

カラムの中の写真を、ロゴのMマークでトリミングし、テキストエリアを少し重ねることで、ユニークなレイアウトを実現しています。

https://www.miyashita-park.tokyo/

03 カラムをずらしてリズムを付ける

カラムは、ずらして使うとレイアウトにリズムが付き、デザインにアクセントを加えることができます。

「リマインド」のサイトは、カード型のリンクを2カラムで並べ、右カラムを下にずらしています。

右カラムの上には、テキストで見出しを配置して、カード型と違う余白感を出しています。

https://www.remind.co.jp/

04 グリッドレイアウトから、自由なレイアウトに変化させる

「楽芸工房」は、メインを1カラムと2カラムのグリッドレイアウトで構成し、途中に要素同士が重なる自由なレイアウトを挟んでいるサイトです。

きっちりとした印象から、アーティスティックな印象に変化するレイアウトになっています。

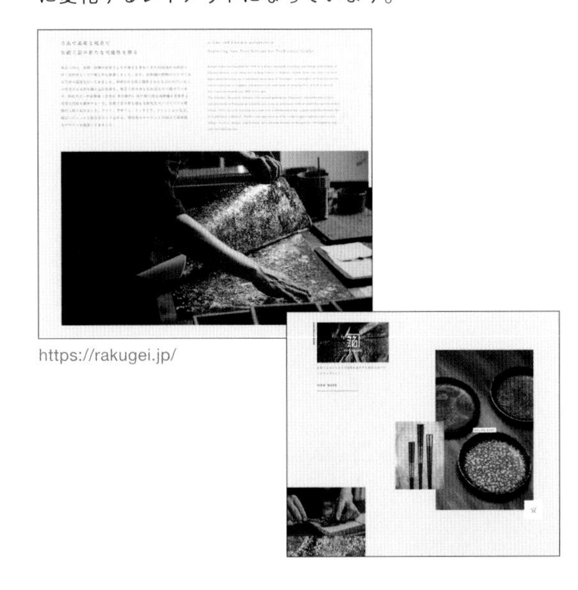

https://rakugei.jp/

05 デザインを反復させ、カラムの区切りをはっきり付ける

デザインの基本原則の1つに、特定のデザインを繰り返して統一感や一貫性を持たせる「反復」があります。

「KURASHITO」のサイトは、3カラムの不動産情報と、2カラムのコラム記事のデザインをそれぞれ反復させ、カラムの区切りをわかりやすく見せています。

https://kurashito.co.jp/

PART4
06 フルスクリーンレイアウト

フルスクリーンレイアウトの特徴

フルスクリーンレイアウトは、同一画面でスクロールバーを出さずに展開する1カラムのレイアウトです。

画面全体を使い、写真や動画を魅力的に見せたり、プログラムで画面内の要素を動かして見せたりするときに活躍します。

ビジュアル要素が全面に押し出されるので、サイトにインパクトを持たせたり、ブランディングを強調させたい時に使用すると効果的です。

❶写真をフルスクリーンで見せる

❷動画をフルスクリーンで見せる

❸プログラムを使ってフルスクリーンで見せる

01 全画面に写真を展開する

「CG by katachi ap」のサイトは、建築CGパースの制作実績の写真を全画面に表示しているサイトです。

❶ スクロールをすると1スクロールで5枚の写真が切り替わります。

❷ 写真の後には、コンセプトや会社概要といったテキスト情報が表示され、1スクロールが解除されます。

https://kenchiku-cg.com/

02 ドラッグとリンククリックで画面を移動する

「源 -MOTO-」は、ドラッグしたり、サイト内のテキストリンクをクリックしたりして、画面を移動できるサイトです。右下に現在地表示のインジケーターが配置されており、自分が今どこにいるのかが、わかりやすく表示されています。

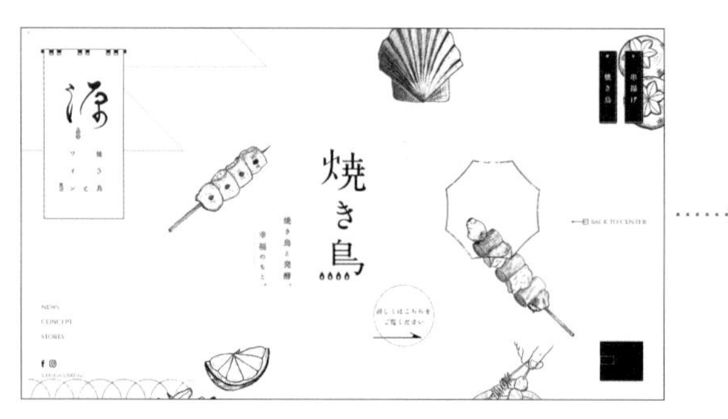

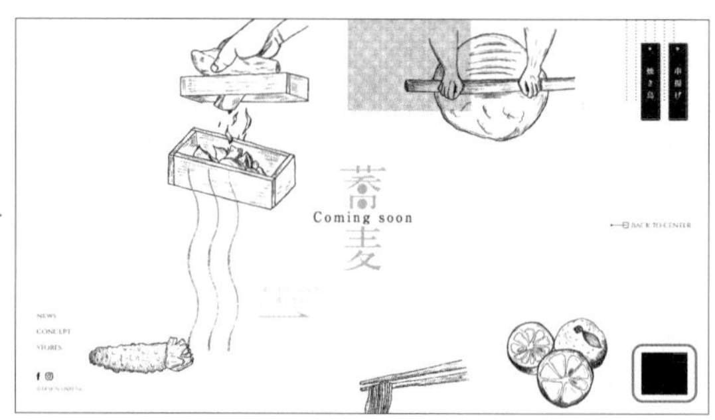

http://izakaya-moto.jp/

03 スクロールで画面を斜めに移動する

「Yamauchi No.10 Family Office」のサイトは、画面をスクロールすると、動くドット絵の世界の中を斜めに移動するサイトです。コンテンツが最後まで表示されると、冒頭の画面にループして戻る仕組みになっています。ナビゲーションの中には表示切り替えのアイコンがあり、クリックすると縦方向に読める画面に切り替わります。

https://y-n10.com/

04 スクロールで次のシーンに展開する

「株式会社エコーブレード」のサイトは、スクロールをすると同一画面上で次のシーンに展開するサイトです。

場面が切り替わる際、中央のサークルが回転し、テキストが下から上に流れて背景色が変わります。

ボタンをクリックすると、ワイパーのようなエフェクトがかかり、下層ページに遷移します。

https://www.eco-blade.co.jp/

05 3Dグラフィックスと組み合わせる

「LIGHT is TIME: CITIZEN INTERACTIVE MUSEUM［シチズン腕時計］」は、3Dグラフィックスを背景に配置して、奥行きを持たせながら横スクロールで掲載内容を見せるサイトです。

リンクをクリックすると、3Dグラフィックスがズームインして詳細がモーダルウィンドウで表示されます。音声をONにすると、世界観が広がるBGMが流れます。

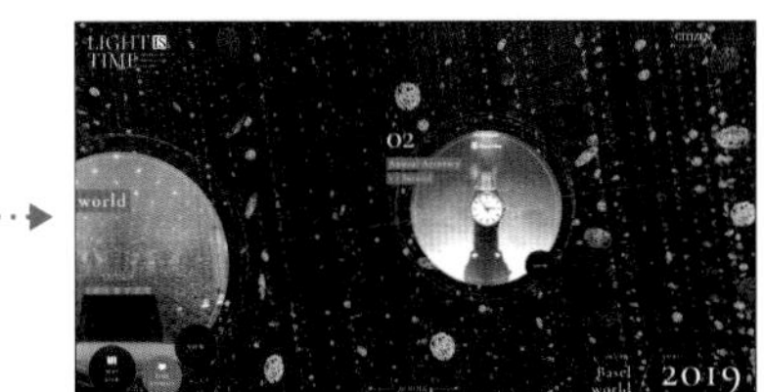

https://citizen.jp/lightistime/index.html

06 背景動画をループして流す

「P.I.C.S.」のサイトは、映像制作実績の一部を背景動画にしてループで流しています。

スクロールすると、グローバルナビゲーションが横移動をします。

ナビゲーションリンクにカーソルを合わせると、中央のオブジェクトが幾何学模様や流体に変化します。

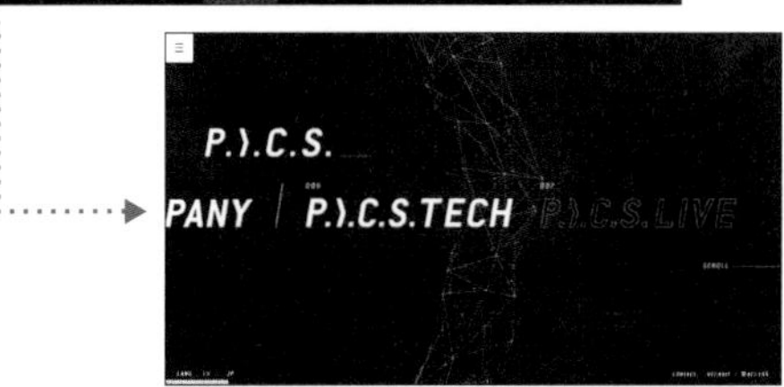

https://www.pics.tokyo/

PART4 07

グリッドから外したレイアウト

グリッドから外したレイアウトの特徴

グリッドから外したレイアウトは、枠にはまり落ち着いた印象になるグリッドデザインと比べて、遊び心を持たせながらも洗練された印象を与えることができます。

多くのサイトは写真にテキストを重ねたり、ボックスや模様を重ねたりして、余白を生かしてランダムに要素を配置しています。

また、スクロールをするとアニメーションが連動するパララックス（視差効果）とも相性がよく、写真が多いビジュアルメインのサイトに使うとユーザーに興味を持って読み進めてもらうことができるでしょう。

特徴的な構図

❶写真の上にテキストを配置する

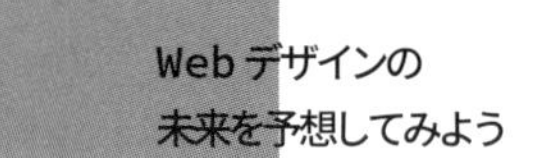

❷写真の上にボックスや写真、模様を配置する

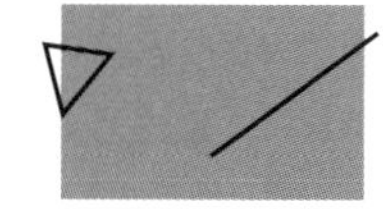

01 余白や重なりを生かした構図で浮遊感を出す

グリッドを外して余白を生かしながら要素を配置すると、浮遊感を出しつつ、洗練された印象になります。

❶「hueLe Museum」のサイトは、縦組みにしたロゴと、大小2種類の縦長写真をファーストビューに配置しています。

右側の写真は、グローバルナビゲーションに被せて余白に変化を付けています。

❷薄いピンク色の背景には、背景色になじむ灰色の曲線を重ねて、動きを付けて見せています。

❸その上に置かれた写真は、2枚を少し重ねています。スクロールをすると被さった写真が視差効果を持って上方向に動きます。

https://www.huelemuseum.com/

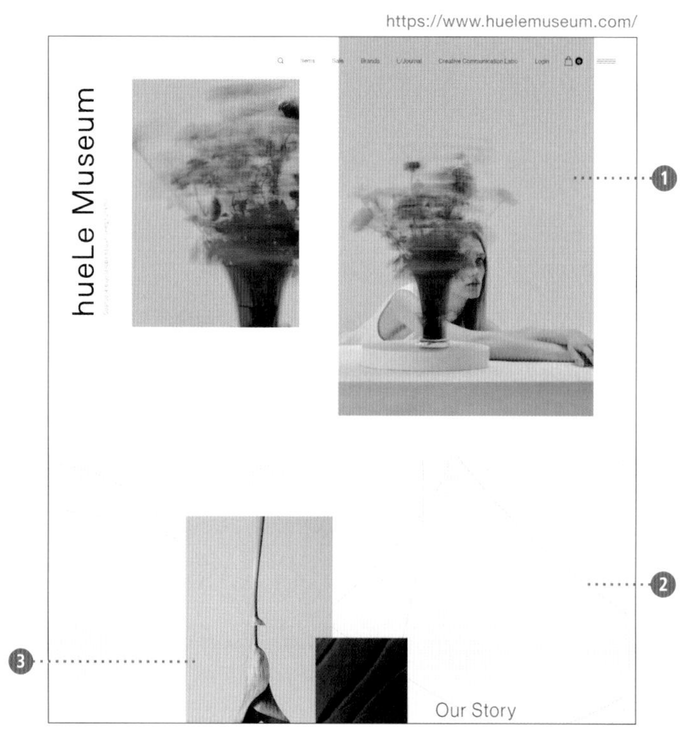

ずらして配置している写真が、見出しのタイポグラフィに被りながら上にスクロールします。

「New Arrivals」の商品写真は、高さや大きさがバラバラの縦長写真を横に並べで配置しています。

背景色の上に「L」と書かれた大きなタイポグラフィと斜線、「Journal」という見出しを組み合わせて見せています。

02 幾何学模様を取り入れる

「Framy – Webflow Ecommerce website template」は、線で描かれたふわふわと動く幾何学模様を、背景に固定配置しています。

その上に、大きなタイポグラフィや写真を重ねて、レイアウトに動きを付けて見せています。

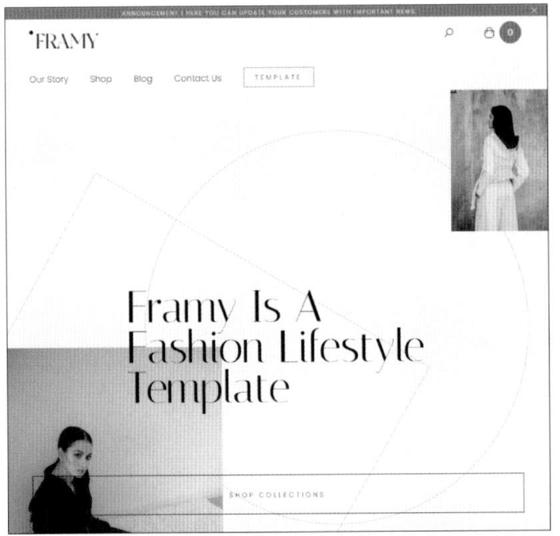

https://framyfashion.webflow.io/

03 写真の下に、ずらした背景色を重ねる

「鯛のないたい焼き屋 OYOGE」は、白と赤の背景色をセクションごとに敷いて、区切りをはっきりと付けているサイトです。

赤い背景色の上には、縦組みのキャッチフレーズが書かれた大きなたい焼きの写真を、少しずらして配置しています。

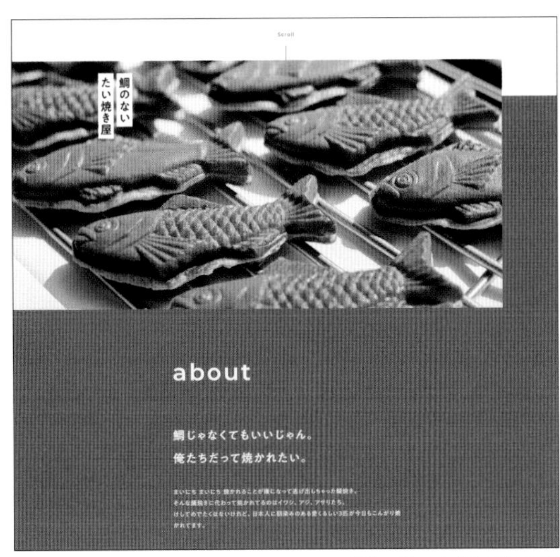

https://oyogetaiyaki.com/

04 写真と写真を重ねる

「渋谷 和食割烹 やまぼうしのサイトは、写真と写真をずらして重ね、浮遊感を出して見せています。

お店のこだわりを伝えているエリアでは、2つの写真をつなぐように、下部に背景色が敷かれています。

また、縦組みと横組みのテキストを組み合わせて、見た目に変化を付けています。

https://yamaboushi.tokyo/

05 写真の上にテキストを被せる

「涼風庭苑」のサイトは、メインビジュアルとサンセリフ体のキャッチフレーズの文字を重ね、文字のカラーにグラデーションを適用して見せています。メインビジュアルは全幅にせず、家の形に切り抜いて右寄せにして、レイアウトに変化を付けています。日本語のテキストは、単語を短く区切って改行し、読みやすくしています。

https://suzu-kaze.jp/

PART4

08 フリーレイアウト

フリーレイアウトの特徴

フリーレイアウトはキャンバスに絵を描いていくようにグリッドにとらわれず自由に要素を配置していくレイアウトです。要素間のバランスや配置にセンスが求められます。

イラストや写真の世界観を全面に押し出して表現したい時やサイトの自体をプログラムを用いてデザインする時に使用するとよいでしょう。

パララックスを使い、スクロールに合わせてアニメーションを行うサイトも多く見られます。

イラストや写真、タイポグラフィなどを自由に配置

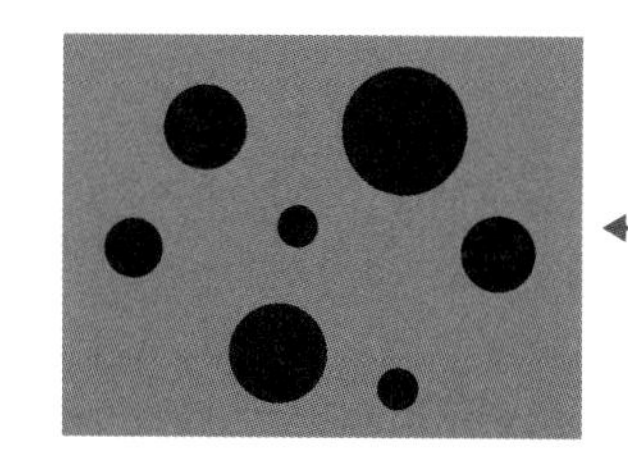

パララックスでスクロールに合わせてアニメーションを動かしたり、画面全体をプログラムで制御して見せることもできます。

---

01 イラストを自由に散りばめて、サイトの世界観を魅力的に伝える

ベースカラーをピンク色にして、可愛い魔女や城といった夢のあるイラストを画面いっぱいに散りばめている「魔法部 フェリシモ」のサイトです。自由なレイアウトで、サイトの世界観を魅力的に伝えています。

❶描かれたイラストは、鳥の羽をはばたかせたり、髪の毛が揺れたり、イラスト自体に動きを付けて、ふわふわ上下に浮くアニメーションが付けられています。

❷商品写真のスライドショーは、額縁のイラストの中に配置し、スライドが切り替わる際にキラッと光る効果を入れています。

❸スクロールをすると、羽がふわっと浮き上がる視差効果が付けられています。

https://www.felissimo.co.jp/mahoubu/

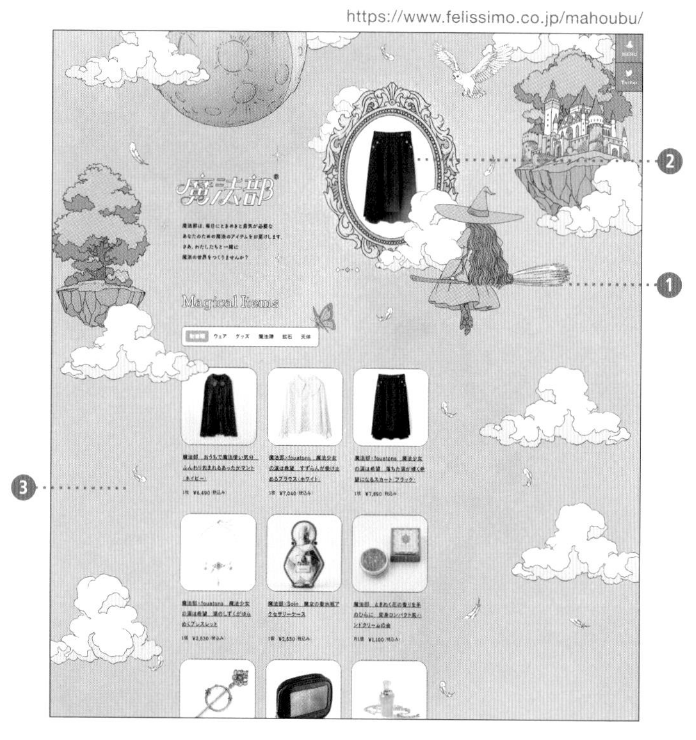

イラストは、左右交互に配置され、目線を誘導して、下まで読み進めるよう促しています。

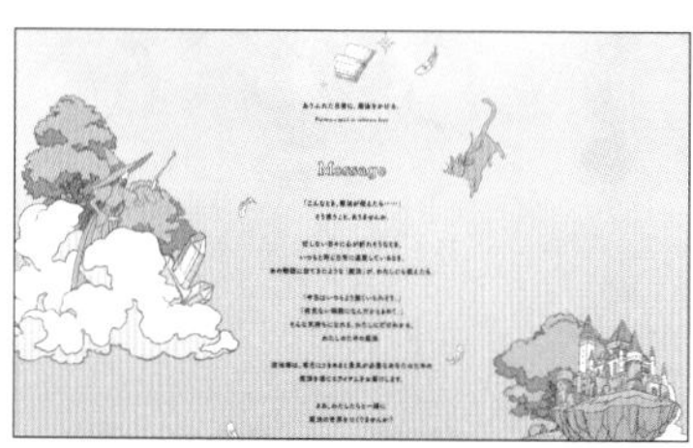

「Message」のテキストは中央寄せで、改行を入れ、短文で読みやすくしています。その両脇にイラストを配置しています。

フッターは、魔女が空を飛んでいるイラストのアニメーションを中央に配置して見せています。

02 要素を斜めに配置したり、重ねたりして奥行きを出す

フリーレイアウトは、絶対配置のposition:absolute;を使って、HTMLの順序に関係なく要素を置いていくことが多いレイアウトです。

「Design Scramble」のサイトは、要素を斜めに配置したり重ねたりして、奥行きを出し、浮遊感を持たせています。

https://designscramble.jp/

03 曲線に沿って掲載内容を配置する

「日本生活協同組合連合会70周年サイト」では、曲線に沿って写真やイラストを配置しています。

スクロールをしていくとイラストや写真が現れ、下へ読み進めたくなる作りになっています。文章は縦組みと横組みを組み合わせる雑誌のレイアウトのような自由で楽しい見せ方をしています。

https://jccu.coop/70th/

04 画面を斜めに移動してコンテンツを展開する

「BAKE INC.」のサイトは、スクロールをすると、画面を斜めに移動してコンテンツが展開するサイトです。

浮遊感を持たせながら読み進める構図になっています。文字サイズを大きくしたタイポグラフィを使い、写真は三角形を組み合わせた構図で切り抜いて見せています。

https://bake-jp.com/

05 パララックスと組み合わせて楽しく見せる

スクロールにあわせて要素を動かすパララックスは、フリーレイアウトと相性が良く、よく組み合わせて使われます。「toridori：「個の時代」の、担い手に。」のサイトは、スクロールをすると、マジックで線画のイラストや手書き文字が描かれ、下まで読み進めたくなる作りになっています。

https://toridori.co.jp/

COLUMN レイアウトに取り入れたい４つの法則

サイトをレイアウトする際に「近接」「整列」「反復」「コントラスト」を意識して要素をページ内に配置すると、情報を認識しやすく、ユーザーに意図を伝えやすくレイアウトすることができます。

近接

・関連する項目はグループ化してまとめること。
・他のグループとは十分な余白を与えること。

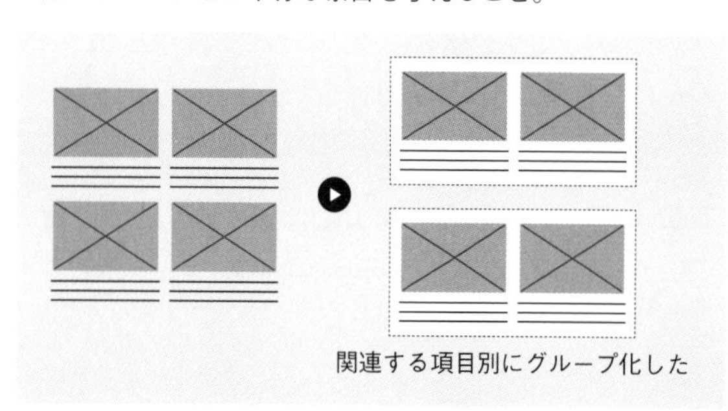

https://savastore.jp/

記事とカテゴリリンクの上下の余白を大きくとり、情報をひとつの大きな塊として見せている。

整列

・ページ上のすべてのものを意図的に揃え統一化する。
・要素に視覚的な関係を持たせる。

http://fintek.keio.ac.jp/

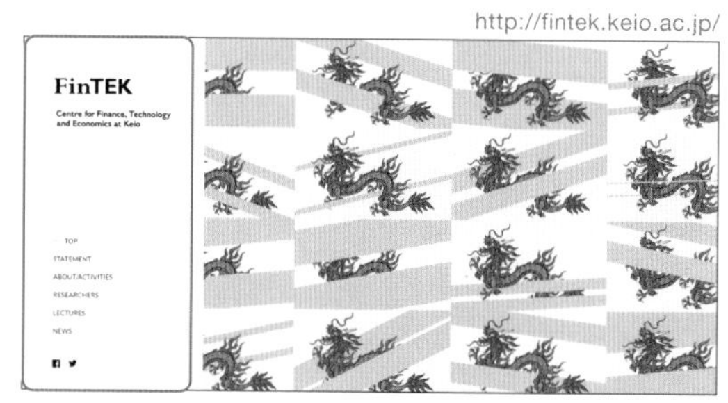

見出し、ナビゲーション、SNSを左に整列させている。

反復

・繰り返すことにより、デザインに統一感や一貫性を持たせる。

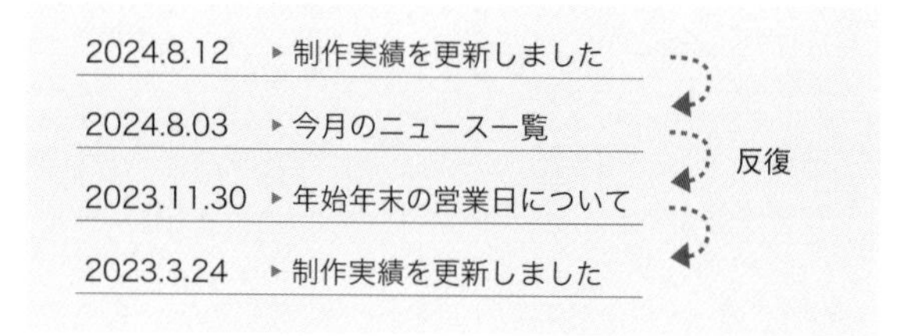

https://kerun-design.com/

サムネイル画像を、同じサイズと余白で繰り返して配置している。

コントラスト

・色、サイズ、線の太さ、形、空間などを対比し、異なる要素をはっきりと違うものとして見せる。

https://www.idesnet.co.jp/brunabonbon/

見出しを大きく、説明文を小さくしてメリハリを付けている。

PART

5

—

素材・フォント・プログラムを使ったデザイン

写真やイラストといった素材を使ったサイトの見せ方やフォントで内容を魅力的に見せているサイト、またWebデザインの大きな特徴の1つであるプログラムで動きを付けたサイトなどを解説していきます。

PART5

01 写真をメインに使ったデザイン

写真をメインに使ったデザインの特徴

文章だけではなく視覚的に情報を伝えることはデザインにおいてとても重要です。

画面いっぱいに広がる写真は見た目も華やかに、ユーザーに直感的に内容を共有させることができます。写真を多く使う場合は画質の品質に印象が左右されるので、画面に適した解像度の写真を用意しましょう。

なお、「Search Engine Journal」のコラムでは、サイトを訪れるユーザーはページの28%しか単語（テキスト）を読まないという統計を発表しています。視覚に訴える写真の効果的な使い方を覚えておきましょう。

こんな目的がある時に取り入れよう！

- ブランドメッセージを視覚的に伝えたい
- リアルな内容を提示し、好感度と信頼性を向上させたい
- 直感的に情報を説明したい

写真をメインに使った構成

①ローディング
②ロゴ
③ハンバーガーメニュー もしくはナビゲーション
④スクロールアイコン

---

01 背景全面に写真を使い 1スクロールで移動させる

ファーストビューに全画面で画像や動画を見せることを「ヒーローヘッダー」と呼びます。多くはビジュアルの上にシンプルなロゴやナビゲーション、キャッチフレーズを入れてデザインされています。

「LID TAILOR」のサイトは、セクション毎に大きな背景写真が指定され、1スクロールで移動できる仕組みになっています。

❶ファーストビューは、高画質の写真が5枚ループするスライドショーが入っています。

その上に、白色のロゴやグローバルナビゲーションをセンター揃えで配置しています。

❷PC画面ではサイトの右側に、1スクロールで移動するナビゲーションが固定で表示され、現在地を知らせています。

https://lidtailor.com/

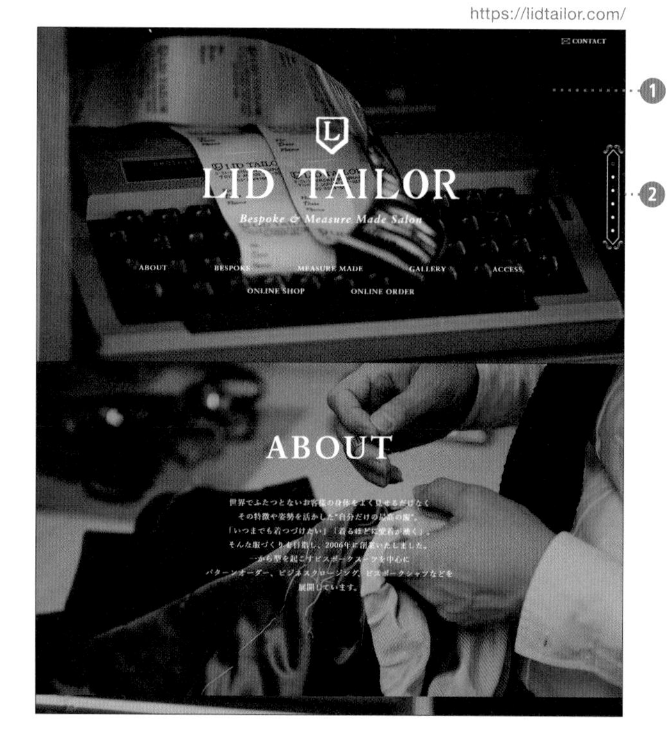

白で書かれた見出しやテキストが読みやすくなるように、写真は明度を落とした加工が施されています。

ギャラリーは、クリックをすると背景が暗くなり、写真が浮かび上がるモーダル形式で見せています。

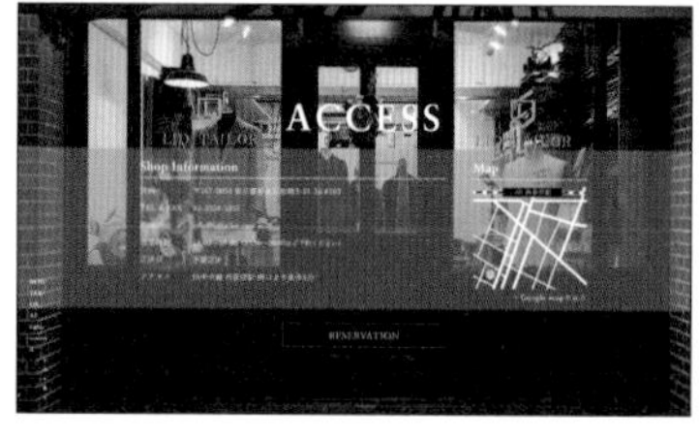

背景画像が明るく白い文字が見えづらい場合は、背景色を敷いて、テキストの可読性を上げています。

02 画面をクリックする動作で写真を展開する

「MIKIYA TAKIMOTO PHOTOGRAPH OFFICE - 瀧本幹也」のサイトは、画面をクリックしていくと写真がどんどん展開していくサイトです。

トップページは、アクセスをする毎に写真がランダムに変化します。トップページ画面をクリックすると、ナビゲーションが現れ、リストからタイトルをクリックすると、写真が1枚ずつ全画面で展開します。左右の矢印リンクで前後の写真に移動します。

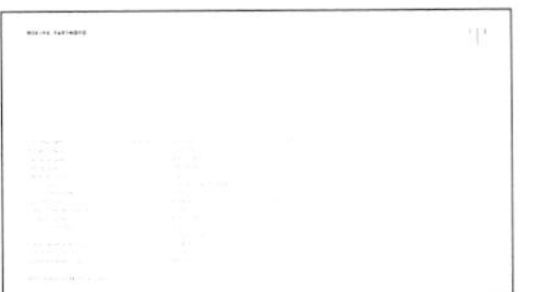

https://mikiyatakimoto.com/

03 2カラムの半分のエリアをスライドショーで固定する

カラムを中央で分断した2カラムのレイアウトは、掲載内容を対比させて見せたり、片方のエリアに表示した内容を、もう片方で説明したりして、短時間で多くの情報をユーザーと共有することができます。

「AMACO CAFE」の特設サイトでは、右エリアにスライドショーを固定し、店の雰囲気を伝えています。

左のエリアではスクロールしながら、店舗の情報を写真と文章で伝えています。

https://www.nishiri.co.jp/amaco-cafe/

04 たくさんの写真を画面に散りばめる

視覚的に掲載内容を伝えたいブランディングサイトには、写真が多く使われています。

「積奏バターサンド - 公式オンラインショップ」では、大きさの違う縦長の写真を重ねて、1画面の中でたくさん商品を見せています。

テキスト要素を最小限におさえ、写真を見て直感的にバターサンドの美味しさを伝える作りになっています。

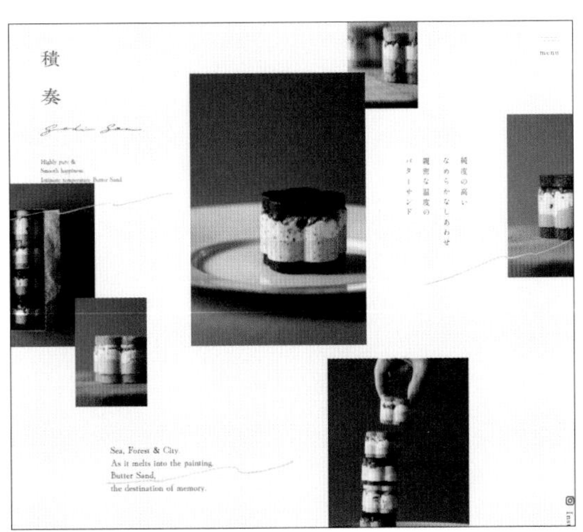

https://seki-sou.com/

05 全画面でスライドショーを展開する

写真を中心に内容を伝えたい時は、迫力のある全画面のスライドショーが活躍します。

建築設計事務所「SUPPOSE DESIGN OFFICE」のサイトは、建物の外観と内観の写真が全画面に現れ、フェードアウトをしながら次の写真に移行していきます。

ウィンドウサイズが小さくなると、解像度をおさえた外観の写真だけが表示されるようになっています。

https://suppose.jp/

PART5
02 切り抜き写真を使ったデザイン

切り抜き写真を使ったデザインの特徴

背景を切り抜いてオブジェクトだけを独立させた写真は、被写体自体をフォーカスして、商品や素材を際立たせて見せることができます。

また、掲載する写真の明度や彩度を揃え、写真の四方に余白を設けて並べると統一感が出て、すっきりした印象を作ることができます。

切り抜いた写真は、フォントや背景と組み合わせることで、デザインパーツとしても使用することができます。背景色をカラフルな配色にして楽しく見せるのも方法の1つです。

こんな目的がある時に取り入れよう！

- たくさんのアイテムを並べて説明したい
- ECサイトの商品一覧をすっきりと表示させたい
- 被写体をクローズアップして見せたい

写真をメインに使った構成

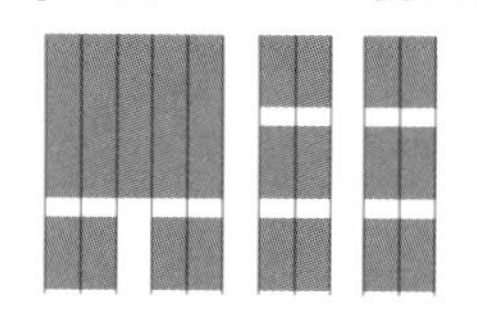

グリッドに沿って写真を配置すると安定感のある見せ方ができます。

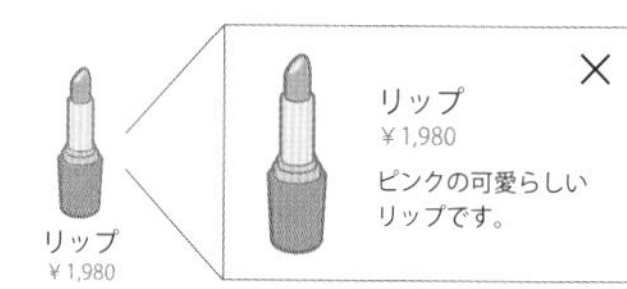

必要最低限の情報を掲載し、クリックをするとモーダルや別ページで詳細を表示するのもよいでしょう。

---

01 商品にフォーカスして際立たせて見せる

切り抜き写真は、被写体にフォーカスして見せることができるので、ECサイトや製品を紹介するサイトによく利用されています。

❶「ABT」のサイトでは、2色の背景色が敷かれたファーストビューの中央に、切り抜かれたペンの写真が配置されています。

❷マウスの動きに合わせて、浮遊するペンやキャップが動くエフェクトが付けられています。

❸スクロールをすると、視差効果によって、少し遅れて右下（または左下）に切り抜き写真が現れます。

写真にシャドウを付けることで、サイトに奥行きを出しています。

https://www.tombow.com/sp/abt/products/water-based/

スクロールすると、切り抜いた写真が大きく現れ、ペンで書いたサンプルを紹介しています。

試し書きをした用紙の切り抜き写真に、やわらかなシャドウを付け、立体感を出しています。

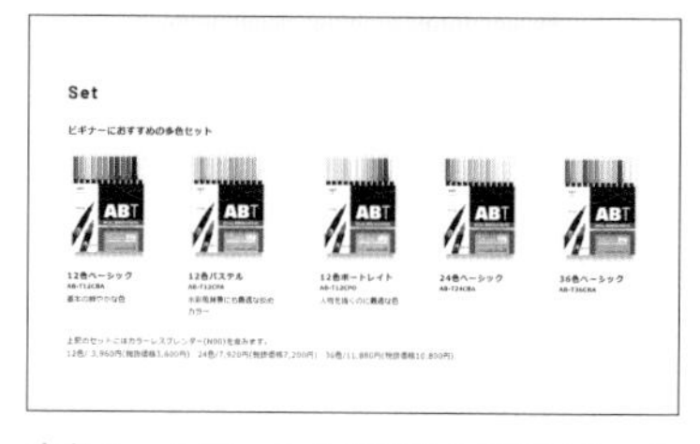

多色セットは、サイズを整えて切り抜いた商品写真を横に並べて、統一感を持たせて見せています。

02 切り抜き写真を散りばめて、自由度の高い楽しい構図を作る

切り抜き写真は、周囲に気持ちよい余白が生まれるので、画面の中に散りばめると自由度が高く、楽しい構図を作ることができます。

「Cucciolo Cafe」のサイトは、中央のテキストを囲うように小さなスイーツを円形にちりばめて配置し、左右対称の構図を作っています。

http://www.cucciolo-cafe.com/

03 写真を丸く切り抜き被写体に影を付けて立体感を出す

「KYOTO KOMAMEHAN」のサイトでは、商品紹介に丸く切り抜いた写真を使用しています。

舞妓さんのイラストが散りばめられた色とりどりのカードの中に、円形でトリミングした写真を配置し、被写体には影を付けて立体感を出しています。

写真にカーソルを合わせると豆菓子からパッケージの写真に切り替わります。

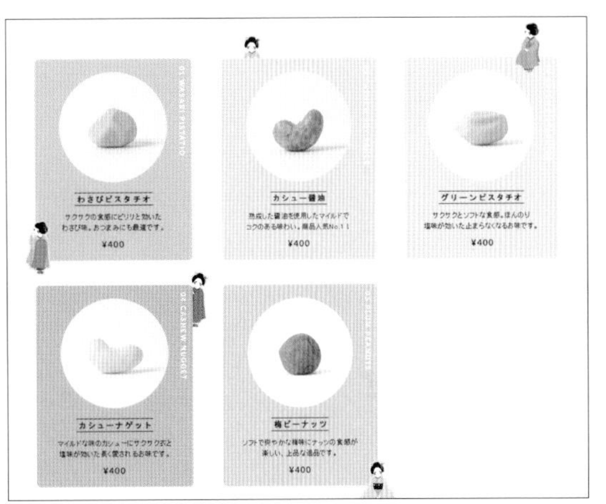

https://komamehan.jp/

04 大きさが異なる切り抜いたパーツ写真を組み合わせてリズムを付ける

大きさが異なる切り抜いたパーツ写真を組み合わせて使用すると、同じサイズの写真だけを並べた時と比べてリズムが付き、レイアウトにメリハリがでます。

「S&B CRAFT STYLE」のサイトでは、カレーの丸皿の周りに、切り抜いたスプーンや香辛料といった様々なアイテムの切り抜き写真を組み合わせて、レイアウトに変化を持たせています。

https://www.sbfoods.co.jp/craftstyle/

05 トーンの揃った背景色を敷いて統一感を出す

「豆乳アイス、はじめました。」のサイトでは、切り抜いた商品写真を3列に並べて紹介しています。

商品の背景には斜めに異なる色を敷き、左右の余白を大きく取ってカラフルに見せています。

色は明度と彩度が高い、さわやかな色で統一し、調和を図っています。

https://www.marusanai.co.jp/tonyu-ice/

PART5

03 テクスチャを使ったデザイン

テクスチャを使ったデザインの特徴

テクスチャは、ボタンなどのパーツ・写真・背景に使い、デザインそのものに「奥行きを与える効果」があります。

また、和紙の素材を使って和風に見せる「印象に説得力を持たせる効果」、黒板にチョークで書かれた文字を表現するような「リアル感を演出する効果」などを得ることができます。

テクスチャの種類はナチュラル系の紙・ウッド素材から人工的のグランジ・ポリゴンなどたくさんのパターンがあり、用途に応じて使い分けると質感のあるサイトに仕上がっていきます。

こんな目的がある時に取り入れよう！

・デザインパーツや背景に奥行きを与えたい
・サイトの印象に説得力を持たせたい
・現実世界のものをリアルに表現したい

テクスチャ

紙

方眼紙

ノート

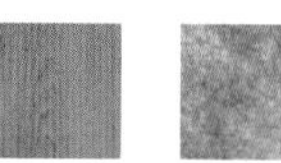
ウッド

グランジ

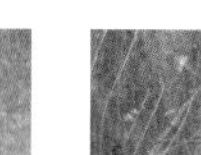
スクラッチ

革

布

プリズム

ポリゴン

ノイズ

フレア

01 テクスチャと写真素材で、現実世界のものをリアルに表現する

現実世界のものをWeb上で再現したい時にはテクスチャと写真を組み合わせてデザインするとよいでしょう。

❶「パティスリー GIN NO MORI」のサイトでは、青い壁のテクスチャの上に、影を付けたクッキーや草木の素材を配置し、べた塗りの背景では表現できない質感を出しています。

❷ ぼかした枝の写真をセクションの区切りに配置し、壁のテクスチャから森の写真に背景を切り替えています。

❸ スクロールをすると2匹のリスが両脇から現れたり、ぼかした草木が視差効果で動いたりして、サイトに奥行き感を出しています。

https://ginnomori.info/patisserie/

テクスチャの上に、現実世界にあるフォトフレームや泡立て器の写真を組み合わせてリアル感を出しています。

背景を切り抜いた写真をたくさん使用することで、テクスチャと同化した世界観を作っています。

画面が読み込まれると、周りの木々が四方に広がり手前に現れ、奥行きのある演出がされています。

02 紙のテクスチャとイラストを組み合わせて親しみやすさと温かさを表現する

「キャンプラスいいづな」のサイトは、黄色い紙のテクスチャの上に、色とりどりの背景色が重なり、さらに、水彩画タッチのイラストが散りばめられている温かみのあるデザインです。

メインビジュアルのイラストや写真は、紙をちぎったような形で区切られ、やわらかな印象を作っています。

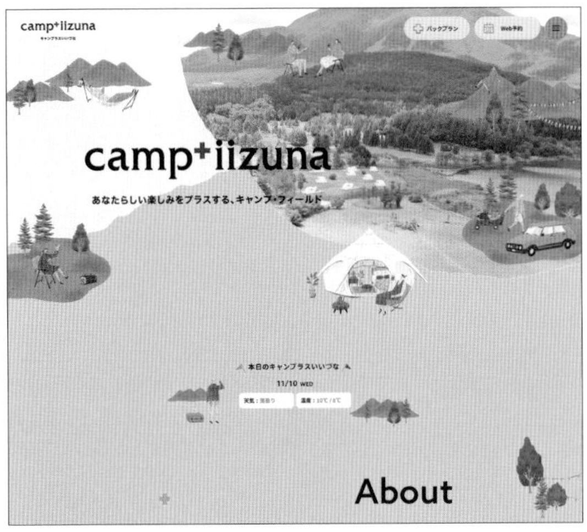

https://camplus.camp/

03 和紙のテクスチャと金色の雲を組み合わせて和風の印象を作る

「株式会社 神宗」のサイトでは、1781年から続いている伝統的な海産物問屋というブランディングを、和紙のテクスチャと、金色の雲、和柄模様を組み合わせて表現しています。

和風のサイトの背景には、他にも、江戸文様や千代紙、折り紙などのテクスチャがよく使われています。

https://kansou.co.jp/

04 パーツにかすれたテクスチャを使い、ぬくもりのある手描き感を出す

テクスチャを使うとデザインに奥行きを出すことができます。

イラストと写真で構成された「さんさん保育園」のサイトでは、かすれた青色のカーテンイラストや、紙に押したような質感のスタンプ風のロゴとイラストを使い、ぬくもりのある手描き感を出しています。

https://sansan-nursery.com/

05 黒板と古い紙質のテクスチャでレトロな印象を作る

「北海道、札幌のカレーワールド」のサイトは、黒板のテクスチャと、古い紙質のテクスチャを背景に指定し、その上に手描きの線画イラストや、グランジのイラストを配置しています。

色褪せた紙のテクスチャを使うことで、レトロな印象を作っています。

https://www.curry-world.com/

PART5
04 飾りパーツを使ったデザイン

飾りパーツを使ったデザインの特徴

飾りパーツは、デザインを華やかに見せ、パーツから世界観を作ることができます。

フラットデザインが主流になり、実物に似せた外観や質感を再現するデザインは少なくなりましたが、現在もレイアウトの一部に飾りを効果的に取り入れているサイトは多く見受けられます。

特に、見た目のインパクトを重視するランディングページの多くは、テクスチャと飾りを組み合わせてデザインされています。

こんな目的がある時に取り入れよう！

- デザインに奥行きを持たせたい
- リアルな質感を表現したい
- リッチな印象のサイトにしたい

飾りパーツの種類

---

01 飾りパーツをたくさん取り入れて楽しい世界観を作る

手描き風の飾りパーツをサイトにたくさん使用している、華やかで楽しい印象の「御濠端幼稚園」のサイトです。

❶ヘッダーは、明るい木目の背景の上に、水彩で描かれた緑色の木が左右に配置されています。

電話番号の横の吹き出しは、切り紙のような形でアイキャッチになっています。

❷スライドショーは絵本の形にマスクされています。その上のキャッチフレーズは、文字の一部をテープで表現し、3つのコンセプトも黄色いテープの上に書かれています。

❸お知らせ内の「一覧を見る」ボタンは、水色のテクスチャを使用して質感を出しています。

https://ohoribata.com/

やわらかい円形写真の周りを、白い点線で囲っています。見出しは黄色いマーカーで装飾されています。

見出しの中に子供の筆跡の装飾を入れています。背景には紙のテクスチャを使用しています。

フラッグでセクションを区切り、アルバムに写真の角を留めているような線の装飾を入れています。

02 和柄や和風の飾りを組み合わせて和の印象を作る

挨拶状ドットコム「フェリシモ猫部×にゃん賀状【猫部コラボ年賀状2022】」のサイトは、縦書きのタイポグラフィと、のれんや雲、縄といった和風の飾りパーツを組み合わせて和のイメージを演出しています。

ページの中には、笹や松、梅、波の飾りのパーツがふんだんに使用されています。

https://nenga.aisatsujo.jp/lp/nekobu/

03 手書き風の線や、ちぎり絵風の背景を使ってあたたかさを表現する

手書き風の線やモノクロのイラストを使い、アナログ感とあたたかさを出している「179リレーションズ」のサイトです。

キャッチフレーズは、3色のちぎり絵風の背景を使ってやわらかく見せています。

また、スライドショーの周りは、青と黄色の線画で表現しています。

https://179relations.net/

04 2色で構成された雲やフラッグ、斜線を組み合わせて可愛い印象を作る

「熱川バナナワニ園」のサイトは、ピンクと青緑の2色をメインカラーに指定している、明るくて可愛い印象のサイトです。

飾りパーツには、上記の2色で構成されている雲やフラッグ、斜線を、コンテンツの区切りや見出しの装飾として使用しています。

http://bananawani.jp/

05 切り抜き写真や手書きの装飾でスクラップブックのような印象を作る

「福岡医健・スポーツ専門学校」のサイトでは、ファーストビューに、影を付けた切り抜き写真を散りばめ、手書きの装飾やリボン、点線を重ね合わせて、スクラップブックのような印象を作っています。

見出しは、色付きの縁取りテキストで、塗りの色を右下にずらしています。明度の高い配色も相まって、ポップでキュートなデザインになっています。

https://www.iken.ac.jp/girls/

PART5

05 イラストを使った親しみやすいデザイン

イラストを使った親しみやすいデザインの特徴

イラストは、写真では表現しきれないオリジナリティを出して競合サイトと差別化をはかったり、掲載内容をわかりやすく説明したり、機能的になりがちなサイトを温かみがあり、親しみの湧くサイトに変えたりすることができます。

また、アニメーションを付けてイラストを動かすと、世界観が広がり、楽しい雰囲気になります。

サイト内で使用するイラストは、テイストを揃えて使用しましょう。

こんな目的がある時に取り入れよう！

・競合サイトと比べてオリジナリティを出したい
・サイトに親しみを持たせたい
・掲載内容をわかりやすく説明したい

イラストの種類

デジタル

線画

鉛筆

水彩

墨絵

切り絵

スタンプ

---

01 イラストを使い、温かみのある雰囲気を作る

親しみやすさや温かさを表現することができるイラストは、幼稚園・育児といった子供に関わるサイトや、家族をターゲットにしたサイトによく使われています。

❶「横田農場」のサイトでは、グローバルナビゲーションに、暖色のオレンジをメインカラーにした、可愛いテイストのイラストを使用しています。

❷スライドショーの周りには、稲穂が揺れたり、蝶が飛んだりするPNG画像を配置し、温かみのある世界観を表現しています。

❸写真と組み合わせているテキストエリアの背景は、お米の形にしてやわらかさを出しています。

https://yokotanojo.co.jp/

リンク写真の下部にイラストをかぶせて、デザインにアクセントやあたたかみを付けています。

イラストと親和性の高い、方眼紙のノートのようなテクスチャを背景に取り入れています。

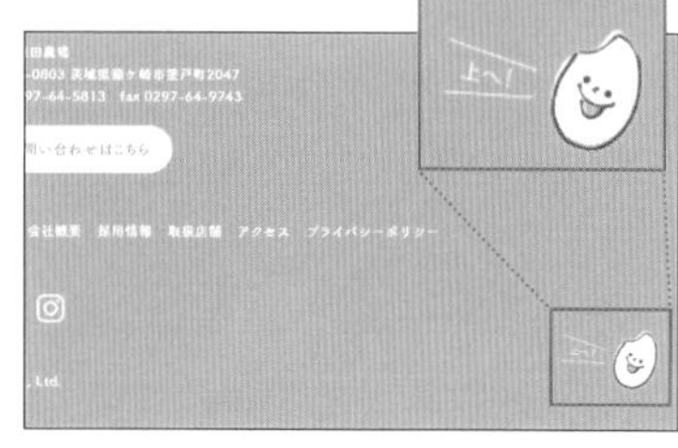

ページトップリンクボタンは、「上へ！」とセリフを言うお米のイラストを使用しています。

02 オリジナルイラストを使い、ブランディングを高める

他にはないキャラクターやイラストは、サイトのオリジナリティを高め、競合するサイトとの差別化をはかることができます。

「和仁農園」のサイトは、物語を紡ぐように展開する大きなスライドショーが印象的な米農園のサイトです。

サイトの中ではワニのキャラクターを使ったあたたかみのあるイラストが描かれています。

http://wani-nouen.com/

03 キャラクターを使って、サイトに親しみを持たせる

イラストには、サイトの掲載内容を身近に感じさせ、親しみを持たせる力があります。

「メンタルクリニック くまぶん」のサイトは、クマのキャラクターのイラストを使い、スクロールアニメーションを用いて、ストーリー仕立てで、メンタルクリニックの紹介をしています。

メンタルクリニックの敷居を下げ、受診を促すサイト構成になっています。

https://www.kumabunclinic.com/

04 難しそうな印象のテーマをやわらかく伝える

イラストは、学習系のサイトによく使用されています。

「世界を変える!? 再生可能エネルギー」のサイトでは、大きなイラストをたくさん用いて、再生可能エネルギーの解説をしています。

イラストと組み合わせている文章も、読みやすい大きな見出しと短い文章で、難しそうなテーマをやわらかく伝えています。

https://energy.jre.co.jp/

05 キャラクターを動かしながら掲載内容の補足説明をする

「栄養の日・栄養週間 2021」のサイトでは、栄養に関する情報をたくさんのイラストを使って解説しています。

ページの左側には、リスのキャラクターが固定され、セクションごとに違う動きやセリフが展開されます。

カラフルな配色や手書き風のフォントも相まって、ページの最後まで楽しく読み進めることができます。

https://www.nutas.jp/84

PART5

06 タイポグラフィを使ったデザイン

タイポグラフィを使ったデザインの特徴

Webに上がっている情報の95%は文字です。Webデザインの95%はタイポグラフィでできていると言われています。Webフォントが普及し、サイトの見せ方や文字表現の幅が広がりました。

タイポグラフィをデザインに取り入れてフォントの選定や字間、行間などを適切に構成すると、美しくて読みやすいサイトになります。

また、SVGやWebGL、JavaScriptなどを使って動きを付けると、言葉や文字をユーザーに印象的に伝えることができます。

こんな目的がある時に取り入れよう！

- 文字や文章を見た人にサイトを印象付けたい
- 長い文章を飽きさせずに読ませたい
- 言葉を伝えたい

Webデザインのタイポグラフィで気を付ける点

- 文字サイズのメリハリ
- 文字詰め、段落
- 適切な行間、字間
- フォント選び
- 約物（句読点・疑問符・括弧・アクセント）の見せ方

01 異なるフォントで形を作り、インパクトを出す

「AG&K」のサイトは、一般的なコーポレートサイトと一線を画す情報設計とデザインで、インパクトを持たせています。

❶ サイトのトップページは、種類の違うタイポグラフィを組み合わせて、丸や四角などの形を作っています。

AG&Kと書かれた社名以外のタイポグラフィは、クリックをすると下層ページへリンクします。

❷ 動きを持たせたタイポグラフィの一部は、カーソルを合わせると形が変化したり、回転速度が速くなるエフェクトが付けられています。

❸ 太さも種類も違うフォントを用いることで、同じ言葉でも、違った印象を持たせています。

https://ag-and-k.com/

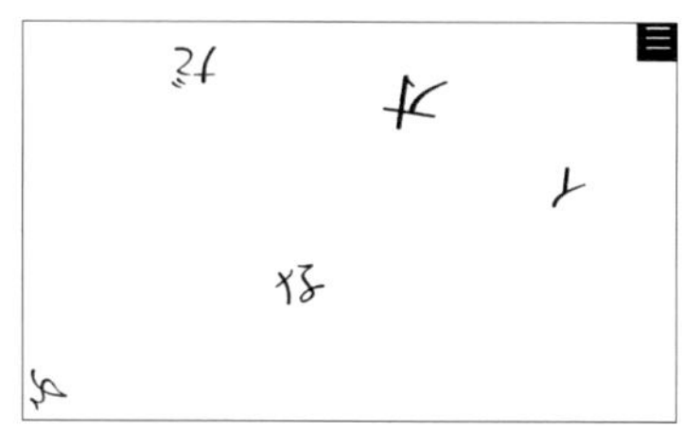

ページ遷移をするとタイポグラフィが1文字ずつ上から落ちてくる演出を取り入れています。

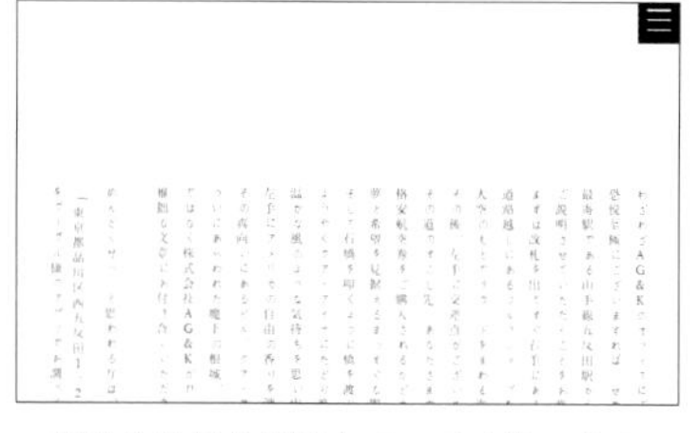

一般的な地図を掲載している交通アクセスのページと違い、言葉で経路を説明しています。

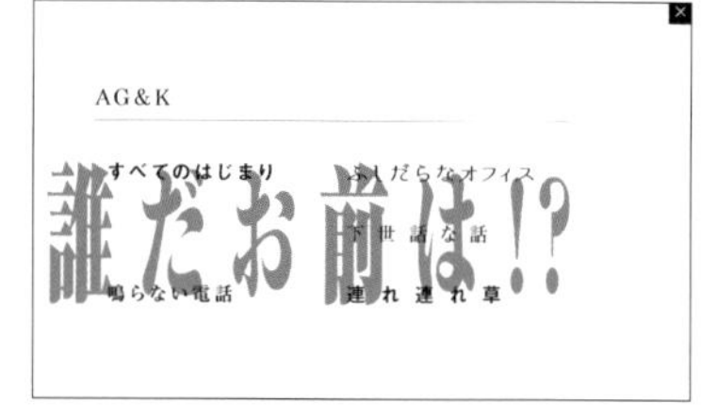

グローバルナビゲーションにカーソルを合わせると、テキストが大きく拡大して現れます。

02 タイポグラフィを散りばめて リズム感を出す

アルファベットが散りばめられて浮遊する「groxi株式会社」のサイトです。

塗りと線のアルファベットを対比させ、文字を大きくすることで、デザインにリズム感を持たせています。

ページをスクロールすると、大きく書かれた「About」や「Service」といった見出しの文字が、斜めに移動してセクションの区切りをはっきり見せています。

https://groxi.jp/

03 ジャンプ率を高くし、言葉にメリハリを付ける

文字サイズに大きな変化を加え、情報に強弱を付けてジャンプ率を高くし、メリハリを与えているデザイン制作会社「oniguili」のサイトです。

フォントは、縦組みの明朝体と欧文の横組みのセリフ体を組み合わせ、強調させたい箇所は、大きな文字で表現しています。セクションの間は、余白を広く取って区切りをはっきりとさせています。

https://www.oniguili.jp/

04 気持ちよい行間と余白で読ませる

文章に適切な行間を取り、段落と段落の間に余白を作ると、可読性が高く、読みやすいサイトを作ることができます。

「A SLICE」のサイトでは、会社のメッセージをWebフォントのNoto Sans CJK JPで表現しています。行間と余白もしっかり取り、長文の文章を最後まで読み進めやすくしています。スマートフォン表示になった際には、左右にも余白を大きく取っています。

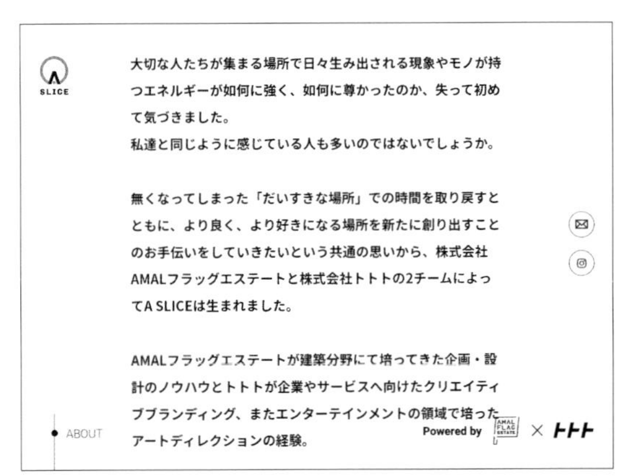

https://www.aslice.jp/

05 タイポグラフィで形を作り、遊び心を出す

コーポレートフォントのオーダーメイド「katakata branding」のサイトは、タイポグラフィを円状に重ね合わせて回転させる遊び心のあるアニメーションが取り入れられています。

ひらがなや、漢字、アルファベットの1文字を重ねて、大きさや色を変えることで、雪の結晶や花のような形を作っています。

https://katakata.don-guri.com/branding/

動画を効果的に使ったデザイン

動画を効果的に使ったデザインの特徴

動画は、文章で説明すると難しい内容や、現場を近くに感じる臨場感、動きをダイナミックに見せる躍動感など、静止画では表現できない視覚的な情報をユーザーに届けることができます。

また、サイトのメインビジュアルに取り入れることで、デザインそのものを動的に変化させて、情報に動きを追加し、印象的に伝えることも可能です。

プロモーションサイトや音楽、デザイン、アート・芸術系サイトなどによく使われています。

こんな目的がある時に取り入れよう！

- 製品や事業内容を視覚的にわかりやすく説明したい
- 人の印象や場所の雰囲気を伝えたい
- シーンをダイナミックに見せたい

動画をメインに使った構成

- 動画ファイルをvideoタグを用いてサイト内に埋め込む
- 外部サービス（YouTube、Vimeo など）を利用してサイト内に埋め込む

動画形式

Vimeo

YouTube

---

01 臨場感を持たせて場所を魅力的に伝える

動画は、場所の雰囲気や空気感を、見ている人に直感的に伝えることができます。

❶「NIPPONIA（ニッポニア）小菅 源流の村」のサイトでは、古民家のホテルの外観や、周辺の自然豊かなロケーションを、全画面で見せて魅力的に伝えています。

動画形式はmp4で、videoタグを使って埋め込んでいます。16秒の長さの動画をループして流しています。

❷下層ページに続くリンクも、すべて動画で構成されています。文章を少なくビジュアルで直感的に内容を伝えて、ユーザーのクリックを促す作りになっています。

https://nipponia-kosuge.jp/

下層ページへのリンク動画は、3、4カットをループして流し情報を様々な視点から伝えています。

下層ページのヘッダーも大きな動画を使い、各ページの内容をわかりやすく伝えています。

サイト内の写真は、動画と同じ明度や彩度で画像補正を行って、全体のトーンを揃えています。

02 ダイナミックな動きを表現する

コニカミノルタ「プラネタリウム」のサイトでは、写真のスライドショーで表現しきれないダイナミックな動きを、動画で表現しています。

スマートフォンでは、読み込むファイルを変更して画角を調整しています。また、動画が表示されないユーザー用に、代替え画像も設定しています。

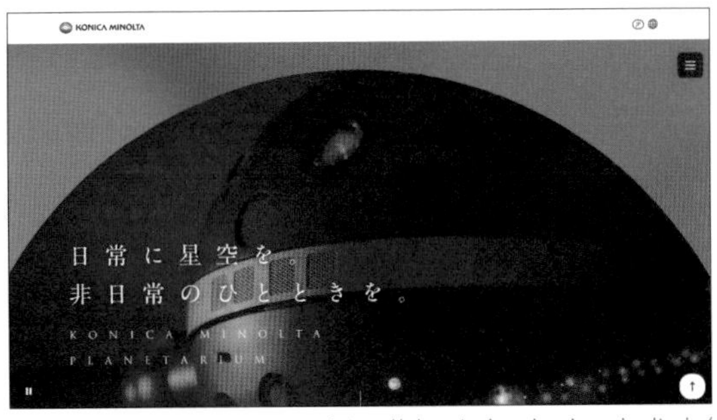

https://planetarium.konicaminolta.jp/

POINT

使用場所：メインビジュアル	サウンド：なし
動画の長さ：15秒	動画の重さ：4MB
ループ：あり	ファイル種類：mp4

03 PCとスマホで動画を切り替える

TVCMやMV制作を中心としたVFXスタジオ「jitto」のサイトでは、自社の実績をトップページのファーストビューで、動画を使い紹介しています。

実績は1動画にまとめず、3秒～5秒の複数のmp4動画をつなげて見せています。また、スマートフォンの時は、容量が軽い動画を読み込むようにしています。

https://jitto.jp/

POINT

使用場所：メインビジュアル	サウンド：なし
動画の長さ：3～5秒	動画の重さ：～2MB
ループ：あり	ファイル種類：mp4

04 サービス内容を直感的にわかりやすく説明する

長文の文章で説明をしなければならない内容は、動画にまとめて伝えると効果的です。

「HERO® オンライン対面接客ツール」のサイトでは、スマートフォンのフレームの中に動画をはめて、実際のツールの使い方を直感的にわかりやすく説明しています。

https://usehero.jp/

POINT

使用場所：メインビジュアル	サウンド：なし
動画の長さ：4秒	動画の重さ：1.4MB
ループ：あり	ファイル種類：mp4

05 人の雰囲気や感情を伝える

会社で社員が談笑している様子や、幼稚園の子供たちが楽しそうに遊んでいる様子など、動画は人の雰囲気や感情をダイレクトに伝えることができます。「The Okura Tokyo ウエディング」のサイトでは、YouTube動画をメインビジュアルに流し、結婚式の様子を、人の立ち姿や表情を交えながらドラマチックに伝えています。

https://theokuratokyo.jp/wedding/

POINT

使用場所：メインビジュアル	サウンド：なし
動画の長さ：43秒	ループ：あり
ファイル種類：YouTube動画	

PART5

08 動きを持たせたデザイン

動きを持たせたデザインの特徴

サイト内の動きには、コンテンツの世界観を表現する動きと、ユーザーの操作に連動してユーザー自身の体験を深めるインタラクティブ（双方向）な動きの2種類があります。

前者は雪が降るようなエフェクト、後者は、ボタンを押した後の次の動作を促すアニメーションや、画面遷移を明確に見せるエフェクト、完了や注意を示す表示を想像するとわかりやすいでしょう。

近年ではCSS3でもアニメーションが可能になりJavaScript以外の表現方法が増えてきました。

こんな目的がある時に取り入れよう！

・サイトの世界観を広げたい
・ユーザーの操作の体験を深めたい
・ゲームのようなインタラクティブなサイトを作りたい

サイト内を動かす際によく使用されている言語

JavaScript
- three.js
- React
- jQuery
- Vue.js
- AngularJS
- Node.js

CSS3
- transform
- transition
- animation

HTML5
- Canvas

SVG

WebGL

01 時間と共に3Dグラフィックスが変化する動き

時間と共に画面上のデザインを変化させることができるのは、Webサイトの大きな特徴の1つです。

ソーシャルプラットフォーム「キボウノアカリ」のサイトでは、プログラムを使い、3Dグラフィックスを動かしています。

❶ ファーストビューでは、ユーザーが作成した色とりどりのキューブを、くるくる回転させたり整列させたりして動きを楽しく見せています。

❷ 音声は、ONとOFFのモードが選択できます。ONにすると3Dグラフィックスの軽快な動きと音楽が合わさり、サイトの世界観にさらに深みが増します。

❸ 右下のボタンを押すと、オリジナルのキューブを作ることができます。

https://kibounoakari.com/

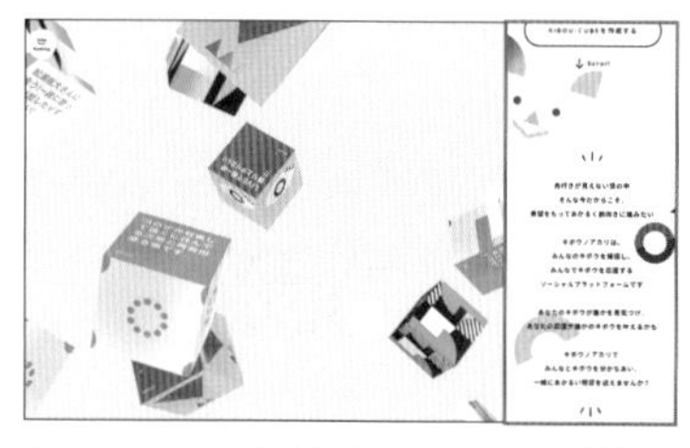

スクロールをすると右エリアのみが動き、サイトの解説や説明文が視差効果を持って現れます。

テキストを入力して作成したキューブは、右に回転しながら、カーソルに合わせて上下に動きます。

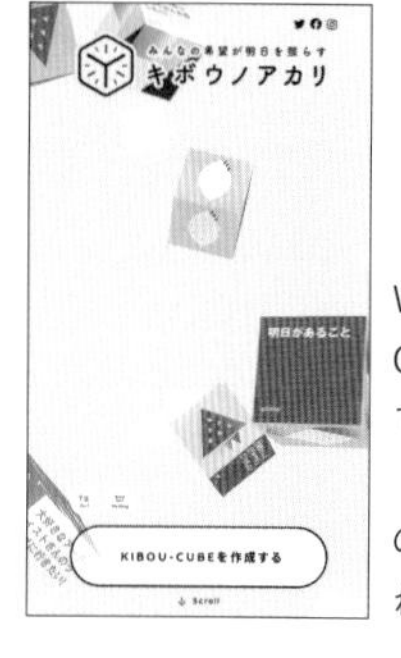

WebGLを使い、Canvasに描画されているので、スマートフォンでも気持ちのよい動きが再現されています。

02 スクロールをすると、同一画面で奥行きをもって場面が展開する動き

三菱ケミカル株式会社 採用サイト「みんなの夢が地球をまわす」では、スクロールをすると、同一画面で奥行きをもって場面が展開し、動くイラストと言葉で同社の事業領域のスケール感を伝えています。

切り絵を重ね合わせたようなイラストは、中央になるほど濃い色になっており、配色でも奥行きを作っています。言葉は回転しながら拡大して現れます。

https://www.m-chemical.co.jp/saiyo/

03 スクロールをするとオブジェクトが回転しながら下に移動する動き

「Meadlight presents: Principio is a fermented honey drink.」のサイトでは、スクロールをすると、商品のビンが回転しながらジグザグに下へ移動します。

ビンの移動と共に、テキストやイラストがふわっと出現する滑らかで気持ちのよい動きが付けられています。

左側にはプログレスバーを表示し、全体の高さの中の進捗状況を示しています。

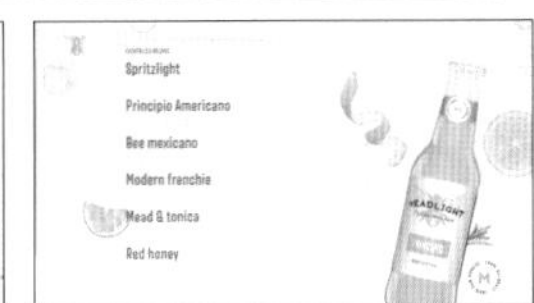

https://meadlight.com/en

04 スクロールをしながら、エリアを移動する動き

「みさとと。――島根県美郷町魅力再発見プロジェクト」は、エリアを移動しながら町を知ることができるサイトです。スクロールをすると、雲の中から町が現れます。

町が拡大した後は、斜めや奥に移動して、各スポットを紹介しています。すべてのスポットを巡った後は、町がズームアウトして、雲の上に戻るストーリー性のある動きになっています。

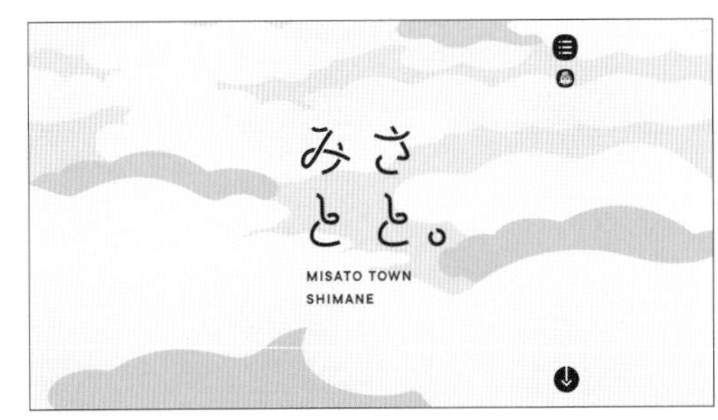

https://www.town.shimane-misato.lg.jp/misatoto/

05 スクロールをすると、3D グラフィックスの中にどんどん入っていく動き

3D グラフィックスで作られた美術館の中に入ることができる「福岡県立バーチャル美術館」のサイトです。

スクロールをすると、建物が回転しながら近づき、入口の扉が開きます。

扉の中に入った後は、渦の中に巻き込まれてタイムスリップをしているかのようなアニメーションが続き、下層ページへのリンクが現れます。

https://virtualmuseum.fukuoka-kenbi.jp/

PART5 09

インフォグラフィックで伝えるデザイン

インフォグラフィックの特徴

インフォグラフィックは、情報・データ・知識を視覚的に表したものです。

インフォグラフィックを使うと、グラフやイラスト、チャートなどを通して情報を視覚化し、文字や言語に頼らなくてもユーザーに内容をわかりやすく伝えることができます。

Web上でインフォグラフィックを見せる場合の多くはストーリーとセットになっており、動的な効果を持たせて読み進められるように工夫されています。

こんな目的がある時に取り入れよう！

・データを視覚化して伝えたい
・つながりを視覚化して見せたい
・時間をかけず直感的に情報を見せたい

インフォグラフィック表現例

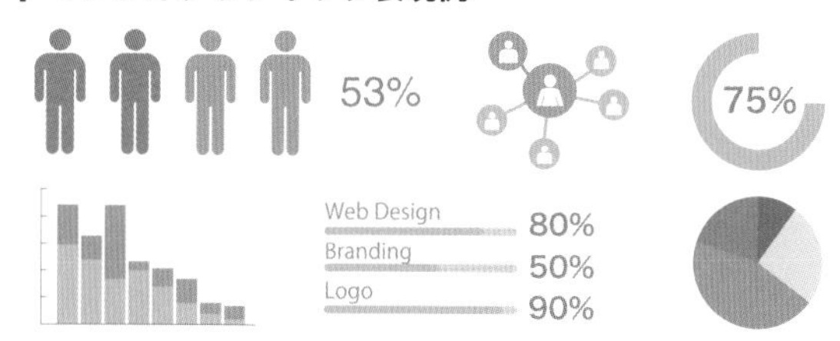

---

01 数字をカウントアップさせて情報を伝える

「SBI証券」の特設サイト(2021年4月公開)は、ネット証券の歴史と成長を、数字とイラストのインフォグラフィックでまとめています。

❶ ファーストビューには口座の数を大きく表示し、その周りを躍動感のある人のイラストや文字が順に現れるアニメーションを取り入れています。

❷ 数字のフォントサイズは、丸みを帯びたゴシック体を使い、他のフォントサイズよりも強調させて見せています。

数字はスクロールをすると、カウントアップしてデータをわかりやすく伝えています。

❸ ユーザーの視線の流れを意識して、要素を斜めに配置し、下まで読み進めやすい構図で作られています。

https://go.sbisec.co.jp/cp/cp_6million_20210420.html

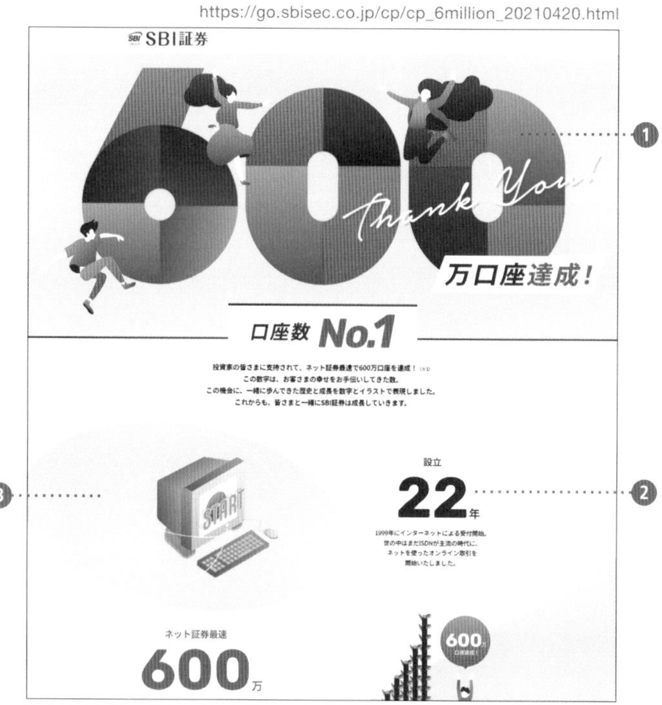

※2021年4月時点のデータです

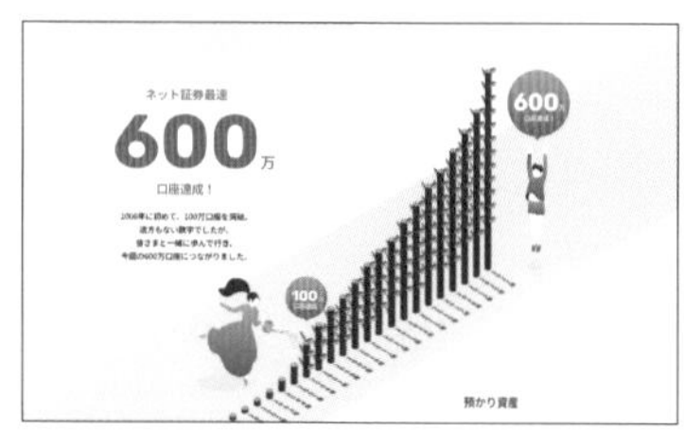

立体感のあるグラフと、イラストや文字が順に出現します。棒グラフが木の形になっています。

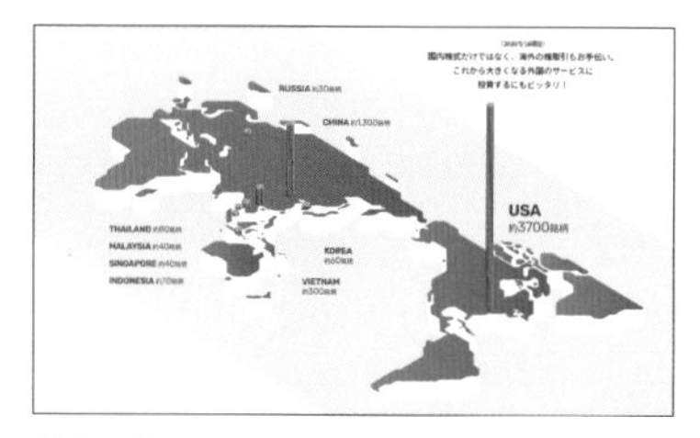

「外国株の取り扱い」では、スクロールをすると世界地図の棒グラフが上に伸びる動きが付けられています。

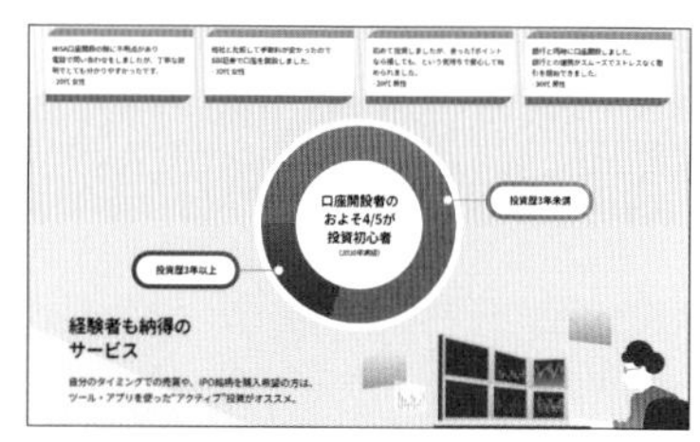

ユーザーの内訳を示す円グラフは、塗りの部分が右回りでぐるっと一周する動きが付けられています。

02 イラストをアニメーションさせ、ストーリー仕立てで見せる

インフォグラフィックは、リクルートサイトや、社会動向をまとめるサイトによく使用されています。

「デンソー採用サイト」では、会社紹介のページでSVGアニメーションを取り入れ、社名に込めた想いや、着実な海外戦略といったストーリーをイラストと共に伝えています。

動かない写真と比べ、動きのあるイラストを使用することで、1つの掲載内容をプレゼンテーション形式でユーザーにじっくり読ませることができます。

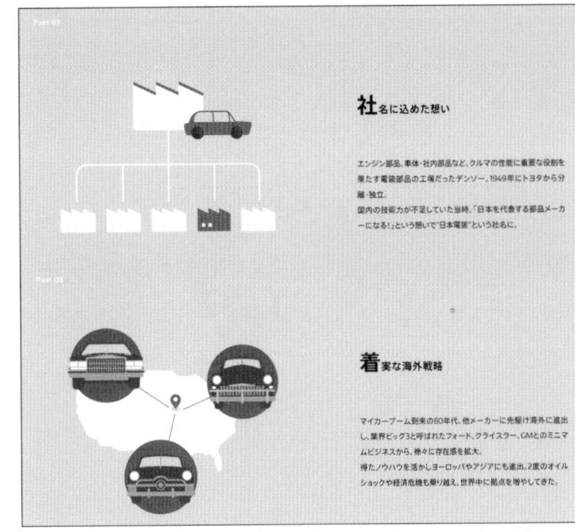

https://careers.denso.com/past-future/

03 動きを付けて統計を楽しく読ませる

「MEJINAVI2021」のサイトでは、SVG形式で書き出されたイラストを、JavaScriptとCSSを使って動かし、データを楽しく伝えています。

スクロールをしていくと、データに関連するイラストが順番に現れたり、飛び跳ねたりして滑らかに動きます。

スマートフォン表示では、縦並びが横並びに変わり、横にスワイプすると次の情報が見えるように変更されています。

写真とイラストを組み合わせて、情報を整理し、ユーザーに分かりやすく伝えるサイト構成になっています。

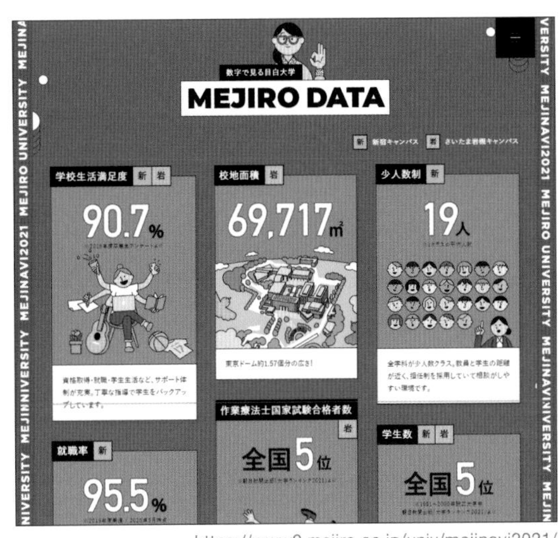

https://www2.mejiro.ac.jp/univ/mejinavi2021/

COLUMN グラフやチャートをプログラムで簡単に表示させる JavaScript ライブラリ

達成率をパーセンテージでアピールしたり、1年間のまとめを円グラフで表現したりとインフォグラフィックはあらゆる場所で活躍します。

それらを画像で作らず、プログラムで簡単に表示させるJavaScriptライブラリをご紹介します。

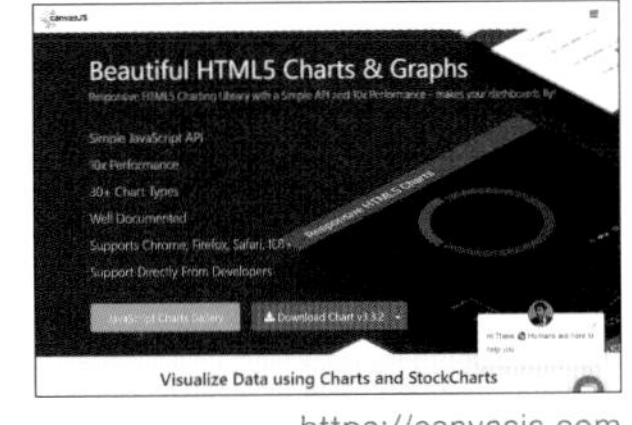

https://canvasjs.com

● CanvasJS
古いブラウザでも表示可能で、細かくカスタマイズ可能なグラフが用意されています。

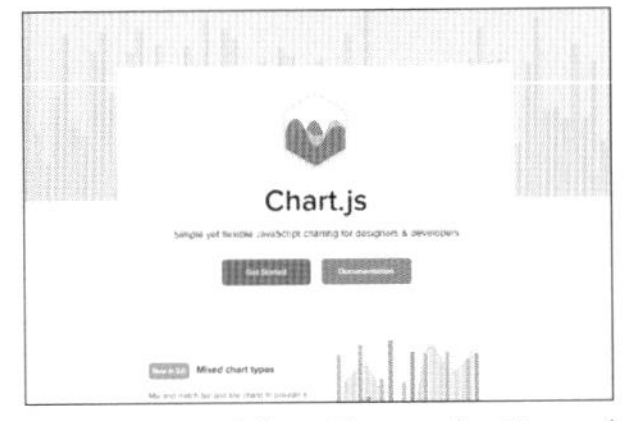

https://www.chartjs.org/

● Chart.js
レスポンシブ対応をしており、すべてのグラフが自動的にアニメーション化します。

https://developers.google.com/chart

● Google Charts
Google社提供のライブラリです。マップを使った表現もできます。

COLUMN ロイヤリティフリーのアイコン素材サイト

見出しのワンポイントや、フローの説明、リンクボタンなどに使用できるロイヤリティフリーのアイコン素材サイトを紹介します。

アイコンは、PNG・SVG形式として使う方法や、Webフォントで見せる方法まで様々あります。用途にあった使い方を見つけましょう。

※ご利用の際は各サイトの利用規約を必ずご一読ください。

https://icooon-mono.com/

●ICOON MONO：シンプルで使い勝手のよいアイコン素材を無料でダウンロードできるサイト。PNG、JPEG、SVG形式対応。クレジット表記不要。

http://flat-icon-design.com/

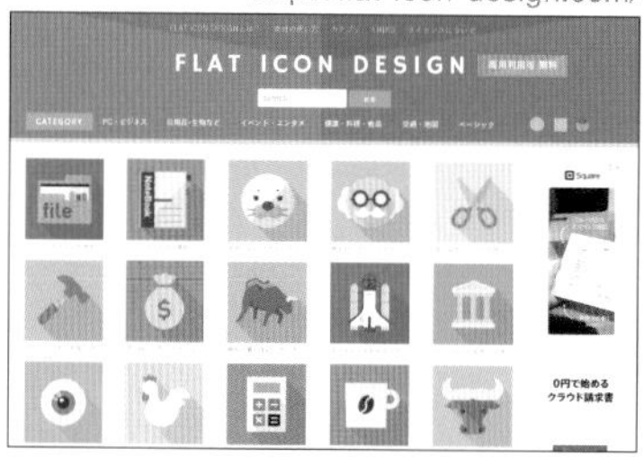

●FLAT ICON DESIGN：商用利用可能なフリーのフラットアイコン素材。AI、EPS、JPEG、PNG、SVGといった様々な形式に対応。クレジット表記不要。

https://icons8.jp/

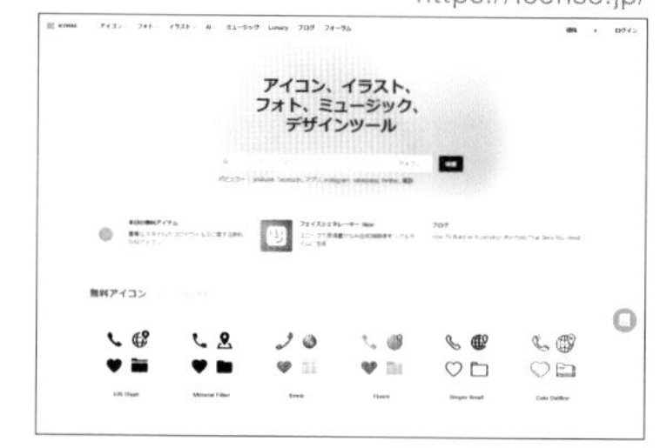

●ICONS8：質感が様々で、カラフルなアイコンもたくさんある海外のサイト。無料で使用するにはクレジット表記が必要。

https://orioniconlibrary.com/

●Orion Icon Library：高品質なSVGのベクターアイコンを利用できる海外のサイト。商用利用の場合はクレジット表記が必須。

https://app.streamlinehq.com/icons

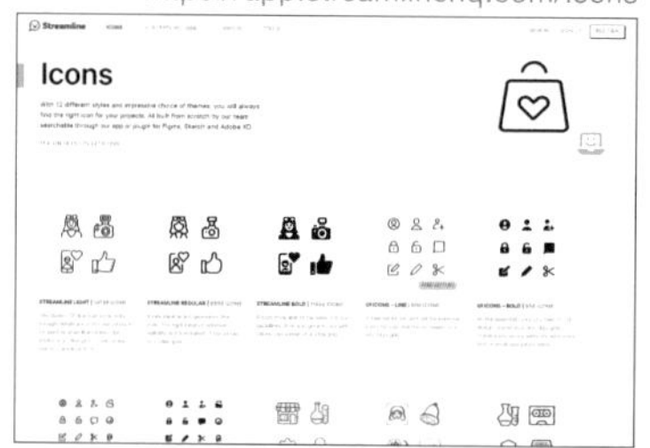

●Streamline3.0：PNG、SVG、PDF形式でダウンロード可能。サイト内で色も変更できる海外のサイト。クレジット表記不要。

https://iconmonstr.com/

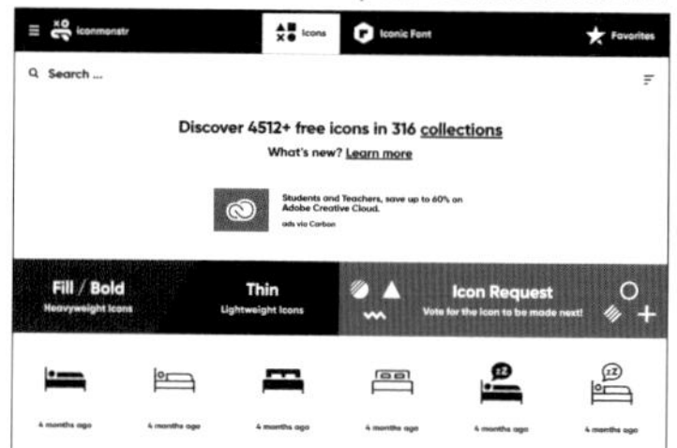

●Icon Monstr：クレジット不要で、シンプルで使いやすいアイコンを配布している海外のサイト。SVG、EPS、PSD、PNG形式に対応。

https://remixicon.com/

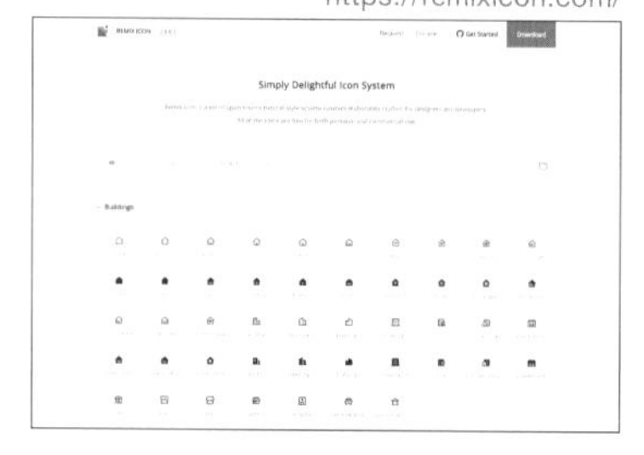

●Remix Icon：Webフォントで、アイコンをサイトに埋め込むことができる海外のサイト。SVG、PNG形式でダウンロードも可能。

https://fonts.google.com/icons?selected=Material+Icons

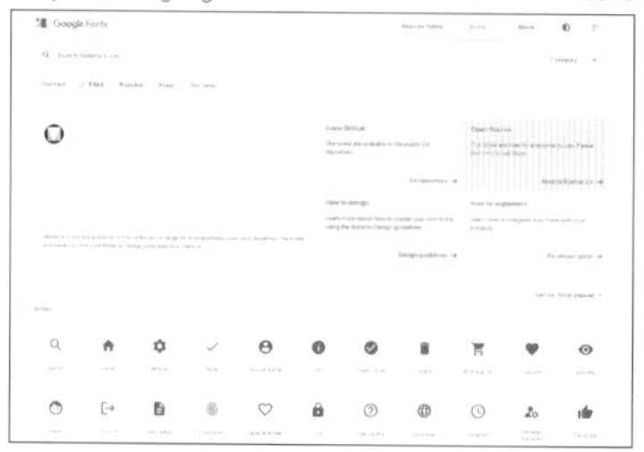

●Google Fonts Icons：マテリアルデザインの原則に沿って作られたシンプルなアイコン。Webフォント、SVG、PNG形式に対応。

https://fontawesome.com/

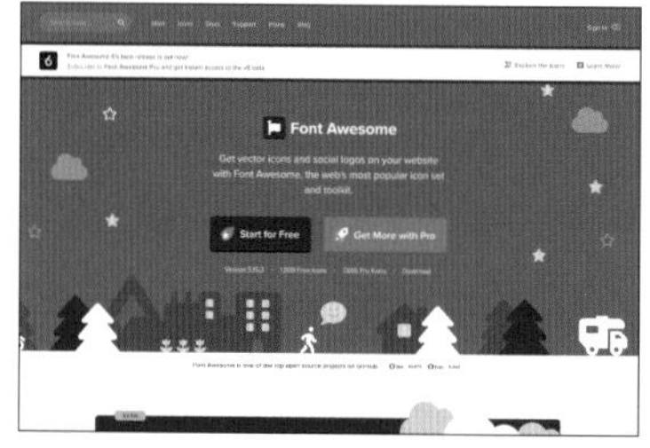

●Font Awsome：Webフォントで使用できるアイコン。様々な太さが用意されている。商用利用可能で、無料版と有料版がある。

PART

6

—

トレンドのデザイン

Webデザインはトレンドが日々変化し続けています。「今風」のWebデザインを作るためにはどうすればいいのか、トレンドのレイアウトや最新のWeb技術、それらの見せ方のポイントをまとめました。

PART6
01

3Dグラフィックス

3Dグラフィックスの特徴

近年、3Dグラフィックスを使ったビジュアルインパクトの強いサイトが増えてきました。

3Dは2Dと比べて奥行きのあるアニメーションを付けることができるので、オリジナリティのある世界観を作ることができます。

カーソルやクリックなどの動作に連動した動きを取り入れると、今までにない新しいユーザー体験を生み、サイトの中に引き込むことができるでしょう。

3Dコンテンツを実現できるライブラリ

Three.js
https://threejs.org/
Webブラウザ上でリアルタイムレンダリングによる3次元コンピュータグラフィックスを描画する、軽量なJavaScriptライブラリおよびAPI。

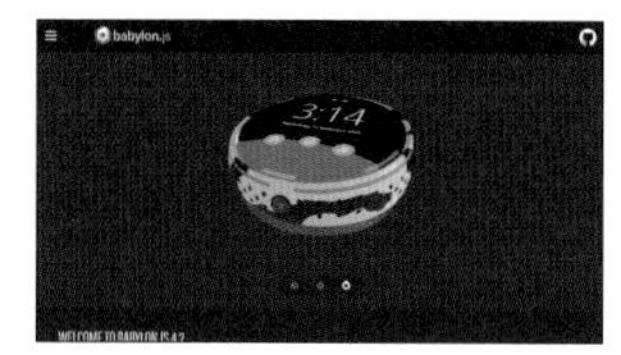

Babylon.js
https://www.babylonjs.com/
JavaScriptライブラリを使用して、HTML5経由でWebブラウザに3Dグラフィックを表示するリアルタイム3Dエンジン。

---

01 ファーストビューいっぱいに3Dグラフィックスを展開する

3Dグラフィックスは、ビジュアルインパクトが強いので、サイトの世界観を確立しやすく、訪れたユーザーを、サイトの中に一気に引き込むことができます。

❶「株式会社SmartHR」のサイトは、ファーストビューのウィンドウいっぱいに3Dグラフィックスのアニメーションを展開しています。

様々な正多面体や球体がうねる圧巻のアニメーションは、動画で作られており、videoタグで埋め込まれています。

❷その下に続くコンテンツの背景には、奥から手前に拡大する3Dグラフィックスのアニメーションを使用しています。

https://smarthr.co.jp/

下層ページのヘッダーには、3Dグラフィックスが回転する動きを入れて、奥行きを出しています。

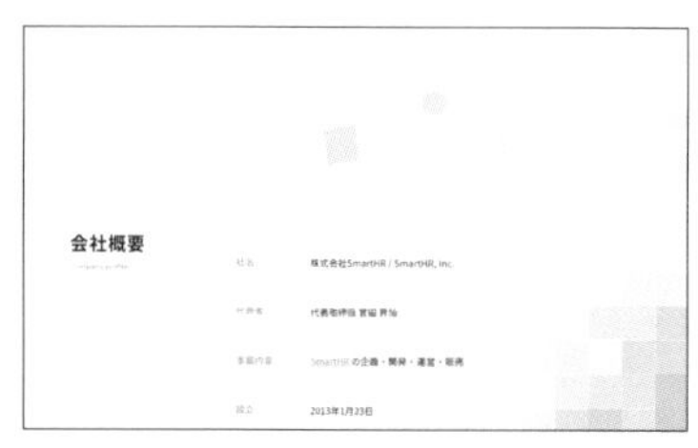

画面遷移には、格子状のグラフィックのパネルがパラパラと展開する動きを取り入れています。

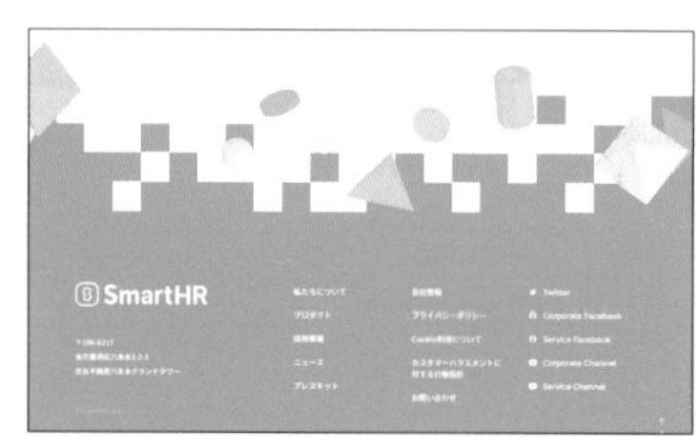

フッターは、正多面体や球体の3Dグラフィックスを浮遊させて右から左へ流しています。

02 タイポグラフィを3Dグラフィックスで表現する

「IDENTITY」のサイトは、「SHIFT」と書かれた3Dグラフィックスのタイポグラフィを、ファーストビューでダイナミックに配置して見せています。

シャドウの付いた質感のあるタイポグラフィは、カーソルの動きに合わせてゆらゆら動くアニメーションが取り入れられています。

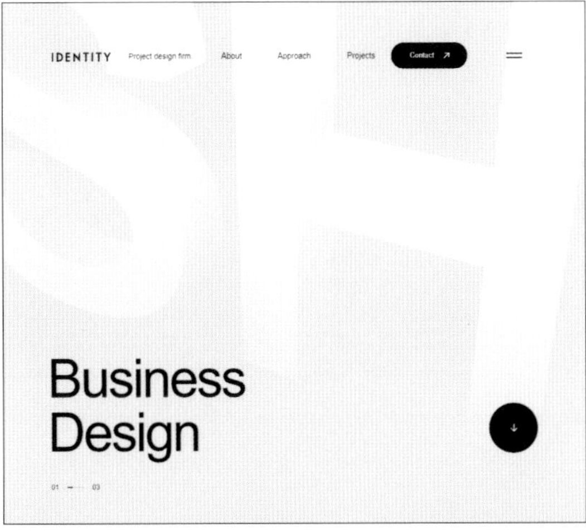

https://identity.city/

03 3Dグラフィックスのアニメーションを背景に固定して見せる

「インターンシップ情報 NExT One」のサイトは、トーラス形（ドーナッツのような形）を、半分に切った青色グラデーションの3Dグラフィックスを、背景に固定して動かしています。「One」という言葉に変化する形を固定表示で見せることで、統一されたビジュアルメッセージを伝えています。

http://www.ntt-west-recruiting.jp/1day_intern/

04 ページをまたいで3Dグラフィックスを動かす

「SFC Open Research Forum 2019」のサイトでは、ナビゲーションのリンクをクリックすると、トップページの3Dグラフィックスが、滑らかに下層ページへ移動する動きが取り入れられています。1つの3Dグラフィックスが移動することで、コンテンツ同士のつながりが可視化され、ページ遷移をスムーズに見せています。

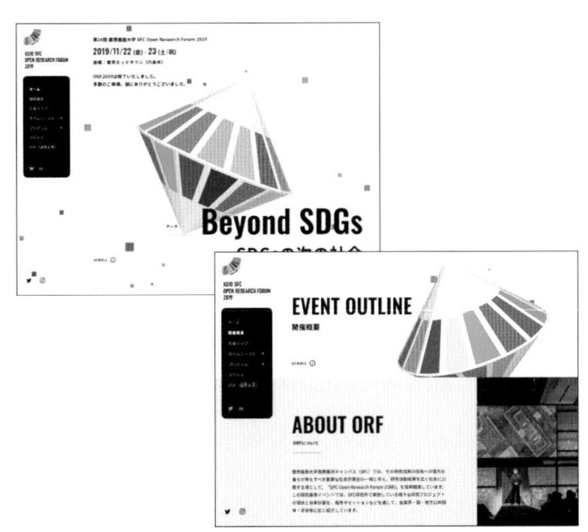

https://orf.sfc.keio.ac.jp/2019/

05 立体的な3D写真と組み合わせる

写真に奥行きを持たせて立体的に見せる3D写真と、3Dグラフィックスを組み合わせてデザインされている「RINGO アイスバー」のサイトです。

マウスの動作に連動して、商品写真が浮遊感を持って回転します。

また、3Dグラフィックスで作られた氷が、背景色の色に変化しながら上から下に落ちていく動きが付けられています。

https://ringo-applepie.com/lp/icebar/

PART6 02

グラスモーフィズム

グラスモーフィズムの特徴

Webデザインのトレンドは、年々変化しています。

日常にある物の見た目や操作性を反映させた「スキューモーフィズム」。機能性を重視し、質感や立体感を取り除いた2次元のデザイン「フラットデザイン」。フラットデザインにスキューモーフィズムの概念を少し加え、触覚を加えた操作を意識した「マテリアルデザイン」。要素を押し出したり窪ませて見せる「ニューモーフィズム」。そして、近年ではすりガラスを通して覗いたようなぼかしが特長的な「グラスモーフィズム」がトレンドになってきています。

スキューモーフィズム

ボタン

フラットデザイン

ボタン

マテリアルデザイン

ボタン

ニューモーフィズム

ボタン

グラスモーフィズム

ボタン

---

01 鮮やかなグラデーションと組み合わせて透明感を出す

グラスモーフィズムをデザインに取り入れる際は、鮮やかなグラデーションの背景と組み合わせると、すりガラス状の透明感が際立ち、魅力的に見せることができます。

❶「SIRUP - cure - Playlist Site」は、ユニコーンカラーの明るいグラデーションの上に、透過させた白い三角錐のオブジェクトを配置して、透明度を高く見せています。

❷ 中央に浮いている3Dグラフィックスは、カーソルを合わせると回転します。

❸ 細いセリフ体のタイポグラフィが左右に移動し、周囲には、色とりどりの三角のパーティクルが宙を舞っています。

https://tote.design/cure/

ローディング画面は、100%になると、3Dグラフィックスが光彩を放ち「ENTER」のアクションを促します。

背景のグラデーションの色が変化すると、透過する三角錐の色も変わり、抜け感のあるクリアなデザインを作っています。

3Dグラフィックスや三角錐をクリックすると現れるアルバム紹介は、透過させたグラデーションの背景を使っています。

02 写真にすりガラス状の質感を持たせる

すりガラス状の質感は、従来のぼかし効果と比較すると大人っぽく落ち着いた印象を持たせることができます。

「ASUR」のサイトでは、画面が読み込まれた後の、写真が現れるアニメーション効果に、グラスモーフィズムを取り入れています。

ガラス越しに見える人肌が、ナチュラルで飾りすぎない美しさを表現しています。

https://asur.online/

03 広い面積にグラスモーフィズムを適用して、背景に表情を付ける

全画面を使ったグラスモーフィズムは、シンプルながらも表情を持たせたデザインを作ることができます。

「Lēonard」のサイトは、四方を移動する円形グラデーションの上に、すりガラス状の効果を適用しています。

落ち着いた配色とあわさり、やわらかさと不思議議さを兼ね備えた印象を作っています。

https://leonard.agency/

04 グローバルナビゲーションの背景に効果を適用する

「弥生焼酎醸造所」のサイトでは、コンテンツの背景やグローバルナビゲーションの背景にグラスモーフィズムを適用しています。

不透明度の調整だけだと得ることのできない質感が、焼酎を注ぐグラスを連想させ、パララックス（視差）で動く、氷や液体などの写真と相まって、サイト全体をクリアな印象に見せています。

https://www.kokuto-shouchu.co.jp/

COLUMN

グラスモーフィズムのジェネレーター

グラスモーフィズムの表現は、CSSで、backdrop-filter: blur(3px※値); というプロパティを指定するだけで実現可能です。このプロパティは、2021年現在、主要なブラウザでサポートをされていますので、オンラインジェネレーターを活用しながら、効果を取り入れてみましょう。

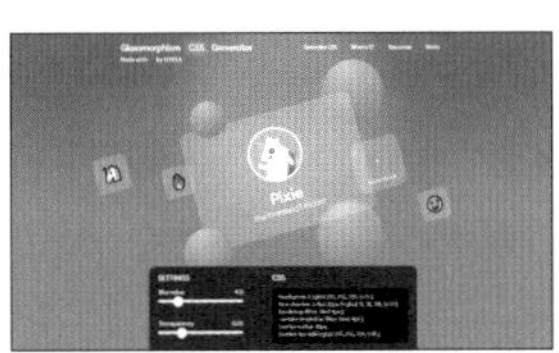

Glassmorphism CSS Generator
不透明度などをバーで調整してコードをダウンロードできるジェネレーター

https://glassmorphism.com/

Glass Morphism
不透明度だけなく、背景画像も変更して見た目を確認することができるジェネレーター

https://glassgenerator.netlify.app/

マイクロ・インタラクション

マイクロ・インタラクションの特徴

システムの処理状況を伝えたり、操作を視覚的に見せたりすることは、Webサイトを機能として考えた時にとても重要です。

マイクロ・インタラクションは、ユーザーが操作した動作に対して小さなアクションを返すことを言います。

フィードバックがあることで、自分の行ったアクションの結果をわかりやすく認識できます。「見た目」だけではなく、「使いやすさ」もデザインしていくことが今後のWebデザインにおいて益々大切になってくるでしょう。

マイクロ・インタラクションの例

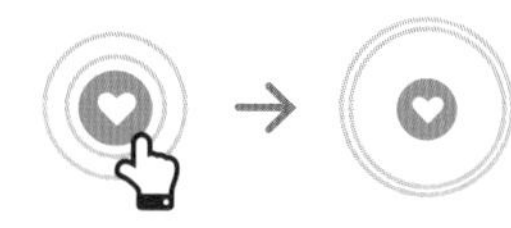

タップすると円が広がる

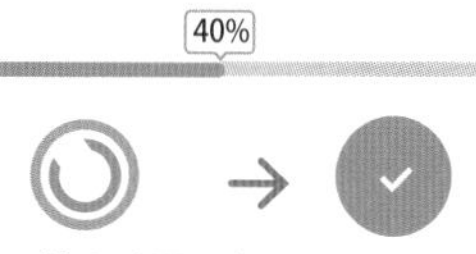

待ち時間と完了がわかる

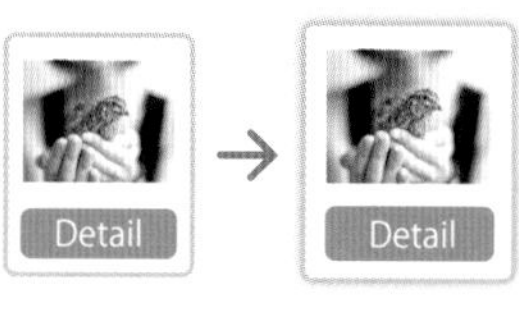

タップすると画像が大きくなる

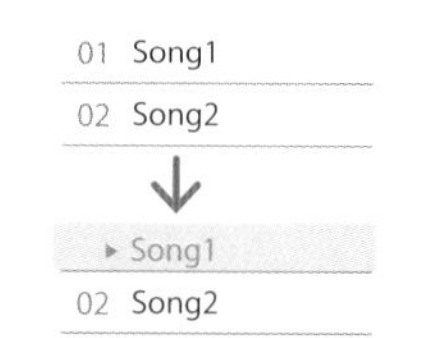

今どの曲を聞いているかわかる

01 ユーザーに次のアクションを促すアニメーション

サイトの中で、ユーザーに次の行動を促したい時にマイクロ・インタラクションは活躍します。

「株式会社アイ・クルール」のサイトは時間と共に、4色のメインカラーが変化していくサイトです。

❶ 右上に配置されたハンバーガーメニューは、3本の線が左から右に動き、ユーザーにクリックを促しています。

❷ キャッチフレーズの中に描かれた太い縦線は、上から下に動くアニメーションを付けて、スクロールを促しています。この縦線は、ページ下部のお問い合わせエリアまで追従します。

❸ ファーストビューの右下に見える「Scroll」のテキストは、ねじれるように回転する動きを付けて目立たせています。

https://i-couleur.co.jp/

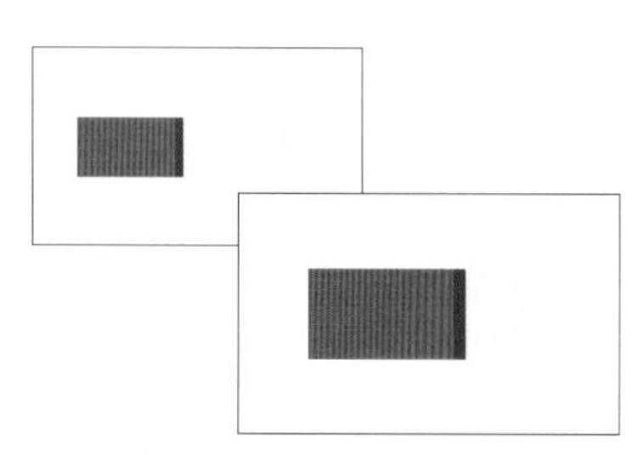

画面の読み込み状況を、色の付いたバーが伸びて、読み込まれたことをユーザーに知らせています。

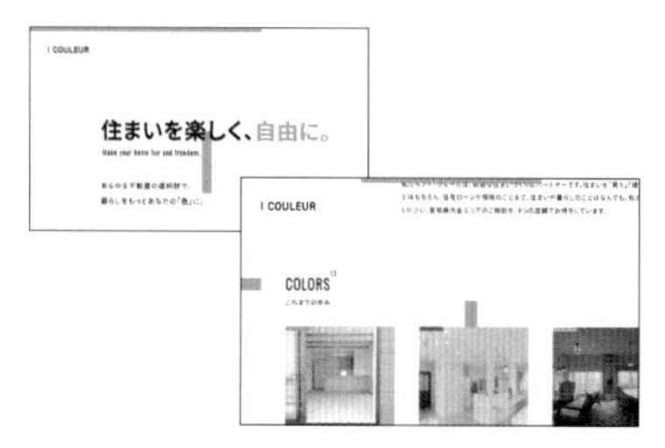

スクロールに合わせて、上部のバーが伸縮しながら画面の背後に隠れ、ページ全体の長さを明示しています。

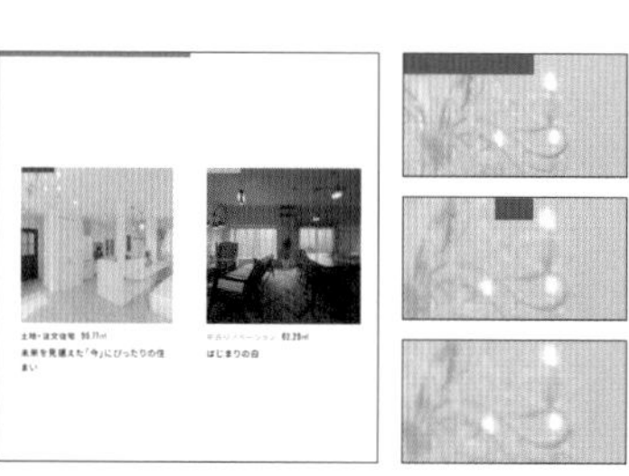

画像リンクにカーソルを合わせると、画像の左上のバーが伸縮し、画像がわずかに拡大します。

02 リンク先があることを動きで明示する

サイトの掲載要素のどこにリンクが貼られているかを、ユーザーに気付かせることは、ストレスなくサイトが使われることにつながります。

「RINN」のサイトは、ファーストビューの右下に最新記事を配置しています。

右下の画像がリンクであることを明示するため、LATESTと書かれた円状のアイコンがループして回転するアニメーションが付けられています。

https://rinn.co.jp/

03 触感を意識したアニメーションを取り入れる

ボタンはクリックやタップの操作を伴う要素です。そのため、ユーザーの行動に対するフィードバックをしっかり返す必要があります。

「すごい明日体感ドラマ」のサイトは、メニューボタンにカーソルを合わせると、線がぐるっと動いたり、背景色が中央から拡大したり、波紋がふわっと広がる動きが付けられています。

https://tm.softbank.jp/sugoi_ashita/

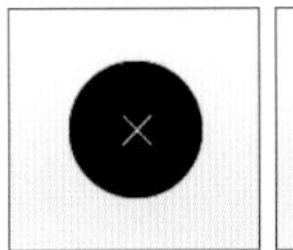

ボタンにカーソルを合わせると波紋が広がり、背景色が拡大する

04 システムの処理状況や現在地を明示する

「maxilla」のサイトは、読み込み時のローディングや、ギャラリーのページ送りにマイクロ・インタラクションを使い、Webサイト上で今何が行われているのか、ユーザーが現在どんな状態にあるのかをわかりやすく伝えています。

https://maxilla.jp/

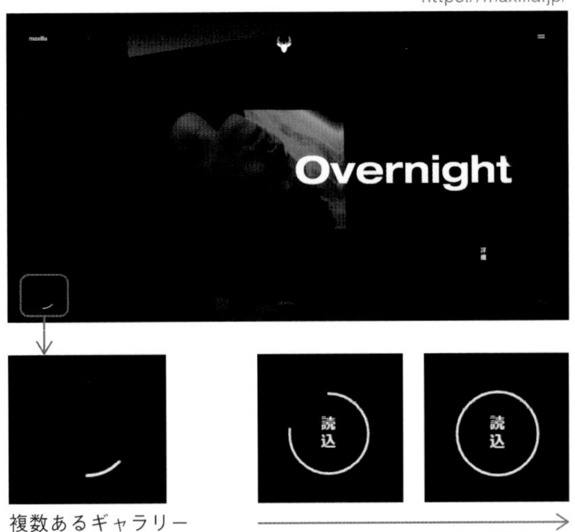

複数あるギャラリーの現在地を表示

読み込み量と共に線が動く

05 情報の前後関係や階層を可視化する

サイトを表示する際は、情報の前後関係や、階層を可視化して伝えることが重要です。「株式会社WARC」のサイトでは、右上のハンバーガーメニューをクリックすると、ナビゲーションが左から右に滑らかに移動して出現し、メインコンテンツのレイヤーの上にナビゲーションがあることを明示しています。また、画面が切り替わる時にナビゲーションのアルファベットがランダムに変化します。

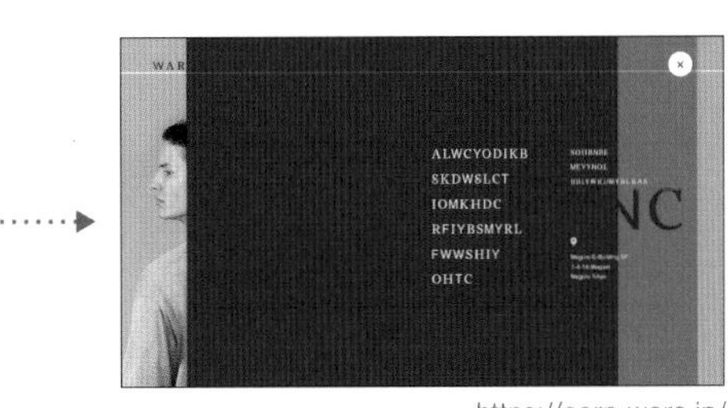

https://corp.warc.jp/

PART6

04 ブロークングリットレイアウト

ブロークングリットレイアウトの特徴

ブロークングリッドレイアウトは、写真やテキスト、背景色といった要素を、あえてグリッドから外して、要素同士を重ねたりずらしたりして見せる自由度の高いレイアウトです。

規則正しく並んでいるグリッドレイアウトと比較すると、遊び心のある先進的な印象を与えることができます。

散りばめられた要素に対して、アニメーションを付けると、浮遊感が増し、ユーザーの視線を引き付けることができるでしょう。

ブロークングリットレイアウトの例

①写真の上にテキストを配置する

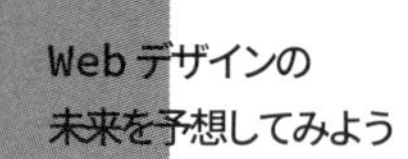

②要素同士を重ねる

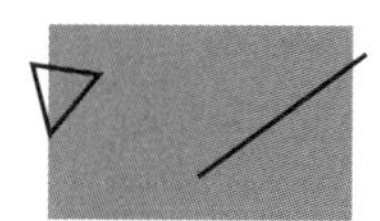

01 要素同士重ねて、アニメーションを付ける

ブロークングリッドレイアウトは、余白感を生かした革新的なレイアウトなので、アニメーションとの相性がとてもよいレイアウトです。

❶「タルタルガ・tartaruga」のサイトは、白い背景に写真とテキスト、黒いボックスを重ねておしゃれに見せています。

画面が読み込まれると、二枚の写真が上下からふわっと出現する動きが付けられています。

❷写真と写真の間を無彩色の灰色でつなぐことで一体感を出しています。

❸スクリプト体の灰色のタイポグラフィを重ねて、自由度のあるレイアウトを実現しています。

https://men.tartaruga.co.jp/

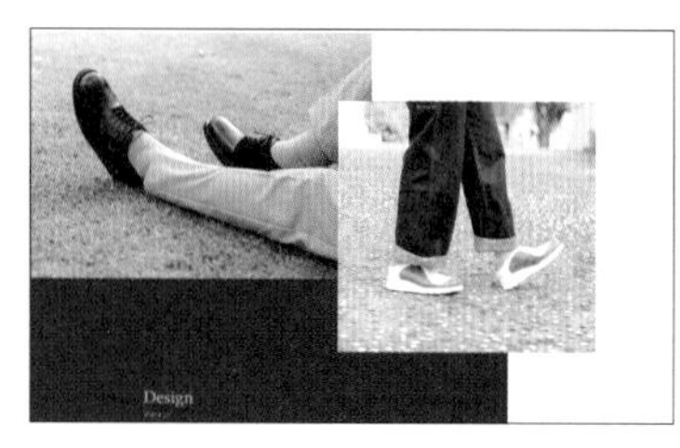

長方形と正方形の写真と、無彩色の灰色のボックスを重ねて組み合わせて見せています。

商品紹介は一定の規則性を持たせて縦並びで整然と配置し、背景色の灰色のボックスをずらしています。

写真の上に白い四角の背景を重ね、その中に余白感をしっかり取ってテキストを配置しています。

02 写真の上にテキストを被せる

「THREEUP」のサイトは、セクション毎の上下の余白をたっぷり取って見せているすっきりとしたサイトです。

写真の左下には、商品名を被せて配置しています。見出しとセットで書かれた数字と「VIEW MORE」というテキストリンクは、フォントサイズを下げ、薄い灰色を指定して見た目にメリハリを付けています。

左上の「PICK UP」の文字は縦書きにして、レイアウトに変化を付けています。

https://three-up.co.jp/

03 異なる背景色を組み合わせる

異なる背景色を組み合わせて重ねると、色に変化が出てレイアウトの単調さから抜け出すことができます。

「くぼ歯科クリニック」のサイトでは、白色とベージュをずらして重ねています。

左エリアのテキストの背景には、太字で書かれたベージュのタイポグラフィを薄く敷いています。

写真の周りには、上部と下部の色を変化させたボックスを配置し、写真の色を区分けしています。

https://kubodnt.com/

04 要素を斜めにずらして配置する

要素を斜めにずらして配置すると上下の余白に変化が生まれます。

「クリニックフォア - RECRUIT 2020」のサイトは、スタッフメッセージを紹介するエリアで、右上から左下に向けて要素をずらして配置し、遊び心のあるレイアウトを実現しています。また、右上の写真には、透過した赤い写真を背景に敷き見出しを重ねて見せています。

https://recruit.clinicfor.life/

05 写真を不揃いに重ねて見せる

「うみのホテル」のサイトでは、ファーストビューにホテルの内装や、周辺の写真を不揃いに組み合わせて、コラージュのように見せています。

また、中央のスライドショーの右上に、水色の影を入れたり、大きなタイポグラフィやReservation（予約）ボタンを被せたりすることで、レイアウトに自由度を持たせています。

https://www.umino-hotel.com/

PART6

05 パララックス

パララックスの特徴

パララックスは視差効果のことです。スクロールに合わせてサイト内の要素が動いたり、出現したりして、ユーザーに興味を持たせながらコンテンツを見せていくことができる手法のことを指します。

パララックスのアニメーションは、サイトの内容にストーリー性を持たせやすく、プレゼン資料のように言葉や写真を1つひとつ印象付けることに適しています。

近年のパララックスはCSS3の「animation」や「transition」、「transform」とjavaScriptを組み合わせている形がよく見られます。

パララックスの考え方

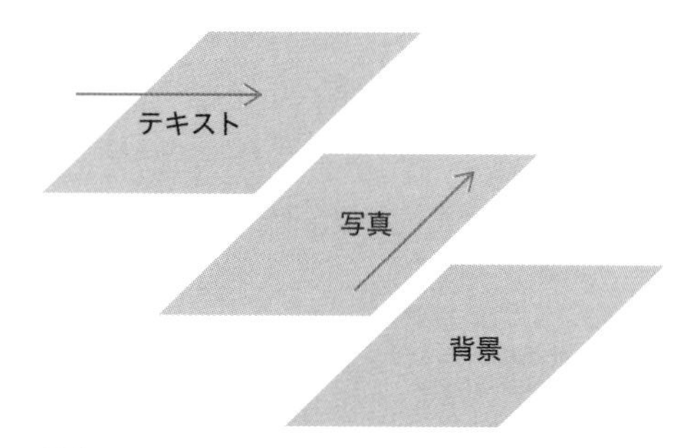

重なっているパーツの層がスクロールに合わせて時間差で動いたり、現れたりする。

01 下まで読み進めたくなる導線を作る

パララックスを使うと、スクロールに連動した要素の動きで、ユーザーがサイトの内容を下まで読み進めたくなるような心理状態を作ることができます。

❶「下北山村の暮らしと関わりを届ける きなりと」のサイトでは、右上のイラスト、右下のロゴと写真、左上の動画の順番に、ゆっくりと要素が現れ、ファーストビューで村の風景を魅力的に伝えています。

❷その下に続く、下北山村の説明エリアでは、左側の地図、右側の文章の順番に、下から上へ要素が現れる動きが付けられています。

フェードインやフェードアップのアニメーションを組み合わせて、コンテンツ量の多いサイトをふんわりとした優しい印象で見せています。

https://kinarito.net/

スクロールに合わせた上下の動きが多い中、右から左に流れるスライドショーを間に設置し、動きに変化を付けています。

3カラムの両端のカラムが固定され、中央のカラムだけがスクロールをする動きが付けられています。

写真右上に配置したタイトルの主題と副題の文字を、時間差で上から下に出現させています。

02 ズームアウトの動きを入れて写真に注目させる

パララックスの動きは、CSSのアニメーションを使うことで、注目させたい言葉や写真を効果的に見せることができます。「CITIZEN L」のサイトは、スクロールをしていくと下から上に徐々に写真が現れます。1つの製品に対し、動画と写真を並べて見せることで、動きを持たせた魅力的なビジュアル構成になっています。

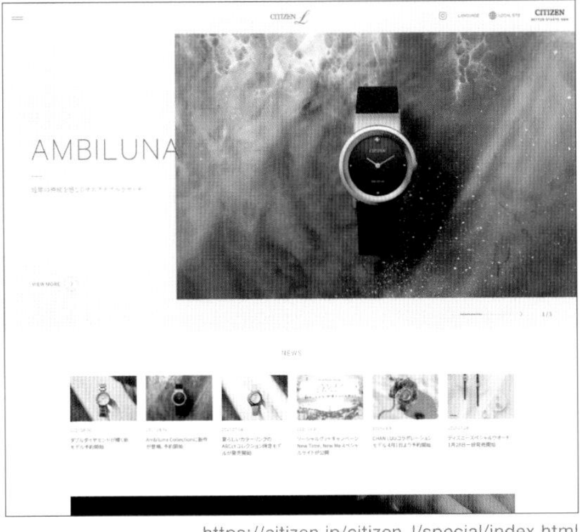

https://citizen.jp/citizen_l/special/index.html

03 紙芝居のように紙をめくるようなアニメーションで、次の掲載内容を見せる

「メゾンカカオ」のサイトは、商品の紹介を紙芝居のようなアニメーションで見せています。

ページの途中で画面が固定され、重なった製品写真がスクロールに合わせて左上や右上に移動します。

背景色と中央の製品名を同時に変化させながら、次の製品を楽しく紹介しています。

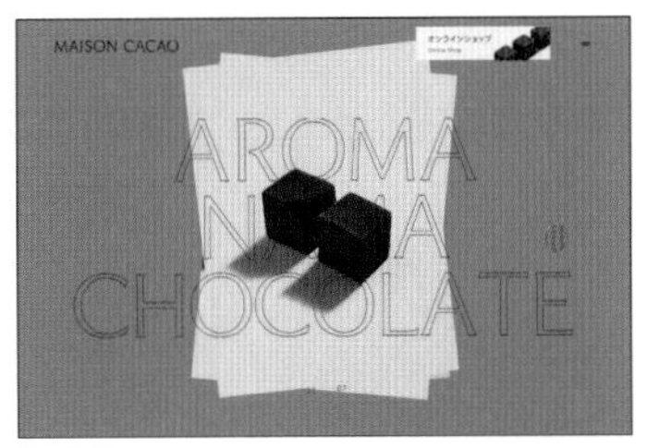

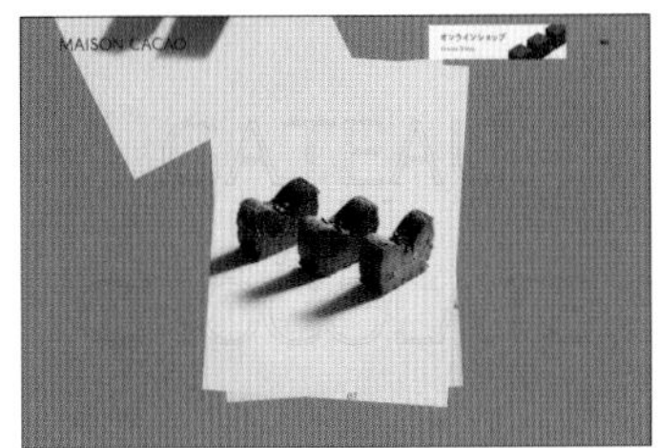

https://maisoncacao.com/

04 動きでサイトにストーリー性を持たす

パララックスは、ストーリー性を持たせて掲載内容を伝えたいときに活躍します。「POLA 2029 VISION」のサイトは、社員に向けた中期計画のビジョンを伝えるサイトです。英語で書かれたマニフェストの文章と、スクロールに合わせて様々な形に変化するイラストが、無限ループで展開しています。

https://www.pola.co.jp/wecaremore/

COLUMN

パララックスが実装できるプラグイン例

以下のサイトからパララックスが実装できるプラグイン例が参照できます。必要に応じて見本や設定を確認してください。

なお、JavaScriptの使い方についてはここでは解説していないので、別途、学習用の書籍やサイトを参照してください。

- **Rellax.js :** https://dixonandmoe.com/rellax/
- **Parallax.js :** http://pixelcog.github.io/parallax.js/
- **simpleParallax.js :** https://simpleparallax.com/
- **ScrollMagic :** https://scrollmagic.io/
- **skrollr :** https://prinzhorn.github.io/skrollr/

また、スクロール位置を測定するJavaScriptとアニメーション効果を付けるCSS3を組み合わせると比較的簡単に要素を動かすことができます。

（例）
Animate.css **https://animate.style/**
×
jquery.inview **https://github.com/protonet/jquery.inview**

PART6

06 鮮やかなグラデーション

鮮やかなグラデーションの特徴

グラデーションは、昔から使用されてきたデザインの手法ですが、近年、再度注目を集めています。

背景全体にグラデーションをかけてプログラムで動かしたり、動画や写真、テキストの上に重ねて見せると、デザインに奥行きが出て、スタイリッシュで洗練された印象になります。

グラデーションを生成するオンライン上のジェネレーターも多数あるので、活用しながら、鮮やかなグラデーションをサイトに取り入れてみましょう。

グラデーションのジェネレーター例

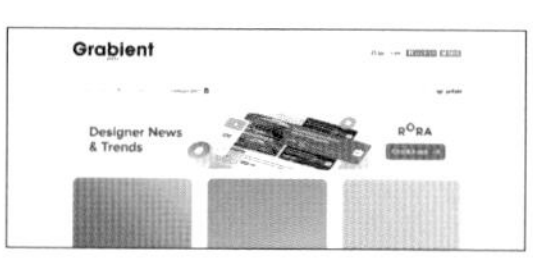

●Grabient
https://www.grabient.com/

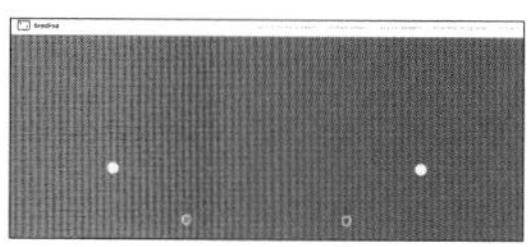

●GradPad
http://ourownthing.co.uk/gradpad.html

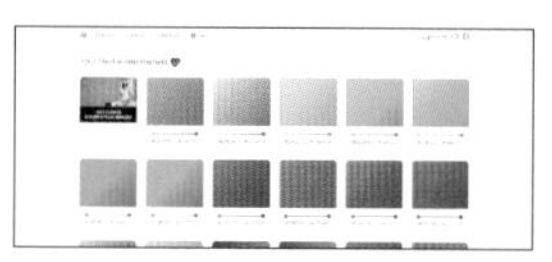

●CSS GEARS - Gradients Cards
https://gradients.cssgears.com/

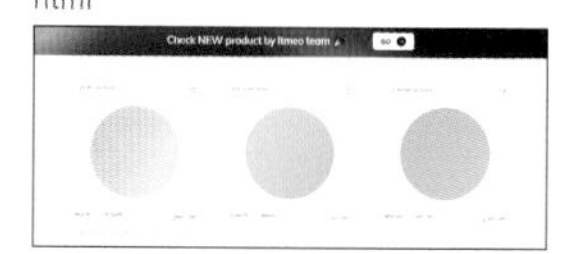

●WebGradients
https://webgradients.com/

01 写真の上にグラデーションを重ねて新しい印象を作る

写真の上にグラデーションを重ねるとイメージを際立てて、新しい雰囲気を与えることができます。

「mint」のサイトは、ミントグリーンを基調としたさわやかな印象のサイトです。

❶スライドショーで変化するファーストビューの写真の左上には、ロゴの白色を際立たせるために、背景に柔らかいグラデーションを敷いています。

❷横幅いっぱいに広がった写真の上には下から上に透過したグラデーションを敷いて、細いセリフ体のキャッチコピーをすっきりと見せています。

独立系ベンチャーキャピタルという業種の雰囲気に合った、先進的な雰囲気のサイトです。

https://mint-vc.com/

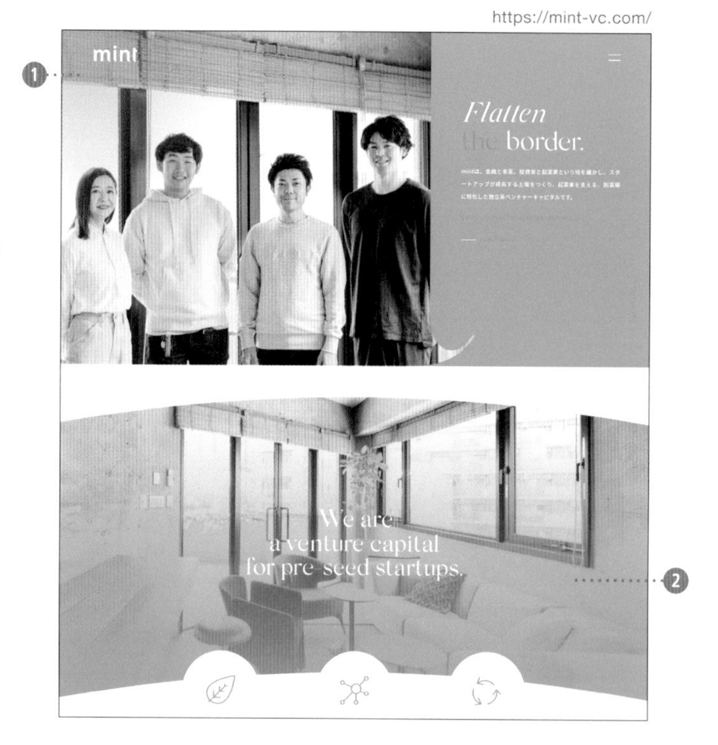

背景画像の上に置かれた下層ページへのリンクマークを、グラデーションを付けて目立たせています。

見出しの装飾に円形のグラデーションを使い、光が拡散していくようなイメージを表現しています。

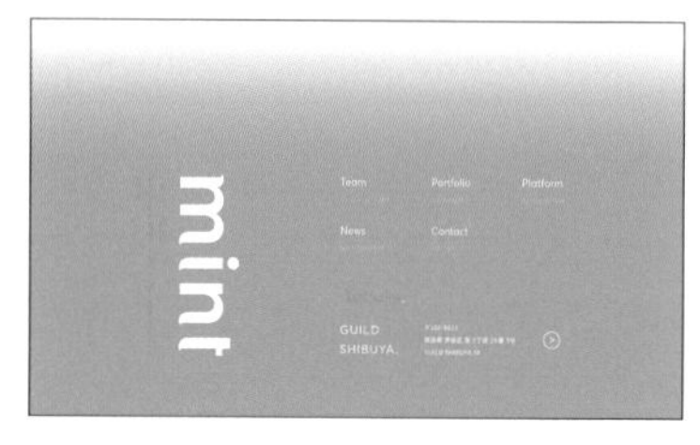

フッターは上から下に濃くなるグラデーションを背景色に指定し、文字を白色にして可読性を高めています。

02 3Dグラフィックスと組み合わせてクールな印象を作る

「31VENTURES」のサイトは、青系のグラデーションとモノトーンの白・黒色を組み合わせたクールな印象のサイトです。グラデーションは、背景・イラスト・テキスト・ボタンといった様々な要素に適用しています。

ファーストビューには、回転する地球儀のような3Dグラフィックスを取り入れて、先進的な印象を与えています。

https://www.31ventures.jp/

03 光彩と組み合わせてエレガントな印象を作る

グラデーションと光彩を組み合わせるとエレガントでやさしい印象になります。

「株式会社CRAZY」のサイトは、暖色と寒色の明るいグラデーションの上に白い大きな光彩が舞っています。

フッターの近くまでスクロールをすると、光彩がゆっくり浮き上がり、白と青色で構成されたグラデーションに変化します。

https://www.crazy.co.jp/

04 大きなタイポグラフィと組み合わせてビジュアルインパクトを出す

鮮やかなグラデーションと大きなタイポグラフィの組み合わせは強いインパクトを与えることができます。

「LE PETIT SALON」のサイトは、ファーストビューに大きな黒色のタイトルと、青と紫の円形グラデーションを左下に配置してシンプルで力強い印象を作っています。

スクロールをすると背景が白から黒に変化し、ライブハウスのネオンの雰囲気を演出しています。

https://www.lpslyon.fr/

05 時間に合わせてグラデーションの色を変化させる

グラデーションはフラットな空間に色で奥行きを与えることができます。

「TSM東京スクールオブミュージック＆ダンス専門学校4年制特設サイト」では、写真のシャドウやテキストに青紫のグラデーションを使っています。

一部のグラデーションは、時間と共に色が変化するアニメーションが付けられています。

https://www.tsm.ac.jp/course/super-entertainment/

PART6

07 手書き風のタイポグラフィ

手書き風のタイポグラフィの特徴

手書き風のタイポグラフィは、ペンや鉛筆で書いたような味のあるタッチのテキストのことを指します。

筆跡で力強さや可憐さ、親しみやすさといった印象を作ることができるので、人の温かみを感じさせるデザインにすることができます。

ターゲットユーザーや、サイトの与えたい印象に合ったタイポグラフィを選んで、ファーストビューのキャッチフレーズ、見出しの文字に取り入れてみましょう。

手書き風のタイポグラフィ例

Learn Design　LearnDesign

デザインをまなぶ　デザインを学ぶ

LearnDesign　Learn Design

LEARN Design

01 英語の手書き風タイポグラフィをキャッチアイテムとして使う

サイトを華やかに見せる時に、手書き風のタイポグラフィは活躍します。

❶「Glossom株式会社」のサイトでは、高級感のある英語のスクリプト体を、写真と重ねて、大きく印象的に見せています。

❷手書き風のタイポグラフィの下には、太めのゴシック体で日本語の見出しと、説明文が続いています。

このように、タイポグラフィを装飾として使用する際は、個性の強いフォント同士を重ねて使用するのではなく、装飾的なフォントと読みやすい説明的なフォントを、はっきりと分けてメリハリを付けて見せると効果的です。

https://www.glossom.co.jp/

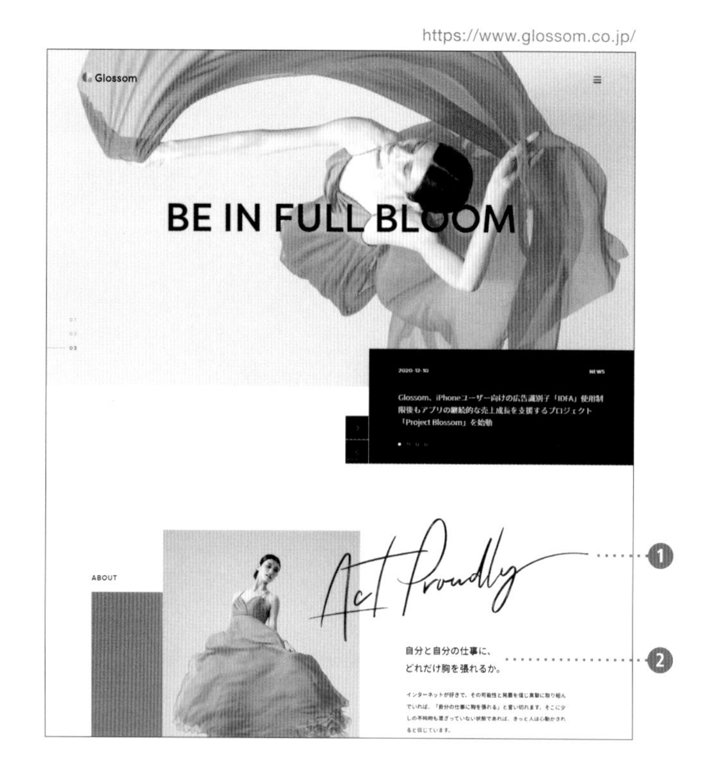

写真とコンテンツの中央に被せて手書き風タイポグラフィを配置し、背景色に合わせて可読性の高い色に変更しています。

スクロールをすると、左から右にテキストが流れる動きを取り入れて、スタイリッシュに見せています。

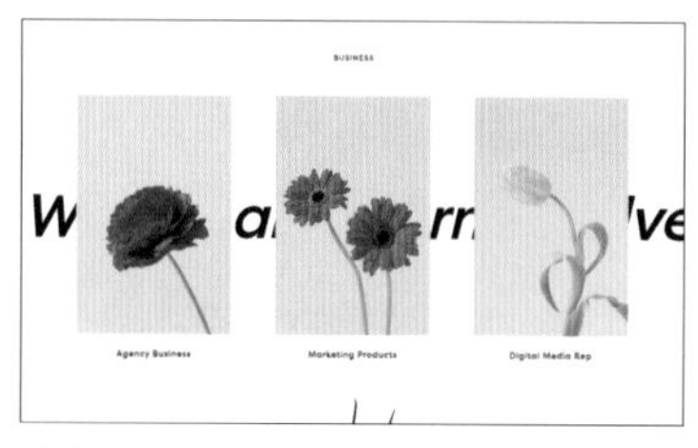

手書き風のタイポグラフィの他に、はっきりとしたサンセリフ体のタイポグラフィを動かして装飾をしています。

02 日本語の手書き風フォントを使い、親しみを出す

日本人に向けたサイトには、日本語の手書き風フォントを使うと、親しみや共感を生み出すことができます。

特に、採用サイトや学校サイトといった「人」を感じさせるカテゴリーには効果的です。

「能登高留学」のサイトでは、明るい写真の上に、日本語の手書き風フォントを重ねて「君だけの花を咲かせる場所」というキャッチフレーズをやわらかく見せています。

https://notoko-ryugaku.com/

03 異なるタイポグラフィを組み合わせて印象付ける

「シャイン株式会社」は、時間と共に拡大する写真と、右斜め上方向に書かれたキャッチフレーズが組み合わさり、前向きさと力強さを感じるサイトです。

縦長のゴシック体で書かれたキャッチコピーの文字の後ろには、「Next step」と書かれた手書き風の筆記体の英語の文字を大きく白色で配置し、言葉を印象付けています。

https://shine-gr.co.jp/

04 かすれた手書き文字を大きく斜めに配置して、力強さを出す

ランニングチーム「enjin'」のサイトは、ファーストビューに背景動画を使用しています。

サイトにアクセスすると、白色のかすれたタイポグラフィが左下から右上に1文字ずつ書かれる動きが付けられています。

また、文字に角度を付けて見せることで、ランニングのスピード感や力強さを表現しています。

https://enjin-dash.com/

05 装飾の強いタイポグラフィを背景に配置する

装飾の強い手書き風のタイポグラフィは、背景に配置して、見出しなどの要素を上に重ねて見せると、魅力的に見せることができます。

「ESTYLE,Inc.」のサイトは、「WHO WE ARE」という同じ言葉を、可読性の高いサンセリフ体のフォントと、明度の高い色を使った手書き風のフォントを重ねて表現しています。

https://estyle-inc.jp/

PART6

08 流体シェイプ

流体シェイプの特徴

流体シェイプは、液体が波打つ際に生まれる、ゆるやかな曲線の形のことを指します。

フラットデザインでよく使われていた直線的な線や形は無機質な印象を与えますが、流体シェイプの形をデザインに取り入れることで、優しい印象にすることができます。

背景に大きく形を配置したり、セクションや写真の区切りに流体シェイプを利用したりして、余白に遊び心を持たせ、やわらかい雰囲気を作ってみましょう。

流体シェイプのジェネレーター例

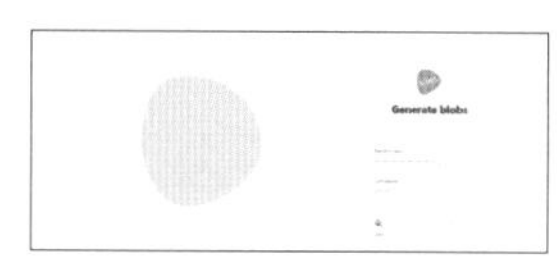

●Blobs
https://blobs.app/

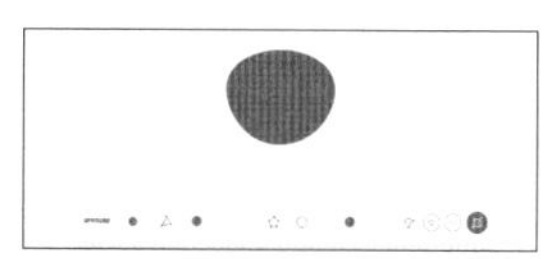

●Blobmaker
https://www.blobmaker.app/

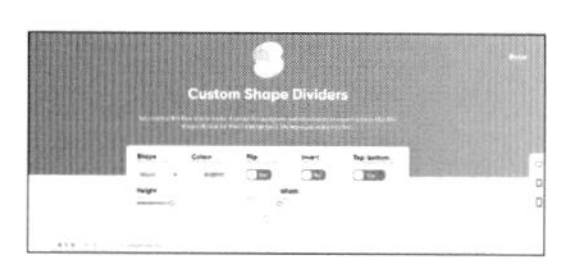

●Shape Divider App
https://www.shapedivider.app/

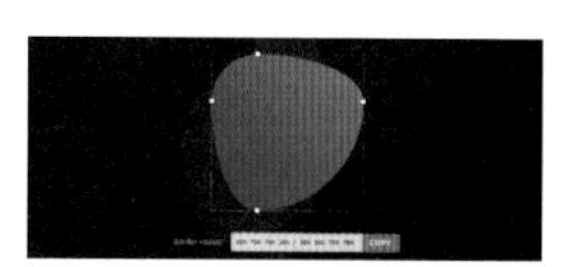

●Fancy Border Radius Generator
https://9elements.github.io/fancy-border-radius/

---

01 流体シェイプの形で、やわらかな境界をつける

流体シェイプの形は曲線で描かれているので、優しい印象を与えることができます。

「株式会社Roots」のサイトは、イラストで構成されています。白色、ベージュ、緑色の配色と相まってほっこりした印象になっています。

❶ ファーストビューは、ロゴとお問い合わせボタンを内包するヘッダーと、チームメンバー5名のイラストの境界を、なだらかな曲線で区切っています。

❷ 背景には、線やドットで描かれた幾何学模様が下から上に移動する動きが付けられています。

❸ イラストの背景にSVG形式で書き出された流体シェイプを配置し、CSSを使ってズームインアウトを繰り返しています。

https://rts.tokyo/

メンバー紹介のイラストの後ろに、ベージュの流体シェイプを敷いて統一感を出しています。

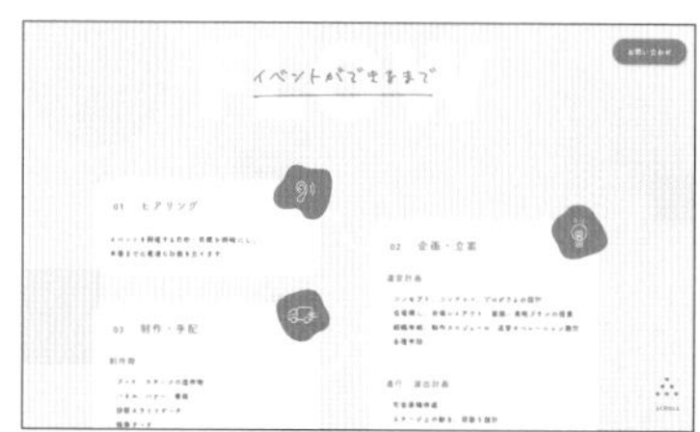

角丸四角のコラムの右上に配置された線画のアイコンの背景に、形が様々な流体シェイプを使っています。

コンテンツの区切りをやわらかい波線で区切り、上下の背景色を切り替えています。

02 背景に大きく配置する

流体シェイプを背景に大きく配置すると、自由度が高く遊び心のあるレイアウトを実現することができます。

「ニサンカイ」のサイトは、流体シェイプと幾何学模様を組み合わせ、スクロールをすると、色とりどりの形が変化していくサイトです。

右上のナビゲーションと背景に、大きく流体シェイプを取り入れています。

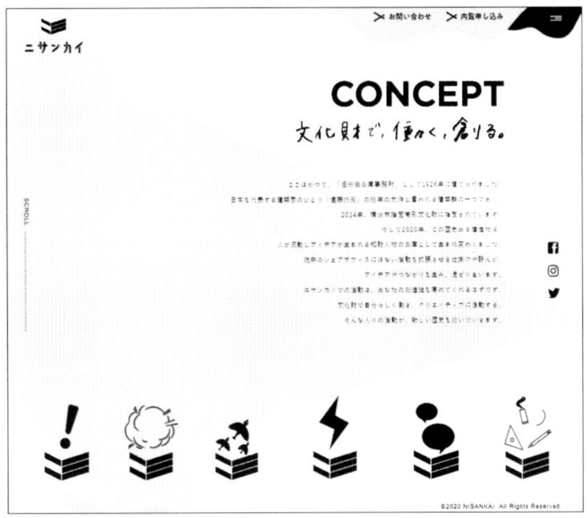

http://nisankai.yokohama/

03 グラデーションと組み合わせる

グラデーションと流体シェイプの形はとても相性がよく、奥行きや陰影を付けることで、洗練された印象を作ることができます。

グラフィックデザイナーの「lara grinspum」のサイトは、中央に大きなタイポグラフィと、ふわふわ浮かぶグラデーションの流体シェイプが配置されています。

流体シェイプにカーソルを合わせると写真に変化し、下層ページに飛ぶリンクになります。

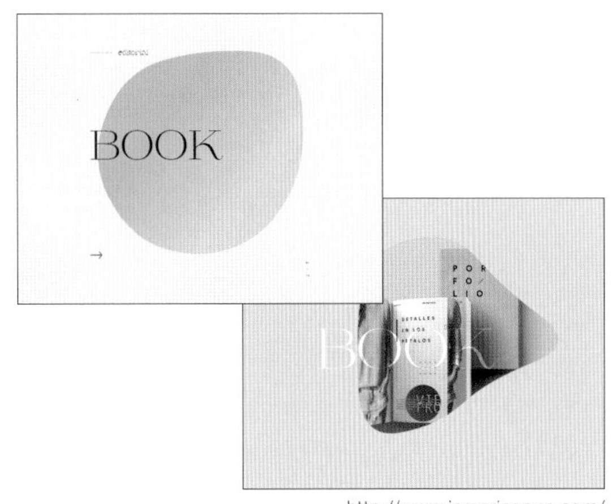

http://www.iaragrinspun.com/

04 流体シェイプ同士を重ねて使う

「善称寺」のサイトは、手描きのイラストと、流体シェイプを使って、お寺に親しみを持ちやすい印象を持たせるようにデザインされています。

住職のごあいさつのセクションでは、見出しの背景に透過したオレンジの流体シェイプを配置し、写真とプロフィールのテキストは流体シェイプ同士を重ねてやわらかく表現しています。

https://zensho-ji.com/

05 写真を流体シェイプの形でマスクする

水に関連するサイトを印象付けたい場合に、流体シェイプは活躍します。

「NUANCE LAB.」のサイトでは、写真を流体シェイプの形でマスクし、液体の形を表現しています。

ページ全体の左上と左下には、すりガラスのように透過する効果を持たせた流体シェイプが配置され、写真や動画と重なることで浮遊感のある、不思議な見た目の効果をもたらしています。

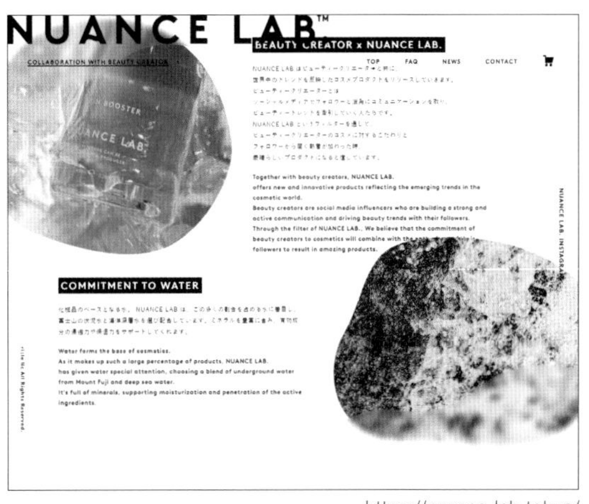

https://nuance-lab.tokyo/

PART6

09 アイソメトリックイラスト

アイソメトリックイラストの特徴

アイソメトリックとは、アイソメトリック・プロジェクション（Isometric Projection）の略で、「等角投影法」と言われる製図法の1つです。

この手法を用いたイラストは、対象物を斜め上から見下ろしたような視点となり、アイソメトリックイラストと呼ばれています。

イラストを動かすことで、遊び心のある印象を与えることができます。

建物や人など、複数のつながりや関わりを表現したいときに取り入れてみるとよいでしょう。

アイソメトリックイラストの作り方

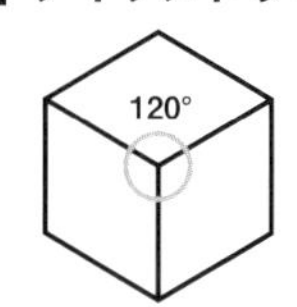

縦・横・高さの軸が常に120度で交わるように制作する

アイソメトリックイラストの素材サイト

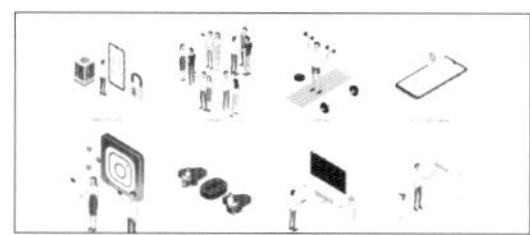

Isometric
https://isometric.online/

IsoFlat
https://isoflat.com/

---

01 ファーストビューで、複数のつながりや関わりを表現する

アイソメトリックイラストは、建物や人など、複数のつながりや関わりを表現したいときに取り入れると効果的です。

❶「辻・本郷 税理士法人 採用情報」のサイトは、ファーストビューの右側に大きくアイソメトリックイラストを配置して、税理士法人に所属している人たちが、幅広い分野のプロフェッショナルであることや、人とのつながりを表現しています。

❷右上のボタンの中にあるアイコンは、影を付けて立体感を持たせたプレゼント箱のイラストを使用しています。

❸キャッチフレーズは、イラストと親和性の高い、手書き風のフォントを使って表現しています。

https://www.ht-tax.or.jp/recruit/

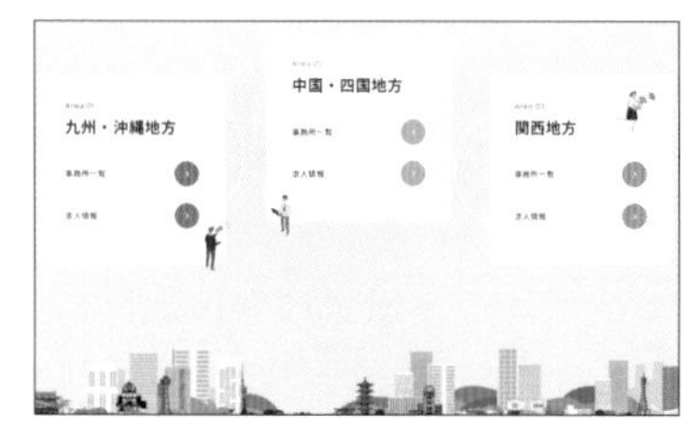

スクロールしていくと左に流れるオフィス紹介エリアが現れ、ここでも左下や右上にアイソメトリックイラストを配置しています。

「働き方を知る」エリアでは、右上から左下に下がる構図でアイソメトリックイラストとリンクテキストを表示しています。

ボタンのアイコンはフラットなイラストを使い、装飾として、左下にアイソメトリックイラストを使用しています。

02 説明アイコンとしてアイソメトリックイラストを使う

アイソメトリックイラストは、立体的に物事を伝えることができるので、説明アイコンとしても活躍します。

「Auto-ID フロンティア株式会社」のサイトでは、数字とアイソメトリックイラストの土台の色を合わせ、5種類のサービスを紹介しています。

イラストの一部が移動したり切り替わったりするアニメーションも付けられて、わかりやすく説明しています。

https://www.id-frontier.jp/

03 セクションの区切りにイラストを被せて直線をやわらげる

「つながる科学研究所」のサイトは、ふわふわと浮かぶ影を付けた立体的なアイソメトリックイラストを使用しています。

セクションの背景色が切り替わる場所に、イラストを少し被せて見せることで、直線をやわらげ、自由度のあるレイアウトを実現しています。

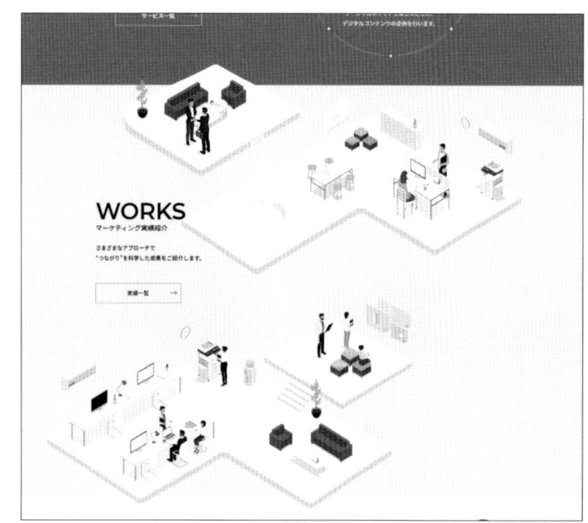

https://tsunaken.co.jp/

04 ドット柄と明度の高い色を組み合わせてポップな印象を作る

「株式会社DRIVE LINE」のサイトは、明度の高い色を使って描かれたアイソメトリックイラストと、ドット柄の背景を組み合わせた、ポップな印象のサイトです。

白を基調に、メインカラーを明るい青色で構成しているので、イラストの線の色も青色にして、軽さを出しています。イラストのパーツはGIFアニメーションを使って細かく動かしています。

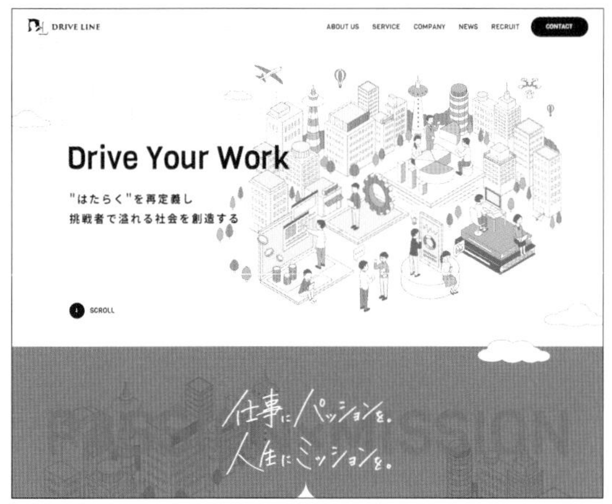

https://driveline.jp/

05 流体シェイプと組み合わせる

流体シェイプとアイソメトリックイラストを組み合わせると奥行きのあるデザインを作ることができます。

「株式会社 ジリオン浜松」のサイトは、立体的な紺色の流体シェイプと、はっきりとした黒線で描かれたアイソメトリックイラストを交互に配置しています。

イラストを重ねた白い流体シェイプは、影を付けることで、凹凸感のあるメリハリを付けたデザインになっています。

https://www.zillion.co.jp/

PART6

10 レトロモダン

レトロモダンの特徴

ファッションやインテリア、音楽、デザインといったトレンドには周期があり、近年では80年代～90年代のスタイルがリバイバルしています。

Webデザインも例外ではなく、一昔前の配色や装飾を取り入れたレトロなデザインと、現代のデザインを組み合わせた「レトロモダン」なデザインをよく見かけるようになりました。

個性が強いデザインなので、一歩間違うと古いデザインに見えてしまいますが、うまく取り入れると「懐かしいけど先進的」な印象を与えることができるでしょう。

レトロモダンの例

ARCADE CLASSIC　Guanine　Neon 80s
SneakersScript　OPTIBALOON
スーラ ProN DB　ニクキュウ
A-OTF 新丸ゴ Pro　ポプらむ☆キュート

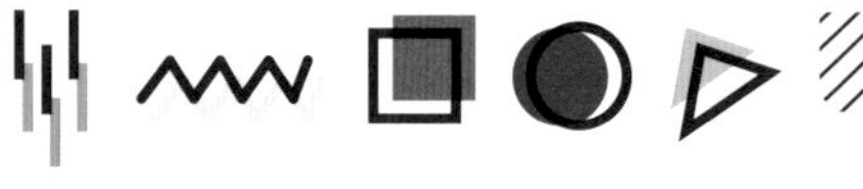

01 線や幾何学模様を使う

80年代を代表するデザインは、デザイナー集団メンフィス(Memphis)が生み出した「メンフィスデザイン」と呼ばれる、鮮やかな色や特徴的な幾何学模様を取り入れたデザインです。

❶ VOGUEの「80s Fever」のサイトでは、ファーストビューの周りに、カラフルな線や四角形といった幾何学模様が配置されています。

❷ 写真の加工をくすんだ色使いにすることで、フィルムで現像されたような質感を表現しています。

❸ 装飾は、シンプルな線を使って、昔のPC画面を彷彿とさせるようなモチーフで描いています。

また、使用されている文字はドットで表現され、あえてアンチエイリアスを外して見せています。

https://www.vogue.es/micros/tendencias-moda-anos-80/

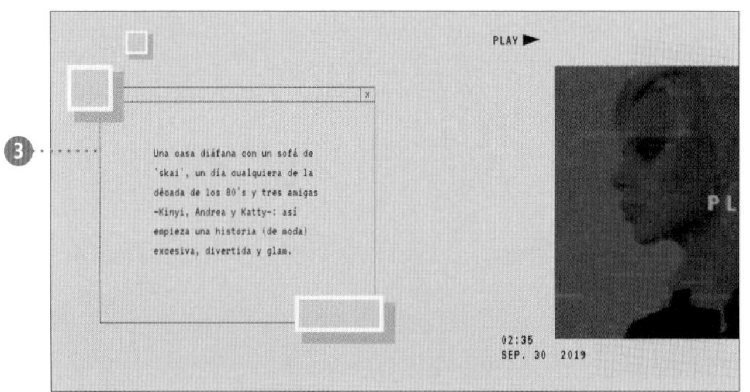

波線と、ドット絵の「YES」と書かれたアイコンを、写真と組み合わせて見せています。

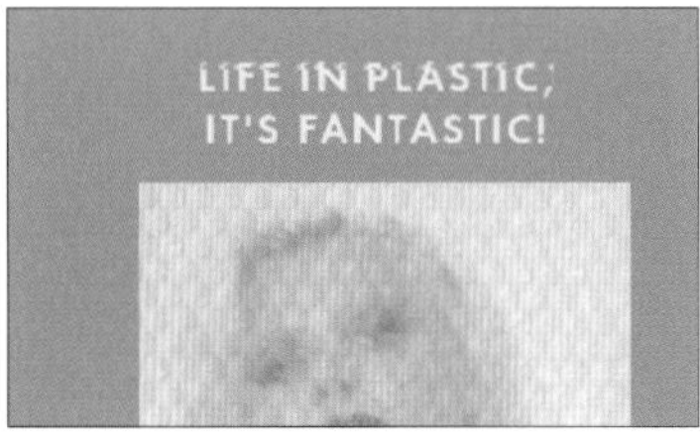

昔のテレビ映像の一部が乱れているような、ブロックノイズを黄色いテキストにかけています。

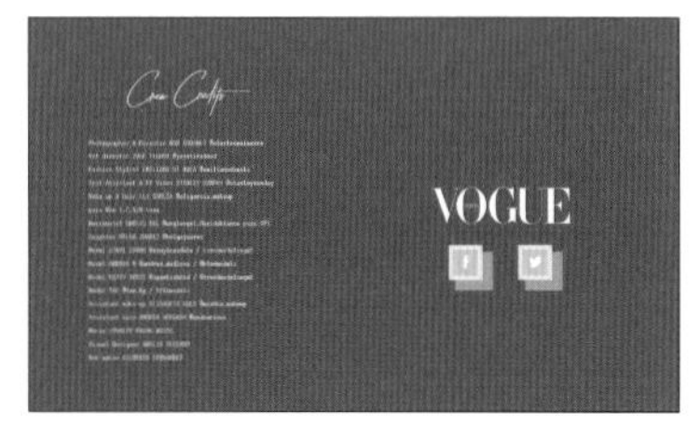

エンドクレジットのテキストは、明るい黄色、グリーン、ピンクのパステルカラーで書かれています。

02 パステルの配色とビビッドなグラデーションを組み合わせる

ファンシーなイメージを与えるパステル調の配色と、未来を感じさせるビビッドなグラデーションは、80年代を彷彿とさせる色です。

「Future Mates」のサイトは、パステル調のピンクを背景に指定し、緑と黄色のグラデーションで影を付けた立体ロゴを、ファーストビューに大きく配置しています。

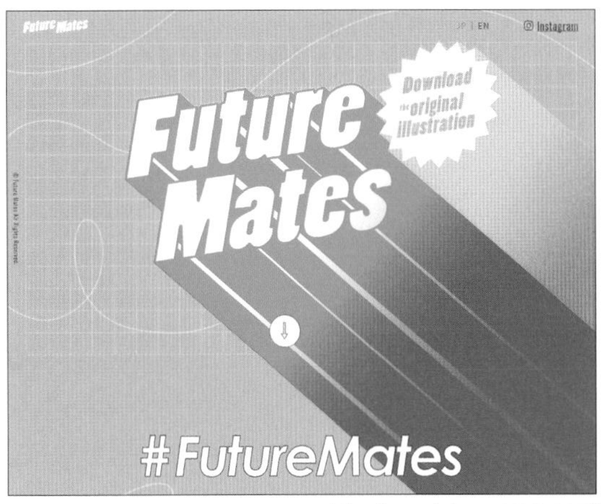

http://www.future-mates.com/

03 ドット絵、ピクセルアートを取り入れる

ピクセルの集まりで構成された絵は「ドット絵」、もしくは「ピクセルアート」と呼ばれ、1980年代にかけてパソコンやゲーム機などで、限られた解像度・色数でグラフィックを表現する手法として用いられていました。

「Droptokyo」のサイトでは、ファッションのスナップ写真の右上に、右から左に流れる白いニュースのテキストと、上下に動くドット絵のハンズアイコンを入れてレトロ感を出しています。

https://droptokyo.com/

04 懐かしいテイストのイラストを使う

80～90年代がテーマの、懐かしいテイストのイラストを使うと、ノスタルジックでレトロかわいい印象を作ることができます。

「ニュー北九州シティ」のサイトは、ファーストビューにパステルカラーで彩られたイラストを大きく使って「古くて新しい。未来につながる」というブランディングを形にしています。

https://new-kitakyushu-city.com/

05 シンプルなフォントを適用する

Webフォントサービスがない時代は、PCにインストールされているフォントを呼び出して、テキストを表示していました。そのため、アンチエイリアスを失くしたフォントや、装飾性のないフォントを使うと、懐かしいサイトのイメージを表現できます。「Central67」のサイトは、かつてのインターフェイスを彷彿とさせるデザインで、フォントもシンプルなものが使われています。

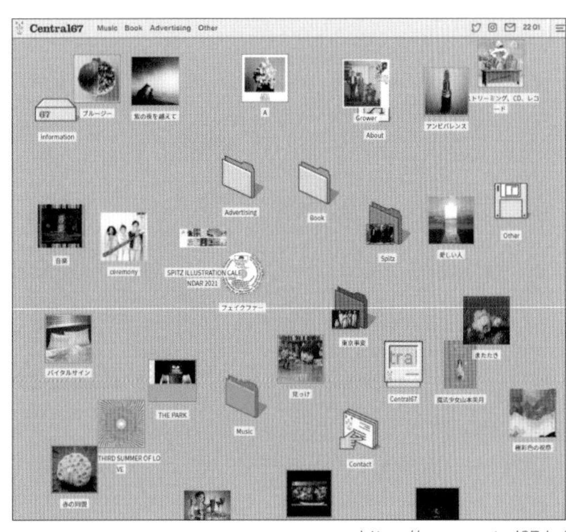

https://www.central67.jp/

PART6
11 レスポンシブWebデザイン

▶ レスポンシブWebデザインの特徴

レスポンシブWebデザインは、Webサイトを表示するデバイスのウィンドウサイズに合わせて、読み込むCSSを切り替えてレイアウトを変化させる手法のことを言います。

1つのHTMLで複数のデバイスに対応でき、情報の最適化が可能なので、ランディングページをはじめとする多くのサイトに取り入れられています。

情報設計や技術仕様は、モバイルファーストの考え方になっており、スマートフォンの操作性や見え方を考慮しながら設計されています。

レスポンシブWebデザインの画面変化例

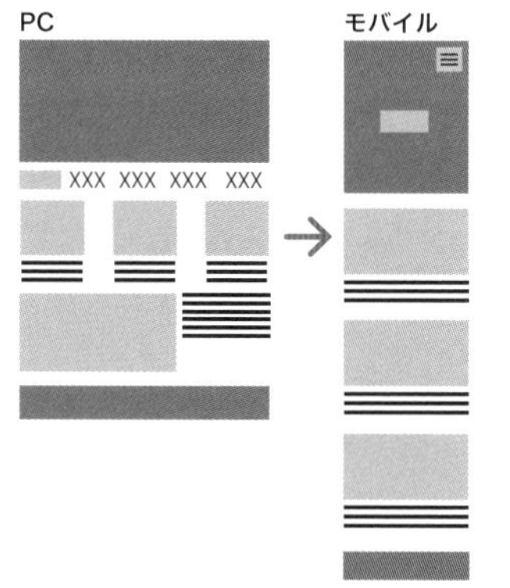

構成する技術

①メディアクエリ
画面サイズに合わせてCSSを切り替える

②フルードグリッド
画面サイズに合わせて大枠のレイアウトを変化させる

③フルードイメージ
画面サイズに合わせて画像の大きさを変化させる

---

01 表示する画面サイズに合わせた掲載情報の最適化を行う

レスポンシブWebデザインは、画面サイズに合わせてレイアウトが変化していくため、PC、モバイルそれぞれのデバイスに合わせた掲載情報の最適化が必要です。

❶「TAGPIC Inc.」のサイトは、モバイルのデザイン上で、狭い面積を有効的に使うために生まれたハンバーガーメニューを、PC画面でも採用して、操作性に統一感を出しています。

❷右から左に動いて変化する人物のスライドショーは、ブロックが狭まってもモデルの全身が見えるように背景画像で設置し、被写体を中央に配置してトリミングしています。

❸モバイルでは、ユーザーに必要なコンテンツを簡潔に見せるため、スライドショーのサムネイルは非表示にして、写真の上にキャッチコピーをのせています。

https://tagpic.jp/

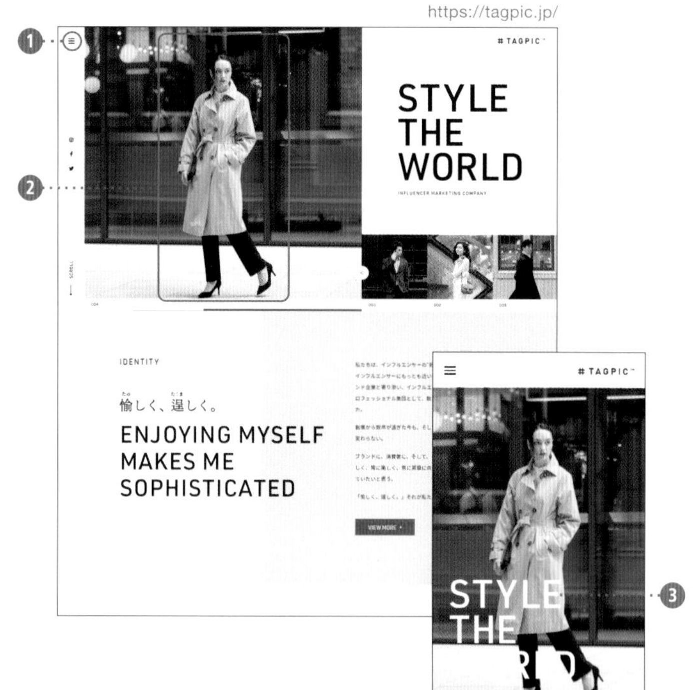

各コンテンツの上部に薄い線を引くことで、1カラムになった際にも情報の区切りがわかりやすいデザインになっています。

PC表示で長方形だったサムネイルは、モバイル表示の際には縦型に変化し、右側に文章を配置しています。

横並びになっている写真は、モバイル表示では右側の写真を非表示にしてコンパクトに見せています。

02 リンクボタンのタップ領域を広くとる

PCではサイトの操作に、マウスを使いますが、モバイルでは指を使ってタップやスワイプを行います。

特に親指での操作が考えられるため、モバイルのリンクボタンのタップ領域は広めにとって、設計するとよいでしょう。

「星のや軽井沢」のサイトでは、縦書きで余白感を持たせた「空室検索」のボタンを画面左下に固定させています。

https://hoshinoya.com/karuizawa/

03 どのデバイスでも、可読性のあるフォントサイズを設定する

一般的にサイトで読みやすいフォントサイズは16pxとされており、Google社がモバイルファーストインデックスで推奨するフォントサイズも16pxです。

「サラウンド株式会社」のサイトでは、フォントサイズを画面サイズに応じて可変する「vw」で設定しており、モバイルでも読みやすい大き目のサイズで表示しています。

https://www.surround.co.jp/

04 PCで掲載している情報をまとめて、モバイルでは簡潔にすっきり見せる

画面の面積が狭いモバイルでは、PC上に掲載している情報をそのまま展開せず、簡潔にまとめて見せると、伝わりやすい情報設計になります。

「日能研関西」のサイトでは、働く人の紹介をカルーセル（画像などのコンテンツをスライド表示させる技法）で見せており、表示する人数をPCとモバイルで切り分けています。

https://recruit-nichinoken-kansai.jp/

05 ナビゲーションの見せ方を、PCとタブレット以下で変化させる

「かっこ株式会社」のサイトでは、PCとタブレット以下のサイズで、グローバルナビゲーションの見せ方を変化させています。

PCでは、横並びのテキストで表示し、タブレット以下では、ハンバーガーメニューに格納して、縦並びに整列させています。

https://cacco.co.jp/

PART6

12 Webフォント

Webフォントを使ったサイトの特徴

Webフォントは、CSS3から導入された機能の１つです。

サーバー上にフォントデータがあるので、サイトへアクセスするPC側に特定のフォントがインストールされていなくても指定したフォントが表示可能です。

Webフォントはレスポンシブ Webデザインとの相性がよく、従来は画像化することで表現していたフォントを文字情報を保ったまま装飾して見せることができます。そのため、修正時のメンテナンス性の向上も見込めます。

Webフォントの導入方法

①フォントを自分のサーバーにアップして指定する

サーバーにwoff、TrueType、eot、svg形式のフォントをアップしCSS内でフォントを指定する方法です。

※使用するフォントのライセンスは必ず確認しましょう。

②Webフォント提供サービスを使う

提供サービスのサーバーからフォントを読み込んで使用する方法です。Google Fontsの場合は、フォントのソースコードをHTMLのhead内に読み込み、CSSで指定された font-family名を書くと設定されます。

Webdesign

Google Fontsで「Lobster」フォントを指定した時の表示

---

01 Webフォントをあてて、サイトの世界観を助長する。

Webフォントを指定したテキストデータは、CSSを使い色や大きさを自由に装飾・変更することができます。

「川久ミュージアム」のサイトは、Adobe Fontsのサービスを使い「貂明朝」という優美な印象のフォントを使用しています。

スクロールをすると、大きな見出しが浮遊感をもって出現し、動的に切り替わる背景色に合わせて、テキストの色も変化していきます。

Webフォントを使うことで、気品のあるミュージアムの世界観が作られています。

https://www.museum-kawakyu.jp/

02 縦組みと横組みの組み合わせ、画面サイズに合わせてフォントサイズを変更

「まるまるまるもりプロジェクト」のサイトは、FONTPLUSのサービスを使い、丸みのある「丸丸ゴシックA」フォントを使用しています。

縦組みと横組みを組み合わせて、ポップでかわいらしい雰囲気を演出しながら、文章量が多いサイトを読みやすく見せています。

テキストを画像にしていないので、モバイル表示になった際にはCSSを使いフォントサイズを小さく指定しています。

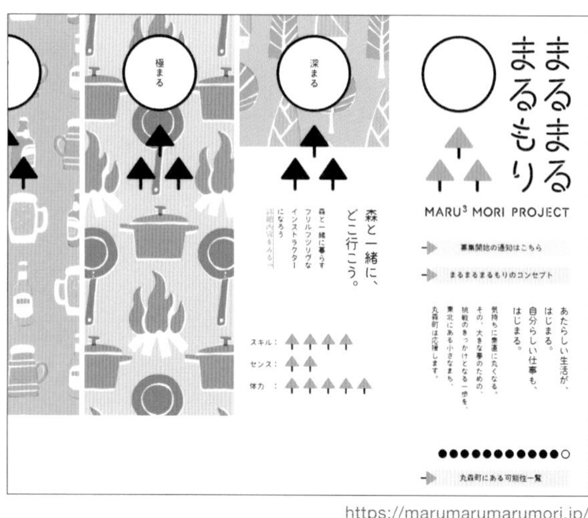

https://marumarumarumori.jp/

03 明朝体の美しい日本語フォントで繊細な和の雰囲気を出す

モノトーンの配色で構成された背景の上に、金色の写真が映える「株式会社中村製箔所」のサイトです。

Google Fontsのサービスを使い、和文には明朝体の「Noto Serif JP」を、欧文にはセリフ体の「Lusitana」というフォントを使用しています。

縦組みと横組みで組み合わせた細身のテキストが、繊細な和の雰囲気を生み出しています。

https://nakamura-seihakusho.co.jp/

04 欧文と和文に別々のWebフォントを適用しメリハリを出す

欧文は、和文と比べて無料で提供されているWebフォントの種類が豊富にあり、形も多様です。

「SketchBOXデザイン事務所」のサイトは、Google Fontsのサービスを使って、日本語にゴシック体の「Noto Sans JP」を、英語にサンセリフ体の「Dosis」というフォントを使用しています。

欧文と和文でフォントを分けて見せることで、デザインにメリハリを出しています。

https://sketchbox.jp/

COLUMN Webフォント提供サービス例

https://fonts.google.com/

● **Google Fonts**

和文と欧文のフォントが無料で使用可能。日本語は「Noto Sans JP」「Kosugi Maru」などが対応してます。

https://fonts.adobe.com/

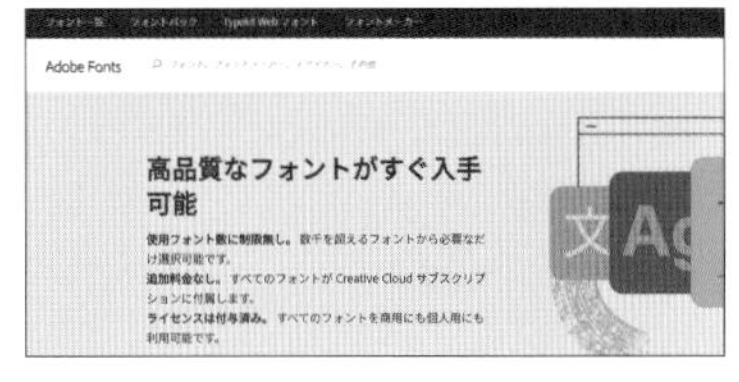

● **Adobe Fonts**

Adobe製品を使用しているCreative Cloudユーザーは、サブスクリプションの一部として、無料で使用できます。

https://typesquare.com/

● **TypeSquare**

モリサワのWebフォントサービス。無料と有料プランがあります。和文のWebフォントが豊富に揃っています。

https://fontplus.jp/

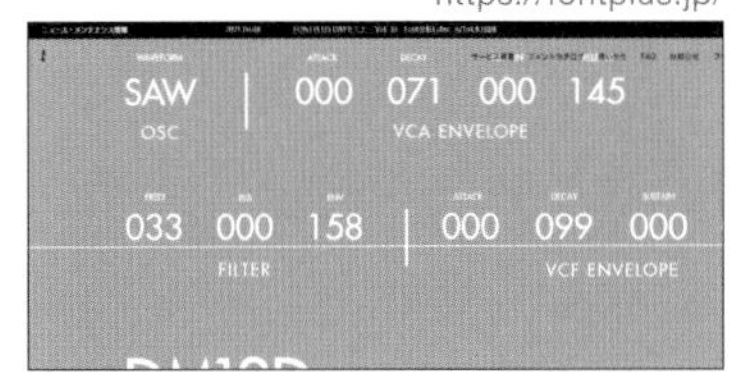

● **FONTPLUS**

トライアル6カ月無料と、有料プランがあります。モリサワ、モトヤなど和文のフォントが多く利用できます。

https://www.fonts.com/ja

● **Fonts.com**

無料と有料プランがあり、無料はバッジ広告が出ます。欧文がメインで、有名な「Helvetica」のフォントが使用できます。

https://www.font-stream.com

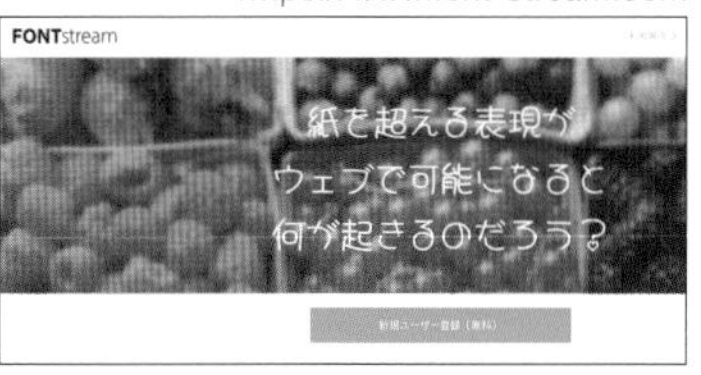

● **FontStream**

有料。使用数やPV数の制限なく、サイト毎のライセンス定額制で日本語フォントが豊富な種類の中から利用できます。

COLUMN　目的に合わせた情報設計とデザインの組み立て方

例えば、都内にあるナチュラルをコンセプトにしたカフェのサイトをリニューアルする場合は次のようにデザインを組み立てていきます。

1. ヒアリング　クライアントの要望や現状のサイト分析を行う

- **サイトのゴールは？**
  新規の集客につなげたい
- **ターゲット層は？**
  20～40代、主に女性
- **お店の売りは？**
  駅から徒歩3分以内
  Wi-Fiと電源がフリー
  ケーキなどは毎日手作り
- **現状の課題**
  更新が自分たちでできない
  スマートフォンに未対応
  デザインが古い
- **デザインのご要望は？**
  ロゴの色である茶系で
  オーガニック・ナチュラル

2. 調査分析　競合サイトを調べる

有名、売り上げが伸びている、同じ地域で活気のあるカフェのリサーチを含め、本書レストラン・カフェサイトの作り方（P.88参照）やWebデザインのまとめサイト（P.118参照）での業種別検索やWordPressのテーマ検索などを活用しましょう。

- **多くのカフェサイトに掲載されている情報を研究する**

東京都新宿区 XXXXX00-00
新宿駅西口から都庁方面へ徒歩3分
03-1234-5678

営業時間 12:00～19:00 (L.O 18:00)
定休日 火曜日
席数 50席

MENU　Google Maps　店内の写真

- **ヒアリングから得たお店の雰囲気や配色に合ったデザインを研究する**
  オーガニックやナチュラルから連想するものを考えてサイト検索する。
  上記参考サイトで使われているフォントや素材や色、写真の加工の仕方などを研究する。
- **最新のトレンドのデザイン（P.157参照）や技術を知る**

3. サイト設計（技術仕様書・サイトマップ）　全体の技術仕様やページ数を決める

- **技術仕様**
  HTML Living Standard※＋CSSで作る。JavaScriptのスライドショーにする。
  スマートフォン対応はレスポンシブWebデザインにする。
  更新対応は WordPress、最新のブラウザで動作確認する。
- **ページ数**
  トップ、メニュー、交通アクセス、
  お知らせ2つ（アーカイブと個別記事）、
  お問い合わせの計7ページ

4. 画面情報設計（ワイヤーフレーム作成）　各ページに掲載する情報や機能をレイアウトに落とし込む

- **競合サイトから得た一般的な掲載情報とクライアントが希望する掲載内容を整理して配置する。**
  ※スマートフォンの対応をする場合はスマートフォンの情報設計をこの時点で必ず行う。
  ※レイアウト（P.119参照）の際は、ユーザー視点で情報にたどり着きやすい導線や、使いやすさに配慮しながら設計をしていく。

5. デザイン　全体のデザインとパーツデザインを作りこんで印象を肉付けする

- **フォント**：ゴシック
- **素材**：リンネル素材を使う
- **色**：ベースカラーをベージュ
  メインカラーを茶色
  アクセントカラーを緑
- **写真加工**：温かみのある加工にする

ドリンク

グリーンカレー 850yen
ガパオライス 850yen

R231 G224 B213

R108 G089 B072

R103 G130 B099

6. コーディング以降の工程に続く

※HTML Living Standard　2021年1月にHTML5が廃止され、HTML Living Standardが標準となっています。

PART

7

—

パーツ別デザイン

ヘッダーやフッター、見出しなどのデザインをパーツ別で分析し、要素の配置の仕方、レイアウトのアイデアを紹介しています。各パーツの制作で迷った時に参考にしてください。

PART7
01 ヘッダー

ヘッダーはページのはじまりに位置しているエリアです。ロゴとナビゲーションを組み合わせるパターンや、全画面を大きな写真や動画で見せるパターンなどがあります。スクロールをすると形状が変化するヘッダーもあります。

01 ロゴ×グローバルナビゲーション×サブナビゲーション

構成要素｜① 左ロゴ × ② 右グローバルナビゲーション

https://recruit.groxi.jp/

構成要素｜① 左ロゴ× ② 右格納グローバルナビゲーション

https://corp.warc.jp/

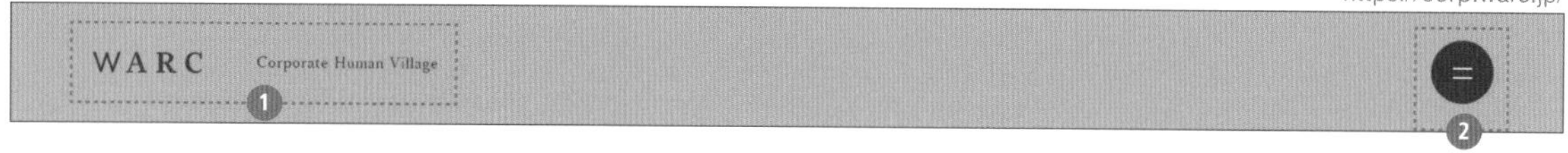

構成要素｜① 左グローバルナビゲーション× ② 右ロゴ

http://youhei-osabe.com/

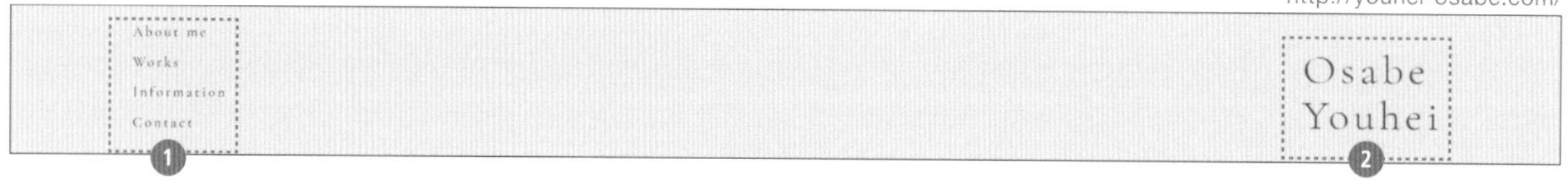

構成要素｜① 左SNSアイコン× ② 中央ロゴ× ③ 右グローバルナビゲーション

https://www.to-to-to.jp/

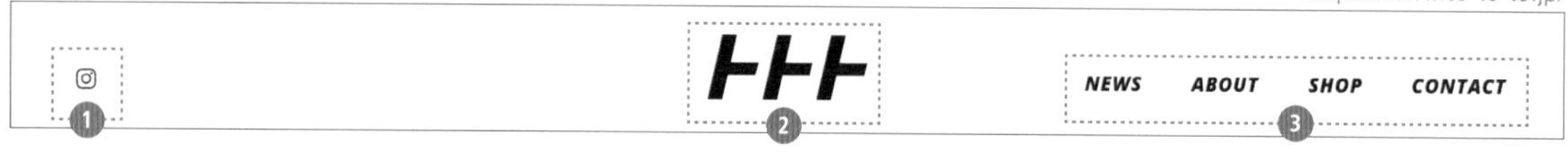

構成要素｜① 左格納グローバルナビゲーション× ② 中央ロゴ× ③ 右サブナビゲーション

https://schweppes.ca/en/

構成要素｜① 左ロゴ× ② 右グローバルナビゲーション× ③ 右電話番号× ④ 右リンクボタン

https://www.onons.jp/

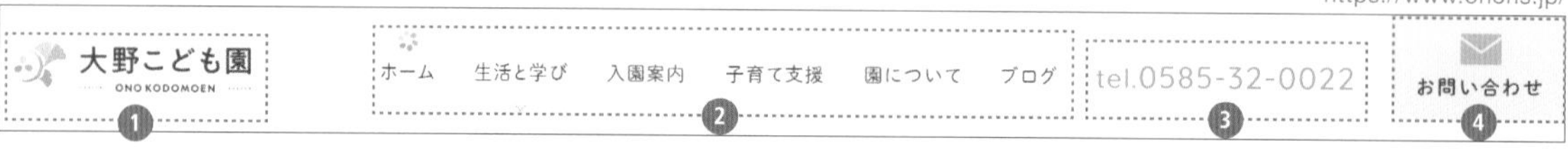

構成要素｜① 左ロゴ× ② 右下グローバルナビゲーション× ③ 右上グローバルナビゲーション× ④ 右リンクボタン

https://shibuya-qws.com/

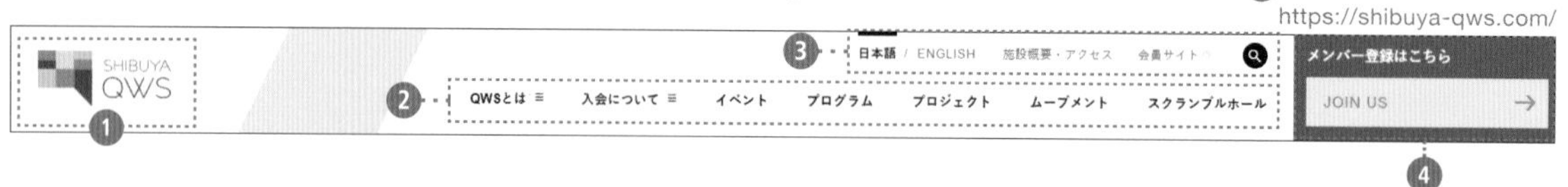

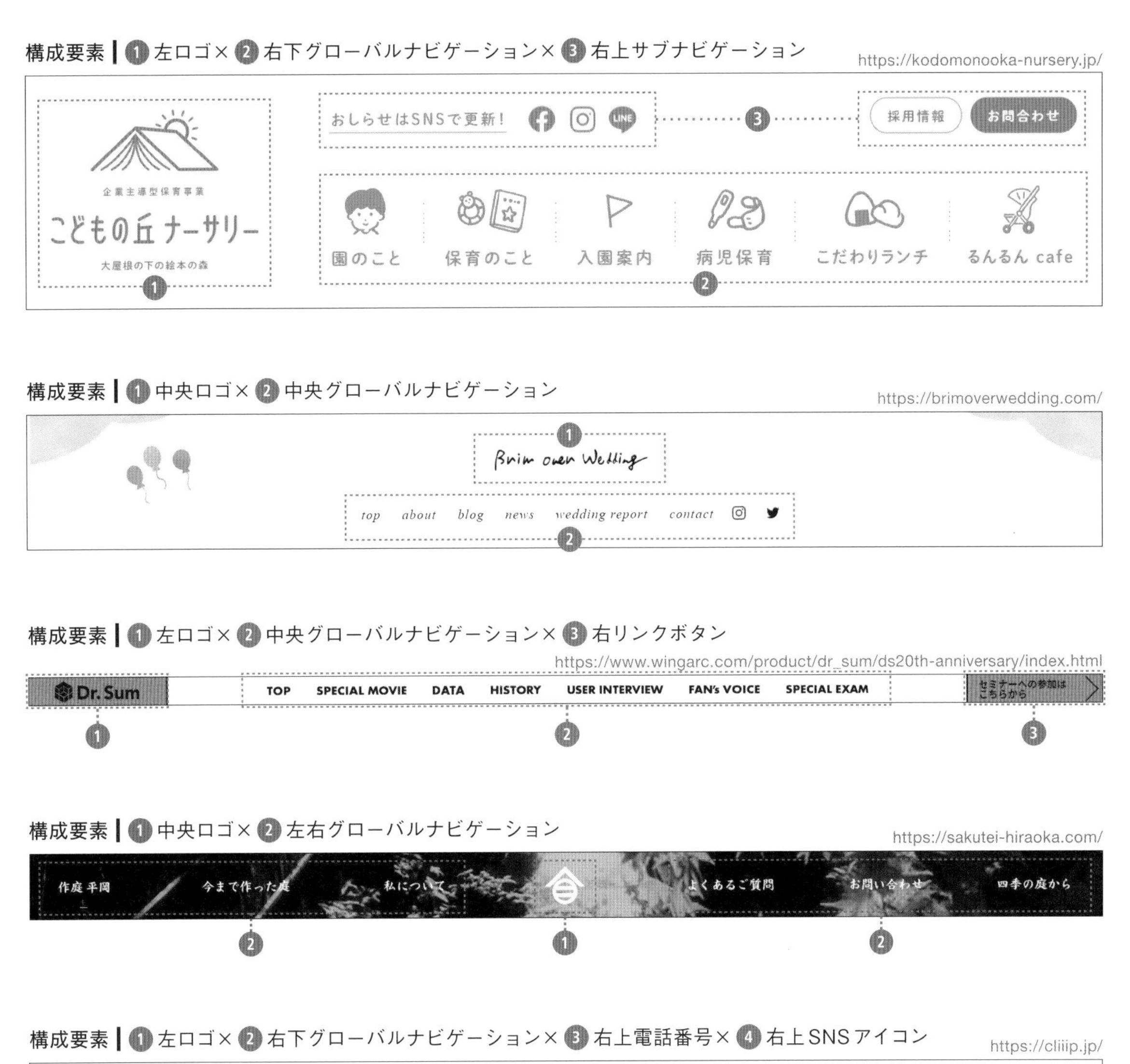

02 全画面の大きな動画や画像で見せるヒーローヘッダー

構成要素 | ❶左上ロゴ×❷右上格納グローバルナビゲーション×❸右下リンク

https://comme.fit/

構成要素 | ❶左格納グローバルナビゲーション×❷中央ロゴ×❸右上リンク×❹右下リンク

https://yuenjp.com/

PART7

02 グローバルナビゲーション

グローバルナビゲーションは、サイト内を回遊するためのメニューです。
ユーザーがコンテンツを探しやすく、直感的に使いやすいデザインや動きを検討して設計する必要があります。

01 インビジブル・メニュー

モバイルファーストの考え方で、PC向けの画面でもハンバーガーメニュー（三本線のアイコン）を表示し、メニューをその中に格納しているタイプのグローバルナビゲーションが近年増えてきています。クリックすると左右や上下からナビゲーションが出現するパターンや、全画面がナビゲーションになるパターンなどがあります。

❶ 上からナビゲーションが出現

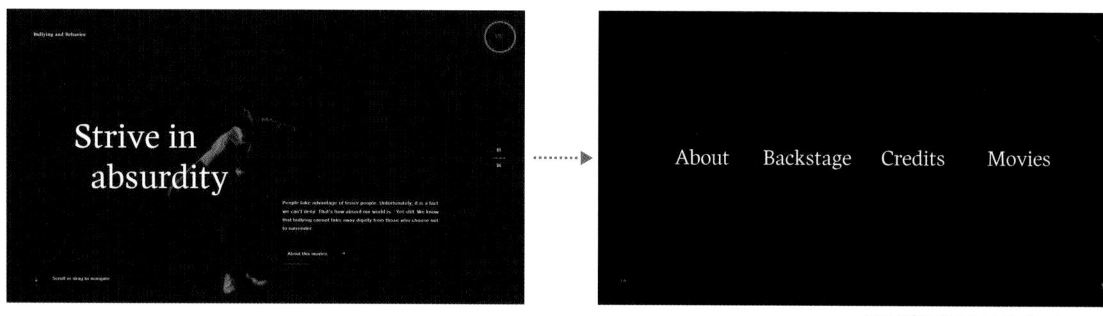

https://bullyingandbehavior.com/

❷ 左からナビゲーションが出現

https://goodpass.app/

02 固定された左メニュー

縦長のコンテンツに合わせて左にナビゲーションが固定され右側の内容のみスクロールができる仕様になっています。

右側の内容のみスクロールできる

https://everypan.jp/

03 シンプルな上付き文字メニュー

シンプルな文字だけのグローバルナビゲーションは、画面をすっきりと見せることができます。

「クリニックフォア - RECRUIT 2020」のサイトは背景画像の上に黒のテキストでメニューを置き、上付きで固定する作りになっています。スクロールをするとメニューの背景色が白に変わります。

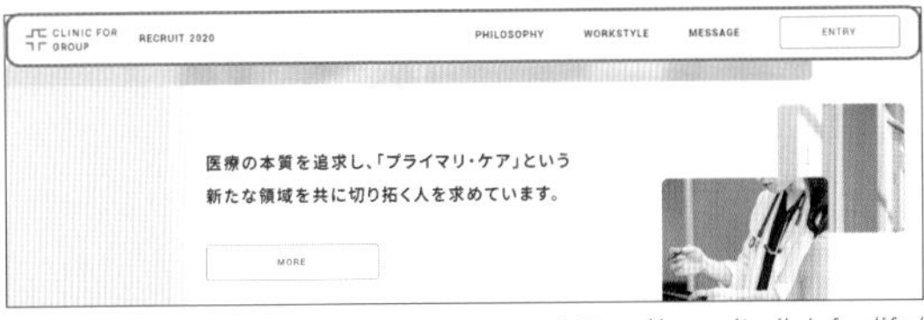

https://recruit.clinicfor.life/

04 わかりやすいアイコン付きメニュー

医療や公共施設、幼稚園のサイトなど多くの人にわかりやすく内容を伝える時に、アイコンは活躍します。

「かみむらスポーツ教室」のサイトは、グローバルナビゲーションにテキストと色違いのアイコンを組み合わせて、それぞれのカテゴリをわかりやすく区別して見せています。

https://www.kamispo.jp/

05 サブナビゲーションをドロップダウン形式でまとめるメニュー

ECサイトや学校サイトなど、カテゴリごとに多くのサブナビゲーションを内包するメニューの場合、ドロップダウン形式でサブナビゲーションの一覧が表示される仕様をよく見かけます。「照正組」のサイトでは親カテゴリ名にマウスを合わせると、関連するナビゲーションの一覧が画像付きで表示されます。

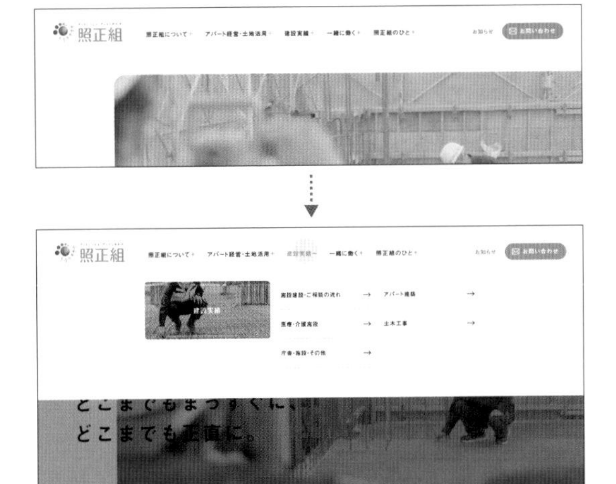

https://terumasagumi.co.jp/

06 スクロール途中で形が変わるメニュー

「只野彩佳」のサイトは、トップ画面で縦書きのテキストだったナビゲーションが、スクロールをすると右上のハンバーガーメニューに格納されて追随する仕様になっています。

ハンバーガーメニューをクリックすると、全画面でナビゲーションが展開します。スマートフォンでのナビゲーションを意識した作りになっています。

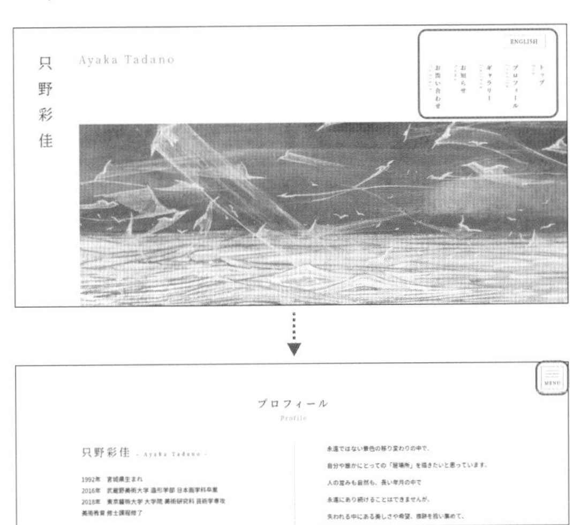

https://tadanoayaka.com/

PART7

03 見出し

サイトの中で使用する装飾された見出しは、以前は画像で切り出すことが主流でした。現在はテキスト情報を持ったWebフォントをあてて見せることが多くなっています。

01 日本語と英語を組み合わせる

Webフォントを使い欧文の文字を装飾して、日本語と組み合わせている見出しです。

MILLOR Concept
MILLORのコンセプト

https://www.millor.jp/

PRODUCT
製品概要

https://aimy-screen.com/

ABOUT 舞台ファームについて

https://butaifarm.com/

INTERVIEW ライバーインタビュー

https://www.pococha.com/ja

02 縦書き

CSS3のwriting-mode: vertical-rl;を使い縦書きで見せている見出しです。和風のサイトでよく使用されています。

Information
お知らせ

https://www.fukagawa-seiji.co.jp/

03 線と組み合わせる

欧文や和文で構成し、線を入れてすっきり見せている見出しです。

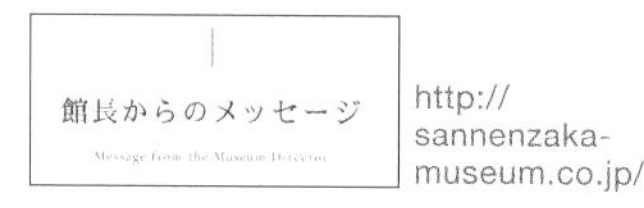

http://sannenzaka-museum.co.jp/

about

https://walnuuut.com/

Information

https://b-books.bun.jp/

04 数字と組み合わせる

数字とテキストを組み合わせて見せている見出しです。

https://www.shizuokabank.co.jp/recruitment/shinsotsu/

https://www.hellocycling.jp/

POINT
3
切手を貼って
郵送できる!

https://www.isshin-do.co.jp/hidariuchiwa.html

05 縁取り文字

ポップなサイトによく使われているテキストに縁取り線を付けた見出しです。

http://minifuji-co.com/

ABOUT US
私たちについて

https://amalflag.com/

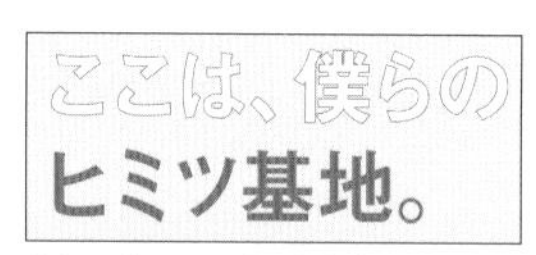

https://game.aktsk.jp/

06 アイコン・リボン

アイコンやリボンを付けている見出しです。

たかしま農園ブログ
Staff Blog

https://www.takashima-nouen.com/

http://minifuji-co.com/

https://sukusukuball.jp/

07 蛍光ペン

黒いテキストが引き立つように、明度の高い色の線を文字の上に被せ、蛍光ペンのように見せている見出しです。

https://pmgwork.com/

08 点線

見出しの下に点線の下線を引いて区切りを付けている見出しです。

https://shinro-kimochi.com/

09 手書き文字と組み合わせる

英語の装飾的な手書き文字を組み合わせている見出しです。

https://shimosuwaonsen.jp/

10 背景色付き

文字に背景色を敷いている見出しです。

3·27

https://adweb.nikkei.co.jp/innovativesauna/

ビーネックスは、
今より前に向かって挑戦する人たちと
ともに在り続けます。

https://www.benext.jp/

PART7
04 ボタン

下層ページや外部ページに誘導するボタンは、マウスカーソルを乗せた時の挙動も考えながらデザインしていくことが大切です。

01 矢印が動く

カーソルを乗せた時に矢印が横にずれて、ボタンの背景色が少し明るくなる動きが付けられているボタンです。

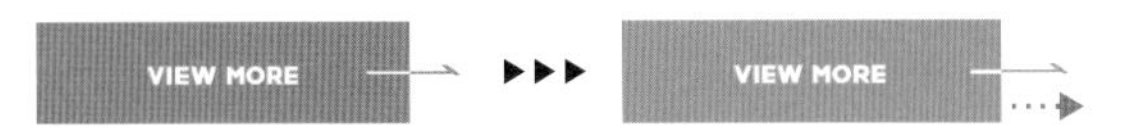

https://recruit.lifull.com/

02 線が動く

カーソルを乗せた時に下線が横に移動する動きが付けられているボタンです。

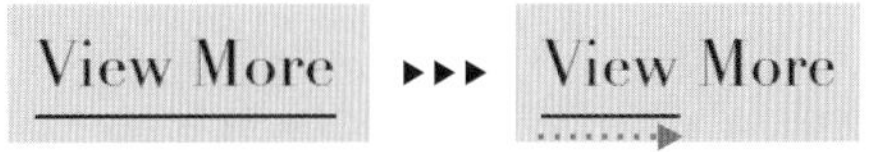

https://select.daiichisyokuhin.com/

03 矢印アイコンがズームイン&アウトする

カーソルを乗せた時に矢印アイコンがズームインアウトして、押された感じを表現しているボタンです。

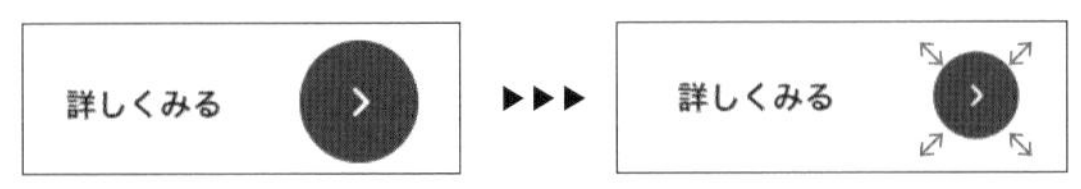

https://brand.studysapuri.jp/

04 背景色が横に移動する

カーソルを乗せた時に背景色が横に移動する動きが付けられているボタンです。

https://www.amt-law.com/

05 矢印の周りの円が拡大する

カーソルを乗せた時に矢印の周りの円が拡大する動きが付けられているボタンです。

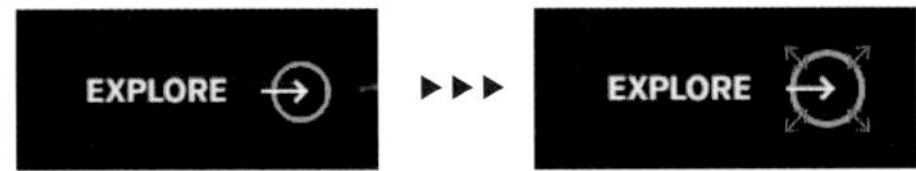

http://drift.cc/home

06 塗りから枠線に変わる

カーソルを乗せた時に塗りから枠線に変化する動きが付けられているボタンです。

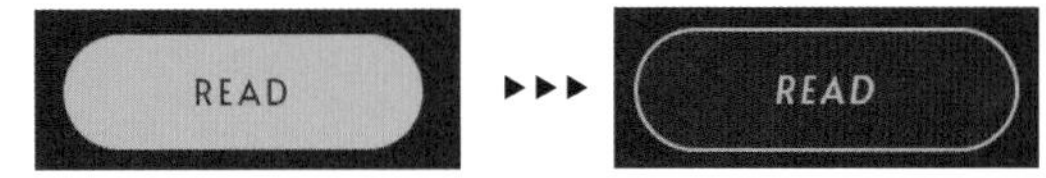

https://kiminitou.com/

07 色が変化し、テキストの間隔が広がる

カーソルを乗せた時に色が変化し、テキストの間隔が広がる動きが付けられているボタンです。

http://adaptrook.net/

08 線が上に伸びて塗りになり消える

カーソルを乗せた時に下線が上に伸びて塗りになり、消える動きが付けられているボタンです。

https://chabako.com/

09 円形グラデーション

カーソルを乗せた場所が円形グラデーションになり色が変化する動きが付けられているボタンです。

https://www.shinko-el.com/

10 シャドウがなくなりサイズが小さくなる

カーソルを乗せた時にシャドウがなくなりサイズが小さくなる動きが付けられているボタンです。

https://japanbakery.jp/

PART7

05 ローディング

サイトの読み込みの進捗情報をユーザーに伝えるローディングは、イラストや、キャッチフレーズ、読み込み量を示すプログレスバーなどを使って表現するとよいでしょう。

01 ロゴを表示する

ホームページにアクセスした際の読み込み時間にロゴを中央に表示させるローディング画面です。

https://glamprook.jp/iizuna/

02 プログレスバー

読み込み量を示すプログレスバーとテキストを組み合わせたローディング画面です。

https://www.shizuokabank.co.jp/recruitment/shinsotsu/

03 数字がカウントアップ

数字のカウントアップとプログレスバーを組み合わせたローディング画面です。

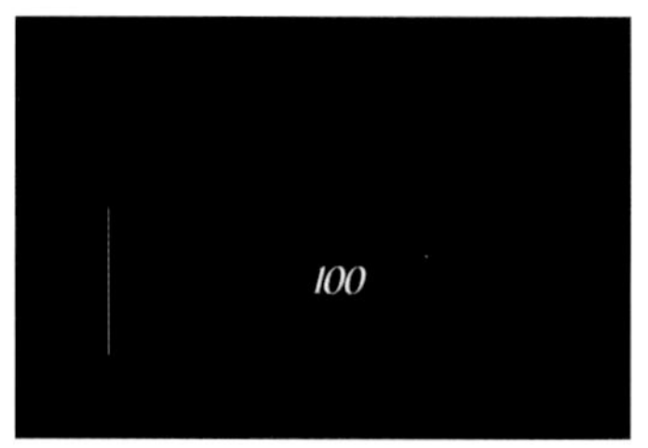

https://stonestyle.co.th/

04 アイコンが回る

アイコンがくるくる回るローディング画面です。

https://www.ants-d.com/

05 メッセージを伝える

キャッチフレーズを書いてメッセージを伝えるローディング画面です。

https://watanabe-hoken.com/

06 キャラクターが動く

キャラクターが動くローディング画面です。

https://kodomo-sankaku.jp/

07 ロゴが1文字ずつ現れる

ロゴが1文字ずつ現れるローディング画面です。

https://restaurant-penthouse.com/

08 ロゴを表示すると共に線が回る

ロゴの下でアイコンの線がぐるぐる回るローディング画面です。

https://mare-kyoto.com/

09 ロゴがリズミカルに現れる

ロゴが1文字ずつリズミカルに現れるローディング画面です。

https://sukawa-hoikuen.com/

PART7 06

フォーム

お問い合わせフォームは、項目の最後まで内容が入力されるようにユーザーの使い勝手を意識したデザインや機能を考えていく必要があります。

01 必須項目をわかりやすく見せる

必須項目をアイコンとして配置します。また、視覚障害者が使用する音声ブラウザに対応するために、必須項目を色やマークだけで記すのではなく「必須」と明記しています。

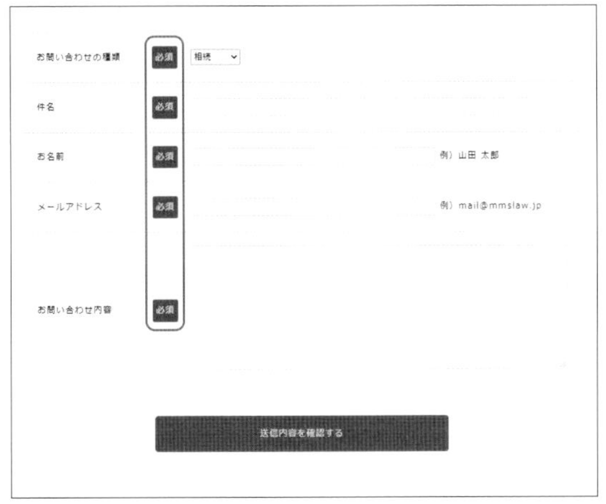

https://mmslaw.jp/contact/

02 プライバシーポリシーを明記する

個人情報を取得した後の取り扱いについて書かれたプライバシーポリシーページへのリンクと、規約に同意するチェックマークが送信ボタンの前にセットで配置されています。

https://179relations.net/

03 送信フローのSTEPを入れる

情報の入力から送信完了までの3STEPのフローの全体図を表しています。また、現在地を赤い点の周りに光彩を入れて明示しています。

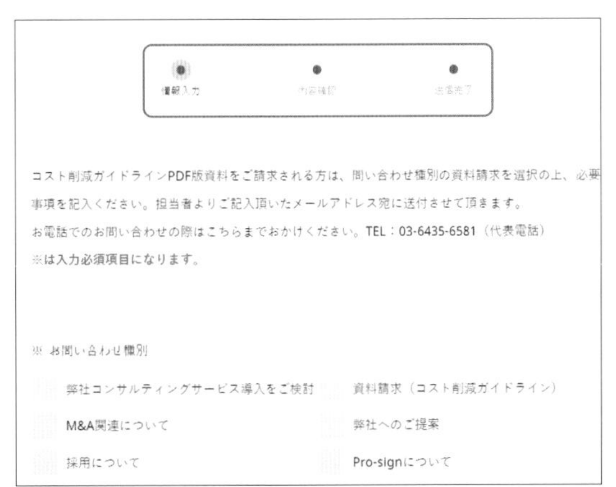

https://www.prored-p.com/contact/

04 チェックボックスとラジオボタンのサイズを大きく設ける

ユーザーが押しやすいように、チェックボックスとラジオボタンのサイズを大きくしています。

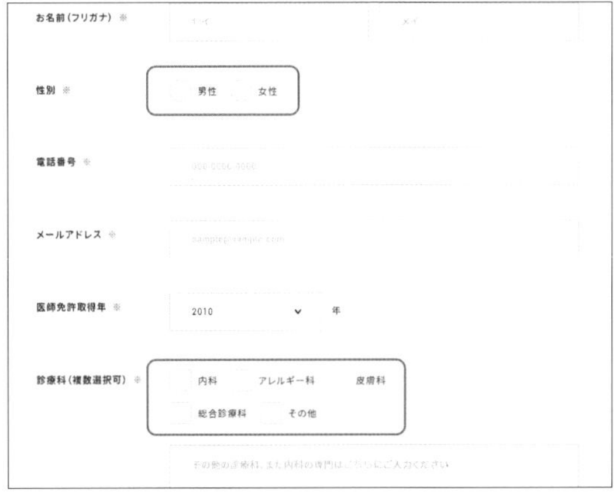

https://recruit.clinicfor.life/entry-form/#doctor_part

PART7

07 フッター

フッターはページの終わりに位置しているエリアです。著作権表記のみといったシンプルなものから、サイトマップや関連リンクを掲載してページを回遊させるものまで、バリエーション豊かなフッターが増えてきています。

01 サイトマップを掲載し、ページを回遊させる

構成要素 | ❶コピーライト× ❷ロゴ× ❸所在地と連絡先× ❹サイトマップ× ❺ページトップリンク

「たかしま農園」のサイトは、フッターまでたどり着いたユーザーが他ページにも回遊できるようにサイトマップを設置しています。

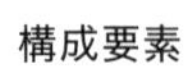

https://www.takashima-nouen.com/

構成要素 | ❶ロゴ× ❷コピーライト× ❸サイトマップ× ❹ページトップリンク

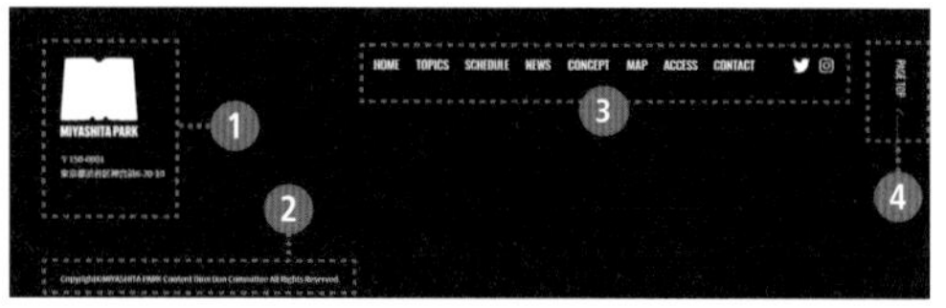

https://www.miyashita-park.tokyo/

構成要素 | ❶ロゴ× ❷SNSリンク× ❸コピーライト× ❹サイトマップ

https://hotaru-personalized.com/

02 住所と連絡先を明記する

構成要素 | ❶お問い合わせ先× ❷サイトマップ× ❸ロゴ× ❹所在地と連絡先

「TEO TORIATTE株式会社」のサイトは、フッターに常に所在地と連絡先を掲載しています。

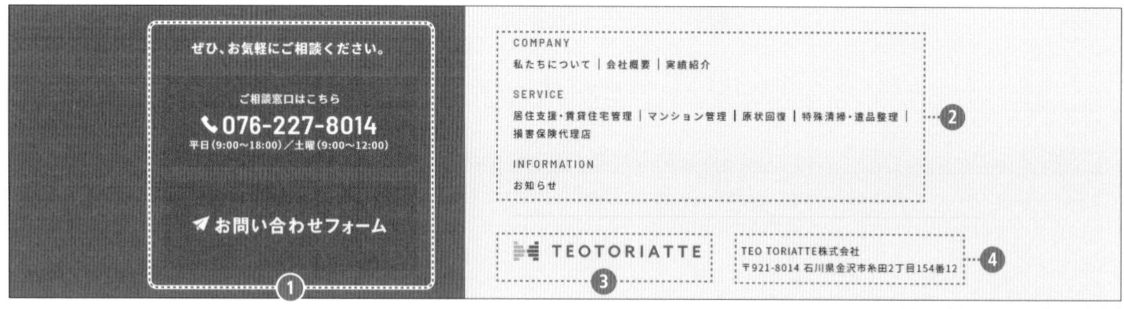

https://www.teotoriatte.info/

構成要素 | ❶ロゴ× ❷所在地と連絡先× ❸サイトマップ

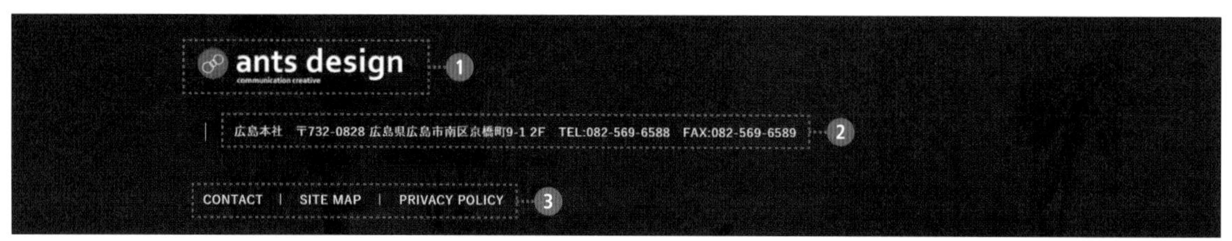

https://www.ants-d.com/

03 ユーティリティーナビを設置する

構成要素 | ①ロゴ× ②お問い合わせ先× ③サイトマップ× ④ユーティリティーナビ× ⑤コピーライト× ⑥ページトップリンク

「おいでなしてしもすわ」のサイトは、ユーザーが必要なリンク要素を掲載し、フッターを便利なエリアとして活用しています。

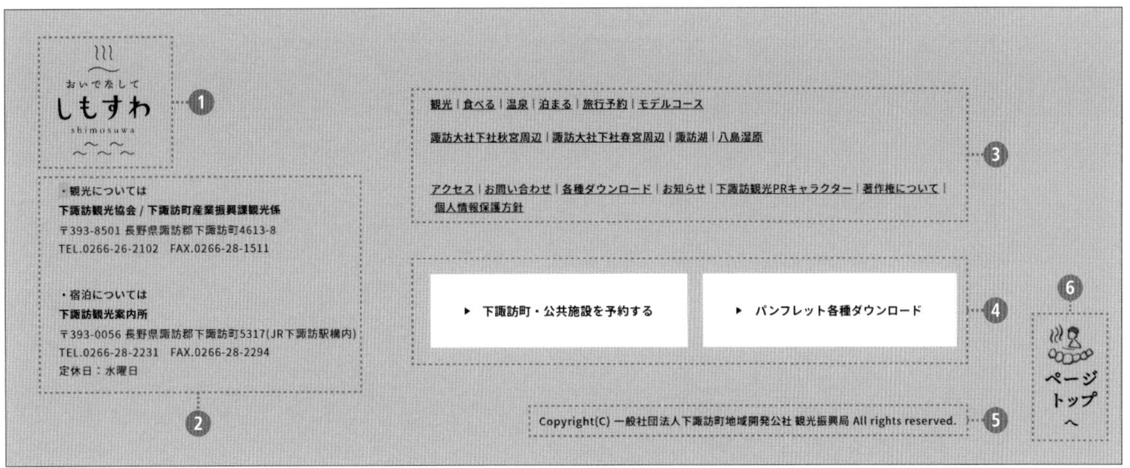

https://shimosuwaonsen.jp/

04 サブリンクを掲載する

フッターリンクに、グローバルナビゲーションと同じ数のリンクを掲載せず、プライバシーポリシーといったサブリンクを中心に掲載しています。

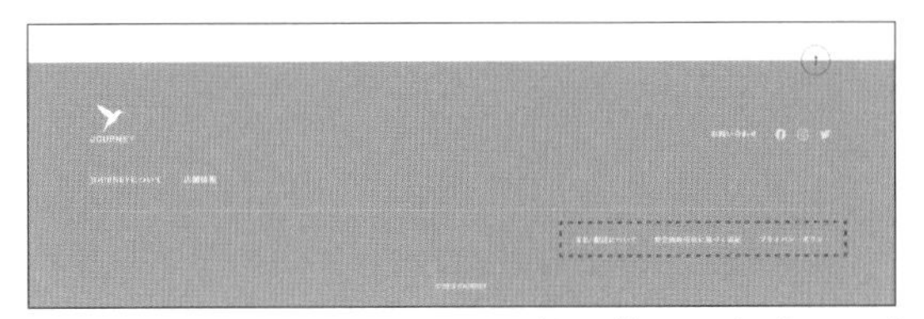

https://journey-leather.com/

05 SNS 情報を掲載する

情報を発信しているSNSのアイコンをまとめて掲載しています。FOLLOW USの文言でフォロワーを増やす工夫をしています。

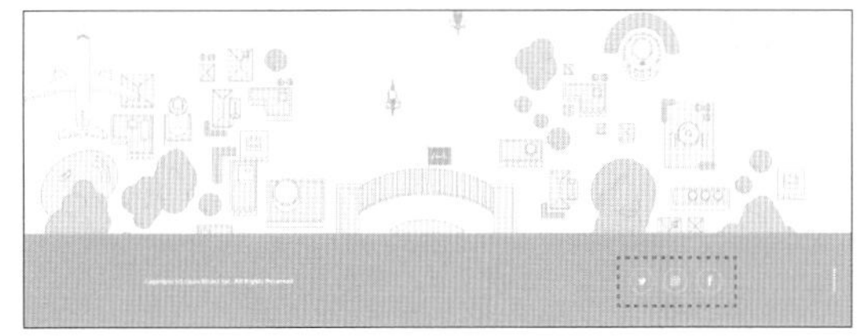

https://www.hellocycling.jp/

https://amana-visual.jp/

06 シンプルに著作権表示のみ表示する

コピーライト表記のみのシンプルなフッターは、余分なものを排除したミニマルなWebデザインでよく見られます。

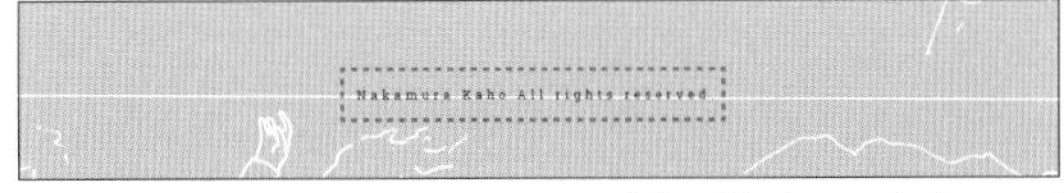

https://nakamurakaho.com/

https://rakugei.jp/

07 お問い合わせ先と地図を入れる

店舗や会社、学校など所在地や連絡先の表記が必要なサイトでは、Googleマップを活用し、お問い合わせ先とセットでフッターに情報を配置しています。

https://sukawa-hoikuen.com/

COLUMN ロイヤリティフリーのイラスト素材サイト

プレゼン資料や印刷物、Webデザインの中で、掲載する内容を直感的に説明したい時や、オリジナリティを出す際に、イラストは活躍します。

ここでは、PNG・SVG・EPS形式などでダウンロードできる素材や、色や形状をカスタマイズできる素材を含めたロイヤリティフリーのイラスト素材サイトを紹介します。

※ご利用の際は各サイトの利用規約を必ずご一読ください。

https://www.linustock.com/

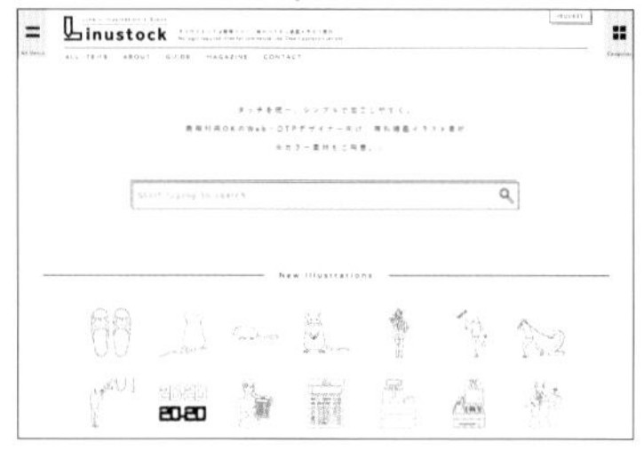

●Linustock：Web・DTPデザイナーたちの声から生まれたシンプルで使いやすい線画イラスト素材が無料でダウンロードできる。

https://soco-st.com/

●ソコスト：シンプルなイラストをPNG・SVG・EPS形式でダウンロードができて、Web・広告・企画書・資料などに自由に使える。

https://loosedrawing.com/

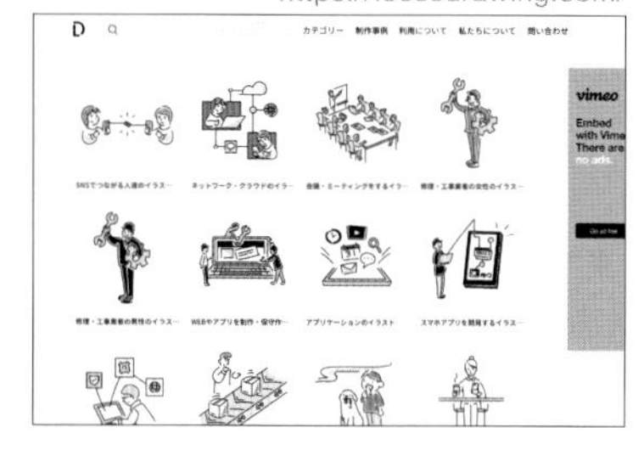

●Loose Drawing：PNG形式でダウンロードができる、太めの線で描かれたシンプルなイラスト。イラストの色の改変がWeb上で可能。

https://tyoudoii-illust.com/

●ちょうどいいイラスト：大体どんなシーンにもはまる、「ちょうどいい」フリー素材イラストを配布しているサイト。

https://www.shigureni.com/

●shigureni free illust：素朴で可愛い、女の子のイラスト素材サイト。PNG形式は無料で、SVG形式は有料。

https://iconscout.com/free-illustrations

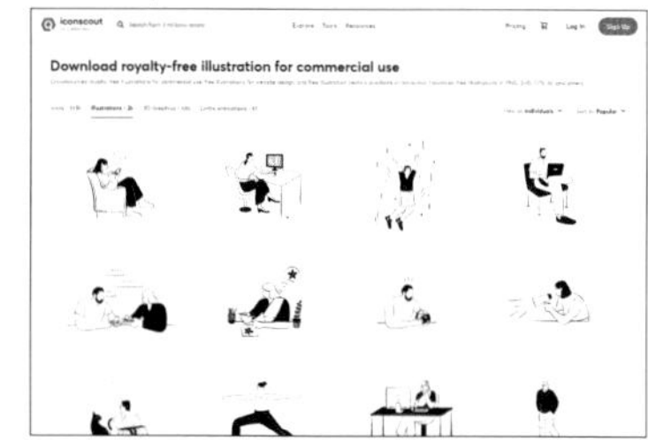

●Iconscout：モノクロの線画で描かれたシンプルな海外のイラスト素材サイト。SVG、PNG、EPS形式でダウンロード可能。

https://undraw.co/illustrations

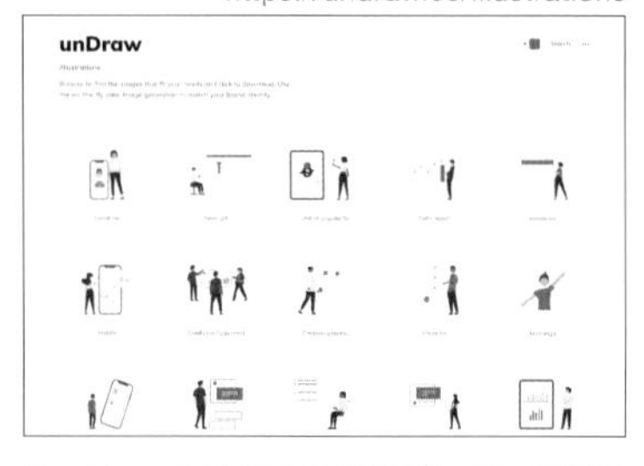

●unDraw：ビジネス系のプレゼン資料に活躍しそうなシンプルで洗練された海外のイラスト素材サイト。SVG形式とPNG形式でダウンロードができる。

https://isometric.online/

●Isometric：対象物を「ななめ上」から見下ろすような視点で描かれたアイソメトリックイラストをダウンロードできる海外のサイト。

https://www.openpeeps.com/

●Open Peeps：人物の表情や髪型、ポーズなど様々なパーツを組み合わせて、人物のイラストを作成することができるイラスト素材サイト。

https://www.ac-illust.com/

●イラストAC:加工や商用利用もOK。様々なテイストのイラストが無料でダウンロードできるサイト。無料会員登録が必要。

https://jitanda.com/

●時短だ：JPEG、PNG、SVG、AI形式でダウンロードができるイラストストックサイト。プリセットカラーを選択し、色の変更も可能。

https://girlysozai.com/

●ガーリー素材：やわらかい雰囲気のガーリーでかわいいベクターイラストを配布しているサイト。

http://flode-design.com/

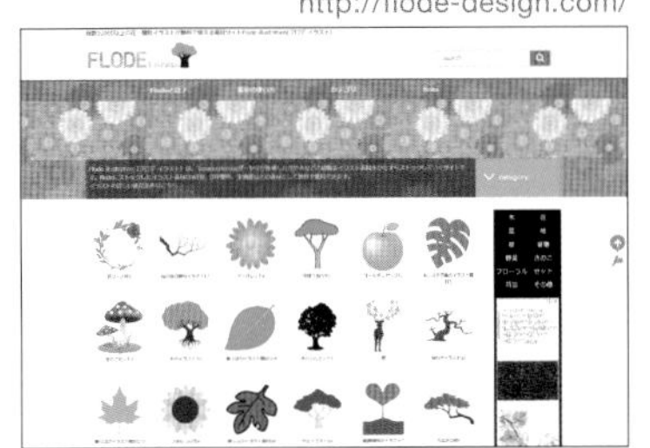

●FLODE illustration：総数10,000以上の花・植物イラストが無料で使える素材サイト。JPEG、PNG、SVG、AI形式でダウンロード可能。

https://nawmin.com/

●農民イラスト：農で地域をつなぐための無料素材サイト。自然や食べ物など水彩の柔らかいタッチで描かれた高品質のイラストを配布している。

https://www.map-ac.com/

●地図AC：日本各地の地図や白地図、世界地図の素材がフリーでダウンロードできるサイト。無料会員登録必須。

http://pppenta.net/

●PENTA：子供向けのサイトに最適な、可愛らしい雰囲気のイラスト配布サイト。素材を21点以上使った商用デザインは有償。

https://vectorportal.com/

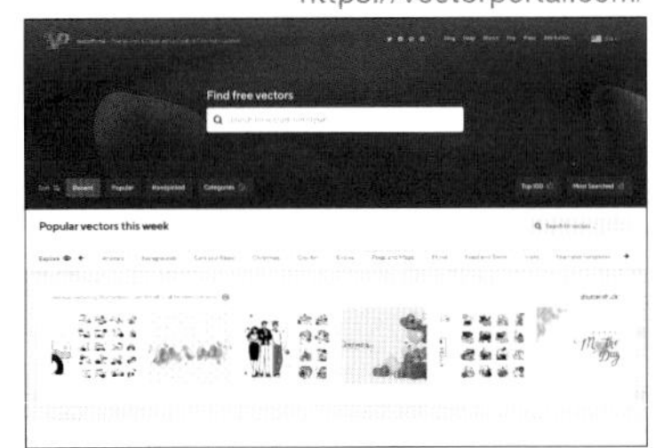

●Vector Portal：カテゴリーやランキングが分かれていて見つけやすい、EPS形式で高品質なイラストがダウンロードできる海外のサイト。

https://event-pre.com/

●EVENTs Design：クリスマスやお正月、ハロウィンなどの行事、季節のイベントのイラスト素材を無料で配布するサイト。20個以上使う場合は指定される条件のクリアが必須。

Credit

クレジット

本書に掲載した作品のクレジットです。各作品のPART、節、項の番号に続けて作品タイトル、企業名、制作会社または制作者の名前、URL、他を記しました。

●表記例：『作品名』企業名　制作会社または制作者の名前／URL・他

職種や担当場所はクレジットの提供者よりいただいた情報をもとに掲載しています。

PART1 印象から考えるデザイン

01 透明感のあるデザイン

01 『O³ MIST by Bollina プロダクトサイト』株式会社田中金属製作所／株式会社リーピー（Project Management: 高橋真帆, Design: 吉村桜子, Front-end Engineer: 豊島むつみ）／https://o3mist.bollina.jp

02 『BLUEPEARL』BLUEPEARL／CONDENSE Inc.（Direction+Design: 梶原勇吾, Design: 時松加南子, Coding: 工藤万菜）, Photo: 衛藤フミオ／https://bluepearl.jp

03 『mille la chouette』ミルラシュエット／UNIONNET Inc.（平田伸也・佐々木可奈・髙橋侑子）／https://mille-la-chouette.jp

04 『CLEAR GEL』ADJUVANT／MEFILAS（Direction: 原田大地, Design: 神杉遥介, Programming: 川上直毅）／https://clear-gel.jp

05 『びんむすめプロジェクト キャンペーンサイト』日本ガラスびん協会／Production: 重政直人, Art Direction+Interaction Direction+Design: 田渕将吾, Motion Design: 井谷円香, Public Relations: 樋口あるの, Development: 長谷川希木, Graphic Design: 石川奈緒, Photo: SHIN ISHIKAWA（Sketch）, Photo Assistant: TOMOYUKI NUMASAWA, Videography: KEIICHI HIRAMOTO, Video editing: TAKAYUKI KURA, Compose: 柿本 直（.[que]）, Styling: 千葉晃子, Styling+Hair make: よしだえりか, Food: 小川由香利／http://glassbottle.org/campaign/binmusume

02 シンプルですっきりとしたデザイン

01 『WHITE株式会社 コーポレートサイト』WHITE株式会社／本間宣光（Garden Eight）／https://wht.co.jp

02 『株式会社ナップ コーポレートサイト』株式会社ナップ／株式会社ナップ（河田 慎・後藤優佳・松井拓実・櫻井裕希）／https://knap.jp

03 『Aroma Diffuser - WEEK END』株式会社ミュージー／Ryosuke Tomita（B&H）／https://weekend.jp/aroma-diffuser

04 『音波振動ブラシ ブランドサイト』株式会社I-ne（https://i-ne.co.jp）／株式会社I-ne（Art Direction: 宮田政子, Direction: 渡辺知子, Design: 井上敦貴, Coding: 大和隆之）／https://salonia.jp/special/squarelonBrush

05 『株式会社ウダツ コーポレートサイト』株式会社ウダツ／本間宣光（Garden Eight）／https://udatsu.co.jp

03 ナチュラルで優しいデザイン

01 『huit.』huit.／吉川真穂・taniguchi beer／https://8huit.com

02 『シェフのおいしいつながり』一般社団法人 自然と自然派／Studio Details（Creative Direction: 服部友厚, Web Direction: 北川裕紀乃, Web Design: 須川美里）, Art Direction+Design（GRAPHIC）: 神谷直広（Rand）, WebGL+Front-end Engineer: 池田 亮（devdev Inc.）／https://oic-nagoya.com

03 『slow bake』グルテンフリーお菓子教室 slow bake／Direction+Design: 栗原良輔, Photo: 山口健一郎, Cording: 宮崎裕平／https://slow-bake.com

04 『山奥チョコレート日和』株式会社 森八大名閣／Art Direction: 寺田千夏（TSUGI）, Design: 室谷かおり（TSUGI）, Coding: 渡利祥太（ケアン）, Photo: 荻野 勤（Tomart -Photo Works-）／https://hiyori-morihachi.jp

05 『Beauty Lounge Rum（ラム）』Rum／金 由佳（株式会社アールイーデザイン）／https://rumvivi.com

04 エレガントで気品に満ちたデザイン

01 『Y'sデンタルクリニック』医療法人デンタルハート　Y'sデンタルクリニック／Studio Details（Direction: 北川裕紀乃, Art Direction+Design: 井出裕太, Design: 須川美里, WebGL+Front-end Engineer: 岩崎航也）, Photo: 前田耕司, Copywriting: 岩田秀紀, Model: セントラルジャパン／https://www.ys-dc.jp

02 『SOLES GAUFRETTE』BAKE Inc.／Creative Direction+Art Direction: 河野裕太朗（SWIM Inc.）／https://soles-gaufrette.com

03 『HIBIYA KADAN WEDDING 公式サイト』株式会社日比谷花壇／株式会社エムハンド／https://www.hk-wedding.jp

04 『wonde ブランドサイト』株式会社PATRA／株式会社MIMIGURI（Art Direction+Design: 吉田直記, Creative Direction+Copywriting: 大久保潤也, Consulting: 濱脇賢一, Production: 田島一生）／https://wonde.jp

05 『Funachef』株式会社おいしい食卓／芥川慶祐・繁松省吾（合同会社Rainmans）／http://www.funachef.com

05 クールで先進的なデザイン

01 『マルコ株式会社 リクルートサイト』マルコ株式会社／UNIONNET Inc.（横山幸之輔・佐々木可奈・宮本 楓）／https://www.maruko.com/corp/recruit

02 『Adacotech コーポレートサイト』株式会社 アダコテック／上田良治／https://adacotech.co.jp

03 『Helixes Inc. コーポレートサイト』Helixes Inc.／本間宣光（Garden Eight）／https://helixes.co

04 『株式会社OPExPARK コーポレートサイト』株式会社OPExPARK／Studio Details（Direction: 湊 さおり, Art Direction+Design: 野澤美菜, Design: 小倉裕香）, Front-end Engineer: 八木貴之, WebGL Development: 池田 亮（devdev Inc.）, Photo: 相川健一／https://www.opexpark.co.jp

05 『New Stories コーポレートサイト』株式会社 New Stories／本間宣光（Garden Eight）／https://newstories.jp

06 キュートで可愛いデザイン

01 『Lilionte（リリオンテ）ブランドサイト・EC』ケーツーコミュニケーション／Direction+Copywriting: 速石 光（ZIZO）, Direction: 藤田 幸（ZIZO）, Art Direction+Design: 田島 諭（ZIZO DESIGN）, Design+Illustration: 千頭絵里（ZIZO DESIGN）, Front-end Engineer: 筒井義人, Photo: 藤岡優介（ヤサシイシャシン）／https://www.choco-ne.com

02 『ピュリエット ブランドサイト』メイクアップ／齋藤洋介（株式会社東北新社）／https://www.puriette.jp

03 『IGNIS iO ブランドサイト』株式会社アルビオン／株式会社アカリ（小

山理恵・佐久間友海）／https://www.ignis.jp/io
04 『無二保育園』社会福祉法人和順福祉会／Direction+Web Design+Production: 藤原 達（しなやかデザイン）, Logo Design: STUDY LLC.／https://munihoikuen.net
05 『MARKEY'S』株式会社マーキーズ／Design: 大津 厳（THROUGH）／https://www.markeys.co.jp

07 ポップで元気あふれるデザイン

01 『FIRST SHAVE BOOK：ファーストシェイブブック』貝印株式会社／株式会社電通（Creative Direction: 川腰和徳, Art Direction: 松下仁美, Planning: 佐藤佳文・戸田健太, Copywriting: 三浦麻衣）, Illustration: 瓜生太郎, Production: 椎木 光（株式会社米）, Design: 松岡明日香, Development: 難波英介（やや株式会社）／https://www.kai-group.com/products/kamisori/product/firstshavebook.html
02 『インディーズ土産 全国デビューへの道』メルカリ／Design: 山田 繭, Coding+Animation: フコー・アクセル, Direction: 島尻智章／https://jp-news.mercari.com/localmitsukete/miyage
03 『ReDesigner 副業・フリーランス向けHP』Goodpatch／ReDesigner 事業責任者: 佐宗純, Design: 小松健太, Engineer: 高橋一樹・荒木 茂・宮應拓馬, Career Design: 宮本実咲・石原仁美・盛川貴之・中野希恵・田口和磨・石塚昌大・西山夏樹・三坂真央／https://redesigner.jp/freelance
04 『Poifull』株式会社Poifull／https://poifull.co.jp
05 『ドラえもんコラボグッズサイト』FELISSIMO／MEFILAS（Direction: 原田大地, Design: 大藤晃司, Programing: 川上直毅）／https://www.felissimo.co.jp/doraemon

08 堅実で信頼感のあるデザイン

01 『株式会社近畿地域づくりセンター コーポレートサイト』株式会社近畿地域づくりセンター／アコーダー株式会社（Web Direction: 菅原浩之, Art Direction: 有坂 慧, Web Design: 井波日向子, Account: 箱田智士, Coding: 安原佳孝）／https://kc-center.co.jp
02 『WORK STYLING』三井不動産株式会社／https://mf.workstyling.jp
03 『ENJIN Corporate site』ENJIN／Ryosuke Tomita（B&H）／https://www.y-enjin.co.jp
04 『株式会社MEIHOU コーポレートサイト』株式会社MEIHOU／菊岡未希子（Garden Eight）・本間宣光（Garden Eight）／https://www.meihou-ac.co.jp
05 『窪田塗装工業コーポレートサイト』窪田塗装工業／松並拓仁（ウィルスタイル株式会社）／https://www.kubota-paint.jp

09 クラシックで格調高いデザイン

01 https://operahouse.od.ua/
02 http://www.t-museum.jp/
03 『bar hotel 箱根香山 オフィシャルサイト』S.H.ホールディングス株式会社／Creative Direction: yukiyo ota（S.H.ホールディングス株式会社）, Art Direction: yoshio nakada（terminal Inc.）, Design: chihiro wakai（terminal Inc.）／https://www.barhotel.com
04 『暖簾 中むら コーポレートサイト』有限会社中むら／Agency: Studio KOAA inc.（Direction: Koichi Okazaki, Media Engineer: Sae Nagaosa）, Birdman Inc.（Creative Direction: Takayuki Nagai, Direction: Hidetoshi Takeyama, Art Direction: Junya Hoshikawa, Design: Shoya Ozawa, Technical Direction: Shudai Matsumoto, Front-end Engineer: Kana Fujisaki・Kyohei Yamano・Keita Tashiro, Photo: Kanta Takeuchi, Video Editing: Shota Nishimaki, Project Management: Ayami Maeda）, Back-end Engineer: Yoshihiro Isago（あ×4）, Music Production: Takuma Moriya（a-dot）, Sound Design: Fumiya Enuma／https://nakamura-inc.jp
05 『The Okura Tokyo』株式会社ホテルオークラ東京／mount inc.（Executive Creative Direction: イム ジョンホ, Creative Direction+Art Direction+Planning: 林 英和, Technical Direction: 梅津岳城, Information Architecture+Assistant: 叶野 菖, Design: 常 程, Project Management: 吉田 耕, Assistant: 芦内晴香・チェン ユウシェン）・D.FY Tokyo（Design: Saet-byeol Lee・Jiyei Shin・Mare Sawamura）, Development: 森崎健二／https://theokuratokyo.jp

10 和を感じるデザイン

01 『小山弓具 コーポレートサイト』株式会社小山弓具／highlights inc.・MEETING Inc.・snipe inc.／https://koyama-kyugu.co.jp
02 『赤坂柿山』株式会社赤坂柿山／Art Direction+Design: 前川朋徳（Hd LAB inc.）, Photo: 寺澤有雅（ARIGA pictures,Inc.）, Prop Styling: 大星道代／https://www.kakiyama.com
03 『つぐも』黒川温泉観光旅館協同組合／Art Direction: 田村祥宏（EXIT FILM inc.）, Art Direction+Design: 鈴木大輔（DOTMARKS）, Front-end Engineer: 橋香代子, Editing+Writing: 友光だんご（株式会社Huuuu）, Photo: 相川健一, Illustration: 大津萌乃, Project Management: 寺井 彩・福司伊織（EXIT FILM inc.）／https://tsugumo.jp
04 『菱岩』菱岩／大工原実里（Garden Eight）／https://hishiiwa.com
05 『佐嘉平川屋 ブランドサイト』有限会社 平川食品工業／Creative Direction: 堅田佳一（中川政七商店 / KATATA YOSHIHITO DESIGN）, Art Direction+Web Design: 中野浩明（THREE Inc.）, Development: 島倉 衛（ProntoNet Inc.）／https://saga-hirakawaya.jp/brand

11 子供向けのデザイン

01 『もぐし海のこども園 コーポレートサイト』社会福祉法人 共愛会 幼保連携型認定こども園 もぐし海のこども園／安藤曜子（株式会社モンブラン https://mont.jp）／http://mogushi.jp
02 『東京Zoovie』東京動物園協会／Direction: 馬渕直人・中村彩乃（ZIZO）, Art Direction: 前川慎司（ZIZO DESIGN）, Design+Illustration: 野尻雄太, Front-End Engineer: Jocelyn Lecamus（ZIZO DESIGN）／https://www.tokyo-zoo.net/zoovie
03 『越智歯科昭和町医院 Webサイト』越智歯科昭和町医院／株式会社エムハンド／https://ochi-dentalclinic.com
04 『妖怪ピーク』センス・オブ・ワンダー／Design+Coding: デザイン事務所ゆるり, Text: 中村佐由利, Photo: 楠 聖子／https://yokai-peek.com
05 『もりくま堂』もりくま堂／デザイン事務所ゆるり／https://morikumado.com

12 女性的な柔らかなデザイン

01 『OPERA』イミュ株式会社／菊岡未希子（Garden Eight）・利倉健太（Garden Eight）／https://www.opera-net.jp
02 『株式会社ミキヤ ブランドサイト』株式会社ミキヤ／アコーダー株式会社（Creation: 市山光一, Account: 佐藤宏樹）／https://mikiya-bag.co.jp
04 『mahae オフィシャルサイト』mahae／宮谷 俊祐・中西 愛海・米田愛（株式会社IT-Brain）／https://www.mahae.info
05 『OPERA - Romantic Edgy』イミュ株式会社／菊岡未希子（Garden Eight）・本間宣光（Garden Eight）／https://www.opera-net.jp/special/2019sep

13 男性的な力強いデザイン

01 『DeNAアスレティックエリート』株式会社ディー・エヌ・エー／株式会社ホットファクトリー（Direction+Design+Photo Direction: 西長正輝）／https://athletics.dena.com
02 『新運輸 コーポレートサイト』新運輸株式会社／亀山真櫻（株式会社モンブラン https://mont.jp）／http://arataunyu.co.jp/
03 『TORQUE Style』京セラ株式会社／株式会社ラナエクストラクティブ [RANA UNITEDグループ]（Art Direction: 秋山 洋, Design: 島田 燎）／https://torque-style.jp
04 『MEITEC』株式会社メイテック／Production: Shhh inc.（https://shhh.jp）・ロフトワーク（https://loftwork.com/jp）, Project

Management+Technical Direction: ロフトワーク, Design: 重松 佑（Shhh inc.）, Art Direction+Development: 宇都宮勝晃（Shhh inc.）, Markup Engineer+Programming: ネクストページ／https://www.meitec.co.jp
05 『レッズでんきマガジン』堀川産業株式会社／株式会社タブコード（Direction: 新田洋祐, Design: 櫻井正樹, Engineer: 村上宗統）／https://magazine.reds-denki.com

14 高級感があるデザイン
01 『ROJU ブランドサイト』YSG HOLDINGS／Creative Direction+Project Management: 苅込宗幸（sinden inc）, Web Direction+Design+Development: 三浦和紀, Video+Photo: 森 昭人／http://www.roju.jp
02 『HANGAI EYE CLINIC GINZA』HANGAI EYE CLINIC GINZA／monopo（Production: Hironori Matsumura, Creative Direction+Copywriting: Tomoki Inaguma, Art Direction+Design: Michele Angeloro, Project Management: Niiro Keita, Technical Direction: Kenta Takahashi）, Front-End Engineer+Back-end Development: Daichi Ooba, Photo: Keisuke Inoue, Hair Make: Chihiro Terakado（LUCKY no.3）／https://hangai-ginza.jp
03 https://aebeleinteriors.com/
04 『DDD HOTEL』DDD HOTEL／菊岡未希子（Garden Eight）・利倉健太（Garden Eight）／https://dddhotel.jp
05 『FRANCK MULLER オフィシャルサイト』ワールド通商株式会社／株式会社ラナエクストラクティブ（RANA UNITEDグループ）／https://franckmuller-japan.com

15 食べ物が美味しそうに見えるデザイン
01 『Happy Camper SANDWICHES 店舗サイト』株式会社HAPPY CAMPER／小栗達矢（株式会社PAG.TOKYO）／https://happycampersandwiches.com
02 『大阪発！札幌スープカレーJACK』株式会社JACK／Direction+Design+Front-end Engineer: A.Takaoka（NOxLAND）／https://nx-l.com
03 『天然食堂かふぅ 店舗サイト』天然食堂かふぅ／株式会社minamo／https://cafuu-shokudou.com
04 『フルーツ＆ブレッド サンチ』株式会社クロスダイニング／Direction: ハラヒロシ, Design: 長張由布, Photo: 阿部宣彦, Writing: 長峯 亘／http://www.sanch-gondo.jp
05 https://giganticcandy.com/

16 季節感を感じるデザイン
01 『美術館の春まつり 2021』東京国立近代美術館／Production: 曽我紗弥香, Art Direction: 飛岡綾子, Copywriting: 浅井花怜（株式会社日本デザインセンター）, Construction: BERRY'Z株式会社／https://www.momat.go.jp/am/exhibition/springfest2021
02 『夏はカルローズ！キャンペーンサイト』USAライス連合会／株式会社タクト（Design: 秋山可織, Front-end Engineer: 鈴木 彩, Back-end Engineer: 吉冨俊一郎／https://www.usarice-jp.com/summer/2020
03 『ハーゲンダッツ 秋の贅沢スイーツ』ハーゲンダッツジャパン／Agency: Wunderman Thompson Tokyo, Production: 株式会社amana（Production: 佐藤謙介・立部香奈, Planning: 後藤恭子, Art Direction+Design: 松下純玲, Web Direction: 中村 功, Copy Writing: 眞木 茜, Cording: 細川敏弘（arb）, Photo: 細見恵理）／https://www.haagen-dazs.co.jp/autumn_2021
04 『SNOWSAND』株式会社Kコンフェクト／大工原実里（Garden Eight）／https://www.snowsand.jp
05 https://www.beardpapa.jp/xmas/

PART2 配色から考えるデザイン

02 黄を基調とした配色
01 『SOCIAL TOWER MARKET』THE SOCIAL／Design: 尾花大輔, Front-end Engineer: 藤原慎也／http://socialtower.jp
02 『東京ばな奈30周年｜東京ばな奈ワールド』株式会社グレープストーン／和田真実（株式会社グレープストーン）／https://www.tokyobanana.jp/special/30th.html
03 『SEN CRANE SERVICE』千乃組 株式会社／辻 元気・齋藤高充（株式会社アールイーデザイン）／https://sencraneservice.com
04 『株式会社ラナデザインアソシエイツ リクルートサイト[Change the work.]』株式会社ラナデザインアソシエイツ（自社制作）／株式会社ラナデザインアソシエイツ[RANA UNITEDグループ]（Creative Direction: 木下謙一, Art Direction: 南部樹里絵, Design: 武田杏奈）／https://www.ranadesign.com/recruit/changethework
05 https://15years.melonfashion.ru/

03 橙を基調とした配色
01 『株式会社ディスカヴァー・トゥエンティワン 採用サイト』株式会社ディスカヴァー・トゥエンティワン／株式会社デパート／https://depart-inc.com
02 『AUR コーポレートサイト』アウル株式会社／Birdman Inc.（Creative Direction: Roy Ryo Tsukiji, Copywriting: Masaharu Miyasaka, Direction: Kei Sato, Project Management: Tamami Maekawa, Art Direction: Junya Hoshikawa, Design: Shoya Ozawa, Technical Direction+Back-end Engineer: Shudai Matsumoto, Front-end Engineer: Shunpei Torii・Keita Tashiro, Movie: Yuta Yamada）／https://www.aur.co.jp
03 『下川研究室 公式ウェブサイト』早稲田大学政治経済学術院 下川研究室／Direction+Design（Web+Logo）+Production: 藤原 達（しなやかデザイン）／https://www.waseda.jp/prj-foodecon
04 『かのペットリニック』かのペットリニック／坂井さとみ（AmotDesign）／https://www.kano-pc.com
05 https://umami-ware.com/

04 赤を基調とした配色
01 『株式会社イグニッション・エムコーポレートサイト』株式会社イグニッション・エム／山田征樹（ウィルスタイル株式会社）／https://www.ign-m.com
02 https://ironcitybeer.com/
03 『晴れ着の丸昌 七五三レンタルサイト』晴れ着の丸昌横浜店／株式会社TAM／https://premium753.com
04 『TEOTORIATTE株式会社 コーポレートサイト』TEOTORIATTE株式会社／Planning+Production: BREST株式会社, Project Management: 笹木右太, Art Direction+Design: 柴田和希／https://www.teotoriatte.info
05 『Eat & Stay とまとと』NPO法人日高わのわ会・一般社団法人nosson／Art Direction+Design: TAKATOSHI SUWAKI（STAND FOUNDATION Co.,ltd.）, Development: ZHAO YUSEN（STAND FOUNDATION Co.,ltd.）／https://tomatoto.jp

05 ピンクを基調とした配色
01 『株式会社アスカフューネラルサプライ採用サイト』株式会社アスカフューネラルサプライ／奥田峰夫（ウィルスタイル株式会社）／https://asuka-recruit.jp
02 『お顔そり美肌サロン 東京すがお』東京すがお／久保田涼子（Coco-Factory）／https://tokyosugao.com
03 『THE CAMPUS　ウェブサイト』コクヨ株式会社／Art Direction: 佐々木 拓・金井あき（コクヨ株式会社）, Web Design: セミトランスペアレント・デザイン, Motion Graphic: 井口皓太（Cekai）, Photo: Gottingham・ナカサ＆パートナーズ, Production: 安永哲郎（コクヨ株式

会社）／https://the-campus.net
04 『サハルプロダクツ Webサイト』サハルプロダクツ／Arisa ito・Rinne Urabe（サハルプロダクツ）／https://saharu.work
05 『KOREDAKE』株式会社メップル／鈴木友樹・飯田七海（株式会社メップル）／https://koredake.co.jp

06 紫を基調とした配色

01 『株式会社manebi コーポレートサイト』株式会社manebi／株式会社MIMIGURI（Art Direction+Design;Engineer: 永井大輔, Direction: 矢口泰介）／https://manebi.co.jp
02 『株式会社プラスジャム Webサイト』株式会社プラスジャム／名塚麻貴（株式会社プラスジャム）／https://plusjam.jp
03 https://www.pluto.app/
04 『BitStar コーポレートサイト』株式会社BitStar／鈴木慶太朗・宮本浩規・宮坂亜里沙（SHIFTBRAIN Inc.）／https://corp.bitstar.tokyo
05 『花見2020』株式会社セルディビジョン／三宅 舞（株式会社セルディビジョン）／https://www.celldivision.jp/hanami2020

07 青を基調とした配色

01 『商船三井テクノトレード株式会社コーポレートサイト』商船三井テクノトレード株式会社／奥田峰夫（ウィルスタイル株式会社）／https://www.motech.co.jp
02 『株式会社オカキン コーポレートサイト』株式会社オカキン／アコーダー株式会社（Art Direction: 市山光一, Web Design+Illustration: 井波日向子, Account: 佐藤宏樹, Coding: 安原佳孝）／http://www.okakin.com
03 『ARCHITEKTON（アルキテクトン）-the villa Tennoji-』ARCHITEKTON（アルキテクトン）／徳田優一（UNDERLINE）／https://architekton-villa.jp
04 『株式会社NTTデータMSE 採用サイト』株式会社NTTデータMSE／株式会社エムハ ンド／http://nttd-mse.com/recruit
05 『共進精機』共進精機株式会社／株式会社セルインタラクティブ／https://www.kyoshin-ksk.co.jp

08 緑を基調とした配色

01 『こくみん共済 coop WEBサイト』全国労働者共済生活協同組合連合会／Birdman Inc.（Creative Direction+Copywriting: Keita Makino, Creative Direction: Takayuki Nagai, Direction: Kanta Takeuchi, Art Direction: Gabriel Shiguemoto, Design: Kenichiro Tanaka, CG+Motion Design: Yuta Yamada・Ei Kou・Mizuki Sato・Ryota Asano・Makoto Naruse・Shota Nishimaki, Production: Takuma Moriya, Project Management: Ayaka Nagatomo, Account Executive: Tsubasa Onogawa）・Tohjak inc.（CG & Motion Design: Kunio Moteki・Yuko Yamada・Yuichi Kuwamori・Takana Ioka・Naruhisa Nakajima・Mitsuki Yoshida）・IMAGICA Lab.（Online Editing: Ryotaro Yasaka, Sound: Kiyoharu Matsuzaki）, Music: Ryo Nagano, Narration: Mari Yamaya／https://www.zenrosai.coop/next
02 『リンケージ コーポレートサイト』リンケージ／Editing+Direction: BAKERU, Web Design+Illustration+Coding: MABATAKI／https://linkage-inc.co.jp
03 『témamori（てまもり）』グランブルー／MEFILAS（Direction: 藤原明広, Design: 神杉遥介, Programing: 川上直毅）／https://temamori.com
04 『くらす はたらく いちはら』いちはらライフ&ワークコミッション／Production+Direction: 小川起生・小沼由衣（オープンロード合同会社）, Direction+Design（Web+Logo）+Production: 藤原 達（しなやかデザイン）, Photo: 本永創太／https://lifework-ichihara.com
05 『株式会社ユーフーズ コーポレートサイト』株式会社ユーフーズ／Design: 株式会社スピッカート, Photo: 田中将平／https://ufoods.co.jp

09 茶を基調とした配色

01 『岡山の楽器とおもちゃ製作 - mori-no-oto』mori-no-oto／Design+Movie+Photo: 鈴木人詩（ADRIATIC）, Coding+WordPress: 吉永 大（ADRIATIC）／https://mori-no-oto.com
02 『fortune台湾カステラ Webサイト』& EARL GREY／Art Direction: 古川智基（SAFARI inc.）, Design: 北川実理奈（SAFARI inc.）, Coding: 帰山いづみ, Movie: 金 成基, Photo: 関愉宇太／http://www.and-earlgrey.jp/fortune
03 『Kawazen Leather コーポレートサイト』株式会社 川善商店／Art Direction: yoshio nakada（terminal Inc.）, Design: chihiro wakai（terminal Inc.）／https://kawazen.co.jp
04 『日本初のマッシュルーム料理専門店「MUSHROOM TOKYO®（マッシュルームトーキョー）」』マッシュルームトーキョー／Design: 廣戸勇樹（益田工房）, Direction: 高田信宏／https://mushroomtokyo.com
05 『PETARI』株式会社G.M.P.／Creative Direction+Art Direction+Design: 山川立真（SHEEP DESIGN Inc.）, Photo: 田ノ岡宏明, Styling: 吉村結生／https://petari.jp

10 白やグレーを基調とした配色

01 『KARIMOKU CAT』カリモク家具株式会社／大工原実里（Garden Eight）／https://karimoku-cat.jp
02 『旅する喫茶 公式サイト』株式会社旅する喫茶 ／わたなべみき（walnut）／https://tabisurukissa.com
03 『besso』ノスタルジックカンパニー／Art Direction: 室谷かおり・新山直広（TSUGI）, Design（Logo+Sign+Web）: 室谷かおり（TSUGI）, Coding: 渡利祥太（ケアン）, Illustration: 山本いちご, Project Management+Writing: 角 舞子, Photo: TORUTOCO／https://besso-katayamazu.com
04 『株式会社永井興産コーポレートサイト』株式会社永井興産／松並拓仁（ウィルスタイル株式会社）／https://nagai-japan.co.jp
05 『JEANASIS MEDIA』株式会社アダストリア／菊岡未希子（Garden Eight）／https://www.dot-st.com/cp/jeanasis/jeanasis_media

11 黒を基調とした配色

01 『FIL - SUMI LIMITED』FIL／本間宣光（Garden Eight）／https://sumi.fillinglife.co
02 https://www.ivantoma.com/
03 『株式会社aircord コーポレートサイト』株式会社aircord／利倉健太（Garden Eight）／https://www.aircord.co.jp
04 『e-bike「KUROAD」』OpenStreet株式会社／Studio Details（Executive Creative Direction: 服部友厚, Direction: 北川パーヤン）, Art Direction+Design: 野田一輝（UNIEL ltd.）, Copywriting: 長谷川哲士（株式会社コピーライター）, Front-end Development+Interaction Design: 代島昌幸（Calmhectic inc.）／https://kuroad.com
05 『株式会社ON コーポレートサイト』ON CO.LTD.／Creative Direction: 鶴本悟之（ON CO.LTD.）, Art Direction: 田渕将吾, Design: 大谷真以（ON CO.LTD.）, Front-end Development+Back-end Engineer: 高橋智也（Orunica Inc.）, Photo: Akito Mori, Illustration: Shiho So, Animation: Hiromu Oka／https://zoccon.me

12 トーンを合わせた配色

01 『ひばりが丘こどもクリニック ウェブサイト』ひばりが丘こどもクリニック／北川ふくみ・須藤良太・森野唯・石塚竣也・佐藤夏希（株式会社Gear8）／https://hibari-child.com
02 『Heart Driven Fund』アカツキ／Executive Creative Direction: 岡村忠征（art&SCIENCE Inc.）／https://hdf.vc
03 『Eat, Play, Sleep inc. コーポレートサイト』Eat, Play, Sleep inc.／Design（Logo）: 小林誠太, Illustration: 高石瑞希, Design（Web）: 山本洋平, Implementation: おいかぜ株式会社／https://eat-play-sleep.org
04 『ていねい通販 ECサイト』ていねい通販／株式会社minamo／https://www.teinei.co.jp
05 『九谷焼の芸術祭 KUTANism 2021』クタニズム実行委員会／株式会社ノエチカ・Moog LLC.／https://kutanism.com

06 『チーズころん by BAKE CHEESE TART』BAKE INC.／Art Direction: 加藤七実（BAKE INC.）, Site Direction: 小野澤慶（BAKE INC.）, Design: 田中研一（Super Crowds inc.）, Front-end Engineer: 隅野美稀（Super Crowds inc.）／https://cheecolo.com

PART3 業種・ジャンル別から考えるデザイン

01 レストラン・カフェサイト

01 『curation』curation／Direction+Design: 栗原良輔, Photo: 山口健一郎, Cording: 桐村 学／https://curation-eat.com
02 『YAKINIKU 55 TOKYO』YAKINIKU 55 TOKYO／音田佳明（株式会社KEN OFFICE）／https://55-tokyo.com
03 『CAFE & SPACE NANAWATA』CAFE & SPACE NANAWATA／久保田涼子（Coco-Factory）／https://nanawata.com/
04 『古民家カフェ HALOCAFE～YUZURIO～ ウェブサイト』HALOCAFE／mixbeans／https://halo-cafe.com
05 『鮨処 濱 公式サイト』株式会社ダイニング・クリエイション／株式会社ナップ（河田 慎・粂川繭子・櫻井裕希）／https://www.sushi-hama.jp

02 医療・病院サイト

01 『佐藤歯科医院 Webサイト』医療法人社団神明会／株式会社リーピー（Project Management: 高橋真帆, Design: 波多野圭映, Copy Writing: 島田陽子, Front-end Engineer: 吉田真理子）／https://www.dentist-sato.com
02 『杏クリニック Webサイト』医療法人あんず会 杏クリニック／株式会社フルスケール ／http://anz-homecare.com
03 『漢方内科 けやき通り診療所』漢方内科 けやき通り診療所／Creative Direction: 酒井恭裕（51%）, Art Direction: 多保田ゆかり（51%）, Illustration: 中山信一, Copywriting: 高井友紀子（空耳カメラ）／https://www.keyaki-kampo.jp
04 『はまだ歯科・小児歯科クリニック』はまだ歯科・小児歯科クリニック／Direction+Design+Programming: y2, Photo: koji maeda（USHIRO）／https://hamada-dental.net
05 『梶川病院採用サイト』医療法人社団光仁会 梶川病院／久保田涼子（Coco-Factory）／https://kajikawa.or.jp/recruit

03 ファッションサイト

01 『newhattan』newhattan／大工原実里（Garden Eight）・利倉健太（Garden Eight）／https://newhattan.jp
02 『「FACT FASHION―真実を着る、誤解を脱ぐ。」ブランドサイト』ヤンセンファーマ株式会社／鎌田亮平・高野菜々子（SHIFTBRAIN Inc.）／https://factfashion.jp
03 https://www.tylermcgillivary.com/
04 『Daniella&GEMMA ブランドECサイト 』株式会社d.o.g／株式会社TO NINE（https://to-nine.com）／https://danigemma.com
05 『hueLe Museum｜ヒューエルミュージアム』株式会社TSI／INFOCUS（Direction: Atsushi Kaneishi, Design: Miho Nagatsuka, Front-end Engineer: Hiroyuki Goto, Project Management: Keita Yamamoto, Assistant: Wang Shuqian）／https://www.huelemuseum.com

04 美容室・エステサイト

01 『STILL hair&eyelash』STILL／佐々木 功（株式会社ノースグラフィック）／https://www.northgraphic.net
02 『美容鍼とウェルエイジング symme コーポレートサイト』symme／Planning+Production: BREST株式会社, Project Management: 笹木右太, Art Direction+Design: 柴田和希, Copywriting: 吉村亜紗子／https://symme.net
03 『ラムネ』ラムネ／sidekick/SEN（Indy）／https://lamune-kyoto.com
04 『座禅荘 NAGARA』座禅荘 NAGARA／佐合恭平・曽我理沙・稲川弘子（ディスポート株式会社）／https://www.sanko-kk.co.jp/zazensou
05 『リラクゼーションサロン・ティヨール Webサイト』株式会社リフレッシュセンター／株式会社エムハンド／https://www.tilleul-web.com

05 アートフェス・イベントサイト

01 『RISING SUN ROCK FESTIVAL 2021 in EZO』株式会社ウエス／佐々木 功（株式会社ノースグラフィック）／https://rsr.wess.co.jp/2021
02 『KYOTOGRAPHIE』KYOTOGRAPHIE／Design: 尾花大輔, Front-end Engineer: 松田翔伍／https://www.kyotographie.jp
03 『みちのおくの芸術祭 山形ビエンナーレ 2020』東北芸術工科大学／Web Direction: アイハラケンジ（東北芸術工科大学）, Art Direction+Design: アカオニ, Photo: 志鎌康平（志鎌康平写真事務所【六】）／https://biennale.tuad.ac.jp
04 http://www.forest-movie-festival.jp/
05 『会話とオーダーメイド』holo shirts.／Design: 尾花大輔, Front-end Engineer: 松田翔伍／https://kaiwatoorder.com

06 音楽サイト

01 『水曜日のカンパネラ OFFICIAL SITE』TSUBASA RECORDS／Creative Direction+Production: 山中雄介, Art Direction+Design: 田渕将吾, Development: 佐光一輝, System Engineer: 中井博章（AID-DCC Inc.）／http://www.wed-camp.com
02 『ギタリスト 廣木光一 Official Website』廣木光一／久保田涼子（Coco-Factory）／https://hirokimusic.tokyo/
03 『須田景凪 official website』須田景凪／Design: Shoji Uchiyama（Thdh.）,Markup: OSSI Inc.,Planning: .MP Inc／ https://www.tabloid0120.com
04 『中村佳穂 オフィシャルサイト』株式会社スペースシャワーネットワーク／Design: 尾花大輔, Front-end Engineer: 藤原慎也／https://nakamurakaho.com
05 『End of the World オフィシャルサイト』End of the World／Creative Direction: 和田直希（LAND inc.）, Art Direction+Design: 山口暁亨（RANA DOUBLE-O-SEVEN）, Design: 中村恵梨子（株式会社ラナデザインアソシエイツ）／https://endoftheworld.jp

07 アニメ・ゲームサイト

01 『漫画家 神尾葉子 オフィシャルサイト』リーフプロダクション／久保田涼子（Coco-Factory）／https://yokokamio.net/
02 https://www.godfall.com/
03 『BLUE PROTOCOL 公式サイト』株式会社バンダイナムコオンライン／有限会社BALCOLONY.／https://blue-protocol.com
04 『TVアニメ「SK∞ エスケーエイト」公式サイト』Aniplex Inc.／株式会社カークスヴィル／https://sk8-project.com
05 『アニメ「BURN THE WITCH」公式サイト』© 久保帯人／集英社・「BURN THE WITCH」製作委員会／株式会社ジュニ（岡村雅宏・峯藤 誠・黒図大輔・諸岡美由起・諸橋大輔・中村翔太・右近良平）／https://burn-the-witch-anime.com

08 士業サイト

01 『みなとみらい総合法律事務所 Webサイト』みなとみらい総合法律事務所／佐々木 新（ヴィス）／https://mmslaw.jp
02 『井上寧税理事務所』井上寧税理事務所／Direction+Design: 栗原良輔, Photo: 山口健一郎, Cording: 桐村 学／https://www.y-itax.com
03 『田辺法律事務所 Webサイト』田辺法律事務所／石川和久（株式会社エンクリエイト）／https://tnblaw.jp
04 『荻野鷹也税理士事務所』荻野鷹也税理士事務所／Ryosuke Tomita（B&H）／https://www.oginotax.com
05 『弁護士法人 伏見総合法律事務所 Webサイト』弁護士法人 伏見総合法律事務所／株式会社エムハンド／https://www.fushimisogo.jp

09 学校・幼稚園サイト
01 『八木ヶ谷幼稚園』八木ヶ谷幼稚園／佐合恭平・細井恵里子・久留みなみ・稲川弘子（ディスポート株式会社）／https://yakigaya.jp
02 『わかば保育園』株式会社わかばケア／Design: 株式会社スピッカート, Photo: 田中将平／https://wakabacare-hoikuen.com
03 『中央台ようちえん』中央台幼稚園／平田篤史・曽我理沙・稲川弘子（ディスポート株式会社）／https://chuodai-kindergarten.jp
04 『大阪経済法科大学』大阪経済法科大学／Vogaro株式会社／https://www.keiho-u.ac.jp
05 『高木学園附属幼稚園』学校法人高木学園／https://takagi-kids.ed.jp

10 ポートフォリオサイト
02 『yasudatakahiro.com』Takahiro Yasuda／Web Direction: Ayako Yarimizu, Design: Takahiro Yasuda／https://yasudatakahiro.com
03 『S5 Studios コーポレートサイト』S5 Studios／Interaction Direction+Design+Front-end Development: 田渕将吾, Technical Direction+Lead Front-end Development: 高橋智也（Orunica Inc.）, Sound Design: nao kakimoto, Photo（KV）: SHIN ISHIKAWA（Sketch）, Photo（Portrait）: KENICHI AIKAWA／https://www.s5-studios.com
04 『遠水 イッカン｜TOMIZU IKKAN』遠水イッカン（MNEMON / 株式会社ケセラセラ）／竹山 葵／https://ikkaaannnn.com
05 『田島太雄オフィシャルサイト』TANGRAM／homunculus Inc.／http://taotajima.jp

11 ニュース・ポータルサイト
01 『UNLEASH』株式会社インクワイア／大工原実里（Garden Eight）／https://unleashmag.com
02 『岐阜県移住定住ポータルサイト［ふふふぎふ］』岐阜県／株式会社リーピー（Project Management: 高橋真帆, Design: 倉家みな子, Copy Writing: 島田陽子, Front-end Engineer: 豊島むつみ）／https://www.gifu-iju.com
03 『ここ』株式会社マガジンハウス／Editor-in-chief: 中田一会（株式会社マガジンハウス）, Design（Logo）: 松本健一（MOTOMOTO inc）, Production: Shhh inc.（Design: 重松 佑, Development: 宇都宮勝晃）, Tempest Inc.（Front-end Engineer+Back-end Engineer: 宮前恵太・吉田麻里子）／https://co-coco.jp
04 『BEYOND ARCHITECTURE ケンチクとカルチャーを語源化するメディア』株式会社オンデザインパートナーズ／Art Direction: yoshio nakada（terminal Inc.）, Design: chihiro wakai（terminal Inc.）／https://beyondarchitecture.jp
05 『お金チップス｜お金と仕事のTIPSをサクサク検索』株式会社TIMEMACHINE／Direction: 成田龍矢（LON）, Design: ヨウ モウジュ（baqemono）, Developer: 磯 大將・齋藤高充（Re:design）, Production: 株式会社EPOCH（http://epoch-inc.jp）／https://okanechips.mei-kyu.com

12 ECサイト
01 『aiyu』有限会社 アイユー／横山洋平（y2）／https://aiyu-hasami.com
02 『高知のクラフトビールTOSACO ECサイト』合同会社高知カンパーニュブルワリー／Total Direction: 坂東真奈, Web Design+Production: 藤原 達（しなやかデザイン）, Photo: 井戸宙烈, Illustration: イワサトミキ, Copywriting: 中里篤美／https://tosaco-brewing.com
03 『UZU』株式会社フローフシ／Hidetoshi Hara（Sunny.）／https://www.uzu.team
04 『神戸元町辰屋』辰屋／mount inc.（Creative Direction: イム ジョンホ, Art Direction+Design+Planning+Information Architecture: 米道昌弘, Technical Direction+Development: 岡部健二, Development: 寺田奈々, Assistant Design: アンドレアス ブライアン ウトゥ, Project Management: 吉田 耕・柿崎 豪）, Development: 眞野東紗（nirnor inc.）, Photo+Movie: 高橋富之（azrey）／https://www.kobebeef.co.jp

13 コーポレートサイト
01 『株式会社布引コアコーポレーションコーポレートサイト』株式会社布引コアコーポレーション／奥田峰夫（ウィルスタイル株式会社）／https://www.nunob.co.jp
02 『前浜工業株式会社 コーポレートサイト』前浜工業株式会社／対馬肇・對馬由紀子・中原 亨・清水武司／https://maehama.co.jp
03 『Prored Partners』株式会社プロレド・パートナーズ／Ryosuke Tomita（B&H）／https://www.prored-p.com
04 『振興電気 リクルートサイト』振興電気株式会社／omdr Co.,Ltd.・highlights inc.／https://www.shinko-el.com/recruit
05 『AIDMA marketing Communication』株式会社アイドマ マーケティング コミュニケーション／Takada Junichi（B&H）／https://www.e-aidma.co.jp

14 スポーツ・フィットネスサイト
01 『EXPA 公式サイト』RIZAP株式会社／https://expa-official.jp
02 『NEO SPORTS KIDS Webサイト』株式会社NEO SPORTS／株式会社エムハンド／https://neo-sports.jp
03 『buddies』b-monster株式会社／藤田 遼・小見祐介（株式会社バケモノ）／https://www.buddiesapp.jp
04 『Comme Brandsite』P&O Inc／Takahashi Mitsugu・Kanayama Kentaro／https://comme.fit
05 『GYM&FUNC FIGO Webサイト』株式会社ニッケンハードウェア／株式会社エム ハンド／https://www.figo24.com

15 ランディングページ
01 『氣清流バランス＊coco-citta.のLP』coco-citta.／株式会社エムハンド／https://coco-citta.com/lp
02 『Micro Bubble Bath Unit by Rinnai』リンナイ株式会社／Ryosuke Tomita（B&H）／https://rinnai.jp/microbubble
03 『デジタルハリウッド 本科CG/VFX専攻 LP』デジタルハリウッド株式会社／及川 昇・羅 明（SHIFTBRAIN Inc.）／https://school.dhw.co.jp/p/cgvfx-lp/1708dhw
04 『家計簿プリカ B/43』株式会社スマートバンク／春山有由希・takejune／https://b43.jp

PART4 レイアウトや構図から考えるデザイン

01 グリッドレイアウト
01 『Pen Magazine International』株式会社CCCメディアハウス／株式会社ラナエクストラクティブ［RANA UNITEDグループ］（Art Direction: 小野大作）／https://pen-online.com
02 『好書好日』株式会社 朝日新聞社／株式会社ラナデザインアソシエイツ［RANA UNITEDグループ］（Design: 麻生英里・齋藤 碧）／https://book.asahi.com
03 https://www.kinfolk.com/
04 『tesio』有限会社 谷口眼／Art Direction: 新山直広（TSUGI）, Design: 室谷かおり（TSUGI）, Coding: 渡利祥太（ケアン）, Photo: 片岡杏子／https://tesio-sg.jp

02 カード・タイル型のレイアウト
01 『オーエイチアーキテクチャー Webサイト』株式会社OHArchitecture／ArtDirection+Design: 松本友理子, Web Develop: 新谷浩司（くうかい）／https://www.oharchi.com
02 『カルチャー・マガジン StoryWriter』株式会社SW／Direction/Design: 大塚啓二（HIKARINA Inc.）, Markup Engineer: Maruko Ogu（EXELLEX Inc.）, Front-end Engineer: 倉田流成（HIKARINA Inc.）／https://storywriter.tokyo
03 『城田 優オフィシャルサイト』LAND inc.／Creative Direction: 和田直希（LAND inc.）, Art Direction+Design: 山口暁亨（RANA DOUBLE-O-

SEVEN), Design: 高野佑里・中村恵梨子・吉田桃子(株式会社ラナデザインアソシエイツ)／https://shirota-yu.com
04 https://enid.fm/
05 『KAYO AOYAMA』KAYO AOYAMA／Design: 尾花大輔, Front-end Engineer: 藤原慎也／http://kayoaoyama.com

03 1カラムのレイアウト
01 『日本一ありがとうキャンペーン 特設サイト』株式会社I-ne(https://i-ne.co.jp)／株式会社I-ne(Art Direction: 宮田政子, Direction: 渡辺知子, Design: 今吉絵馬)／https://salonia.jp/campaign/shareno1
02 『KATT ポートフォリオサイト』KATT inc.／石川ヤスヒト／http://katt.co.jp
03 『santeFX』参天製薬株式会社／mount inc.(Art Direction+Planning+Design: 林 英和, Technical Direction+Development: 梅津岳城, Design Assistance+Movie Editing: 葛西 聡, Design Assistance: 常 程, Information Architecture+Project Management: 叶野 菖)／https://www.santen.co.jp/ja/healthcare/eye/products/otc/sante_fx
04 『若林佛具製作所 コーポレートサイト』株式会社若林佛具製作所／細見茂樹(neat and tidy)／https://www.wakabayashi.co.jp/project/hitotoki
05 『猿倉山ビール醸造所「ライディーンビール」ブランドサイト』／八海醸造株式会社／Direction: 江辺和彰(株式会社コンセント), Art Direction: 本間有未(株式会社コンセント)／https://www.rydeenbeer.jp

04 2カラムのレイアウト
01 『AMACO ブランドサイト』株式会社西利／合同会社バンクトゥ・島崎慎也／https://www.nishiri.co.jp/amaco
02 『Go inc. コーポレートサイト』The Breakthrough Company GO／BIRDMAN(Direction: Kei Sato, Art Direction: Junya Hoshikawa, Design: Shoya Ozawa, Technical Direction: Yosuke Fujimoto, Front-end Engineer: Kyohei Yamano・Shudai Matsumoto・Kana Fujisaki, Back-end Engineer: Masanori Nagamura, Project Management: Ayami Maeda)／https://goinc.co.jp
03 『夏限定ヘアアイロン ブランドサイト』株式会社I-ne(https://i-ne.co.jp)／株式会社I-ne(Art Direction: 宮田政子, Direction: 榎田里菜, Design: 井上敦貴, Coding: 大和隆之)／https://salonia.jp/limited/summer
04 『Serta』ドリームベット株式会社／mount inc.(Web Direction: イム ジョンホ, Direction+Information Architecture+Project Management: 叶野 菖, Art Direction+Design: 林 英和, Technical Direction: 梅津岳城, Design: アンドレアス ブライアン ウトゥ), Development: 田島真悟(Lucky Brothers & co.)／https://www.serta-japan.jp
05 『minico 紙と印刷が大好きな店主がわくわくする紙雑貨をお届けします』minico／栗林拓海／http://minico.handmade.jp

05 カラムを組み合わせたレイアウト
01 『株式会社ヴィーココーポレートサイト』株式会社ヴィーコ／奥田峰夫(ウィルスタイル株式会社)／https://vico-co.jp
02 『MIYASHITA PARK』三井不動産株式会社／Agency: 株式会社読売広告社・株式会社読広クロスコム, Production: 1→10, Inc.・highlights inc.／https://www.miyashita-park.tokyo
03 『REMIND/コーポレートサイト』株式会社リマインド／トトト・KOHIMOTO inc.／https://www.remind.co.jp
04 『楽芸工房 - RAKUGEIKOUBO』有限会社 楽芸工房／Direction: Shingo YAMASAKI, Photo: Masahiro MACHIDA, Logomark+Web Design: Saki MAESHIBA(MABATAKI, inc.), Web Coding: Tomomi ISHIKAWA(MABATAKI, inc.)／https://rakugei.jp
05 『KURASHITO』株式会社KURASHITO／UNIEL ltd.(野田一輝・服部真穂)・LIG INC.(高遠和也)・宮腰麻知子／https://kurashito.co.jp

06 フルスクリーンレイアウト
01 『CG by katachi ap』株式会社 katachi ap／DELAUNAY／https://kenchiku-cg.com
02 『焼き鳥とワイン - 源 - MOTO』デザイン・リンクス 株式会社／Art Direction: yoshio nakada(terminal Inc.), Designer: marie endo(terminal Inc.)／http://izakaya-moto.jp
03 『Yamauchi No.10 Family Office』Yamauchi No.10 Family Office／mount inc.(Creative Direction: イム ジョンホ, Art Direction+Planning+Design: 米道昌弘, Animation+Design: アンドレアス ブライアン ウトゥ, Technical Direction+Planning+Development: 梅津岳城, Project Management: 吉田 耕・柿崎 豪)／https://y-n10.com
04 『エコブレード』株式会社エコーブレード／株式会社セルインタラクティブ／https://www.eco-blade.co.jp
05 『LIGHT is TIME』CITIZEN／homunculus Inc.／https://citizen.jp/lightistime/index.html
06 『P.I.C.S. コーポレートサイト』P.I.C.S.／homunculus Inc.・代島昌幸／https://www.pics.tokyo

07 グリッドから外したレイアウト
01 『hueLe Museum | ヒューエルミュージアム』株式会社TSI／INFOCUS(Direction: Atsushi Kaneishi, Design: Miho Nagatsuka, Front-end Engineer: Hiroyuki Goto, Project Management: Keita Yamamoto, Assistant: Wang Shuqian)／https://www.huelemuseum.com
02 https://framyfashion.webflow.io/
03 『鯛のないたい焼き屋 OYOGE』OYOGE／Art Direction: 犬飼 崇(NEWTOWN), Design: 松下真由美, Image Direction: shuntaro(bird and insect), Photo: KAN(bird and insect), Retouch: Akko Noguchi(bird and insect)／https://oyogetaiyaki.com
04 『渋谷 和食割烹 やまぼうし Webサイト』渋谷 和食割烹 やまぼうし／石川和久(株式会社エンクリエイト)／https://yamaboushi.tokyo
05 『涼風庭園 コーポレートサイト』涼風庭園／株式会社エムハンド／https://suzu-kaze.jp

08 フリーレイアウト
01 『魔法部』FELISSIMO／MEFILAS(Direction: 原田大地, Design: 神杉遥介, Programming: 金納達弥)／https://felissimo.co.jp/mahoubu
03 『創立70周年記念特設サイト』日本生協連／朝日広告社・ピラミッドフィルムクアドラ, Illustration: 奥下和彦／https://jccu.coop/70th
04 『BAKE Corporate Site』BAKE INC.／BAKE INC.(Art Direction: YUMIKO KAKIZAKI, Direction: KEI ONOZAWA), Art Direction+UI Design: YASUNORI KADOKURA, Direction+UX Design: SOU NAGAI, Production: JUN KAWASHIMA(TENT), Ground(Technical Direction+Front-end Engineering: TORU KANAZAWA, Front-end Engineer: YURINA SUZUKI・DAICHI KATO)／https://bake-jp.com
05 『toridori Corporate Site』toridori Inc.／PARK(Creative Direction+Production: CREATIVE DIRECTION: TAKURO MIYOSHI, Creative Direction+Copywriting: DAISUKE TAMURA, Copywriting: SHIORI UMIMOTO), TWOTONE(Art Direction+UI Design: YASUNORI KADOKURA, Direction+UX Design: SOU NAGAI, UI Design: TAECHIBA・NOZOMI MONNA・YUKIKO IWASAKI, Motion Design: EITO TAKAHASHI, Illustration: TAKUTO KATAYAMA), Front-end Engineer: SHINGO TAJIMA(LUCKY BROTHERS & CO.)／https://toridori.co.jp

COLUMN レイアウトに取り入れたい4つの法則
近接 『SAVA!STORE』TSUGI／Art Direction: 寺田千夏(TSUGI), Design: 室谷かおり(TSUGI), Coding: 渡利祥太(ケアン), Photo: 荻野 勤(Tomart -Photo Works-)／https://savastore.jp
整列 『慶應義塾大学 FinTEKセンター』慶應義塾大学 経済学部／Agency: 株式会社電通, Production: MASKMAN Inc.・highlights inc.／http://

fintek.keio.ac.jp
反復　『KERUN』ケルンデザインオフィス／Design: 尾花大輔, Front-end Engineer: 松田翔伍／https://kerun-design.com
コントラスト　『ブルーナボンボン』／アイデス株式会社／株式会社セルインタラクティブ／https://www.idesnet.co.jp/brunabonbon

PART5 素材・フォント・プログラムを使ったデザイン

01　写真をメインに使ったデザイン

01　『LID TAILOR ブランドサイト』LID TAILOR／石川ヤスヒト／https://lidtailor.com
02　『MIKIYA TAKIMOTO』瀧本幹也写真事務所／mount inc.(Planning+Creative Direction+Art Direction: イム ジョンホ, Technical Direction+Development: 梅津岳城, Design: イム ジョンホ・吉田 結, Production+Project Management: 吉田 耕・芹澤千尋)／https://mikiyatakimoto.com
03　『AMACO CAFE 特設サイト』株式会社西利／合同会社バンクトゥ・島崎慎也／https://www.nishiri.co.jp/amaco-cafe
04　『積奏バターサンド 公式オンラインショップ』積奏／Design: 尾花大輔, Front-end Engineer: 藤原慎也／https://seki-sou.com
05　『SUPPOSE DESIGN OFFICE』SUPPOSE DESIGN OFFICE／mount inc.(Creative Direction+Art Direction+Design: イム ジョンホ, Technical Direction+Development: 梅津岳城, Planning: 芹澤千尋, Project Management: 吉田 耕, Design Assistant: 吉田 結・米道昌弘・チェン ユウシェン)／https://suppose.jp

02　切り抜き写真を使ったデザイン

01　『グラフィックマーカー ABT スペシャルサイト』株式会社 トンボ鉛筆／岩瀬 美帆子(クレイテプス株式会社 https://www.creatps.com)／https://www.tombow.com/sp/abt/products/water-based
02　『Cuccolo Cafe』合同会社フードストーリープランニングラボ／澤山亜希子・佐藤久留未(株式会社コムデザインラボ)／http://www.cucciolo-cafe.com
03　『KYOTO KOMAMEHAN こまめはん』株式会社豆富本舗／https://komamehan.jp
04　『S&B CRAFT STYLE』エスビー食品／RIDE MEDIA&DESIGN株式会社／https://www.sbfoods.co.jp/craftstyle
05　『豆乳アイス、はじめました。』マルサンアイ株式会社／アンディー・ファクトリー(Art Direction: 轟 最之, Design: 貝塚 董)／https://www.marusanai.co.jp/tonyu-ice

03　テクスチャを使ったデザイン

01　『パティスリー GIN NO MORI』銀の森コーポレーション／DENTSU INC.(Creative Direction: 鹿子木 寛, Art Direction: くぼたえみ, Copywriting: 島森奈津子, Account Executive: 松山洪文・峰岸 惇), Graphic Design: しおたにさやか・高木一矢, amana inc.(Photo: 山崎彩央, Photo Production: 錦木 稔, Retouch: 首藤智恵), Prop Styling: 永井梨佳, Interaction Direction+Web Design: 田渕将吾, Web Design: 中川美香(AID-DCC Inc.), Front-end Development+Back-end Engineer: 高橋智也(Orunica Inc.)／https://ginnomori.info/patisserie
02　『キャンプラスいいづな』株式会社シルバーバックス・プリンシパル／株式会社セルインタラクティブ／https://camplus.camp
03　『神宗 公式ホームページ』株式会社 神宗／UNIONNET Inc.(佐藤隆敏・佐々木可奈・宮下大輝・山尾拓朗)／https://kansou.co.jp
04　『さんさんほいくえん』有限会社エンゼル／Design Firm: PREO Inc.／https://sansan-nursery.com
05　『カレーワールド ウェブサイト』株式会社ピーアンドピー／水野晶仁・佐藤朝香・森野 唯・須藤良太(株式会社Gear8)／https://www.curry-world.com

04　飾りパーツを使ったデザイン

01　『御濠端幼稚園』／坂井さとみ(AmotDesign)／https://ohoribata.com
02　『にゃん賀状2022』グリーティングワークス／MEFILAS(Production: 原田大地, Direction: 福濱伸一郎, Design: 大藤晃司), Programing: 村上 誠(Caramel)／https://nenga.aisatsujo.jp/lp/nekobu
03　『179リレーションズ メディアサイト』NPO法人ezorock／北川ふくみ(株式会社Gear8)／https://179relations.net
04　『熱川バナナワニ園』株式会社 熱川バナナワニ園／Direction+Web Design+Production: 藤原 達(しなやかデザイン), Photo: 江森丈晃／http://bananawani.jp
05　『福岡医健・スポーツ専門学校 ヘルス＆ビューティー』福岡医健・スポーツ専門学校／UNIONNET Inc.(平田 希・伊勢侑紀・宮本 楓)／https://www.iken.ac.jp/girls

05　イラストを使った親しみやすいデザイン

01　『横田農場』有限会社横田農場／三宅 舞(株式会社セルディビジョン)／https://yokotanojo.co.jp
02　『和仁農園』和仁農園／Design: 尾花大輔, Front-end Engineer: 藤原慎也／http://wani-nouen.com
03　『メンタルクリニックくまぶん コーポレートサイト』メンタルクリニックくまぶん／Planning+Production: BREST株式会社, Project Management: 笹木右太, Art Direction+Design: 杉本明希恵, Copywriting: 吉村亜紗子, Illustration: 引野晶代(URAMABUTA)／https://www.kumabunclinic.com
04　『世界を変える！？ 再生可能エネルギー』ジャパン・リニューアブル・エナジー株式会社／Design+Illustration: 川野沙和・小林菜摘(株式会社ビーワークス)／https://energy.jre.co.jp
05　『栄養の日・栄養週間 2021』(公社)日本栄養士会／Art direction: yoshio nakada(terminal Inc.), Design: takuya shiomi(terminal Inc.)／https://www.nutas.jp/84

06　タイポグラフィを使ったデザイン

01　『AG&K コーポレートサイト』株式会社AG&K／有限会社ON(Art Direction: 西ノ宮範昭, Web Direction: 平田和広, Design: 服部宏輝・砂田幸代, Engineer: 谷口未来／https://ag-and-k.com
02　『groxi株式会社 コーポレートサイト』groxi株式会社／株式会社MIMIGURI(Art Direction;Design: 吉田直記, Consulting: 吉田 稔, Copywriting: 大久保潤也, Engineer: 遠藤雅俊)／https://groxi.jp
03　『ONIGUILI ウェブサイト』ONIGUILI／西村沙羊子／https://www.oniguili.jp
04　『A SLICE/ティザーサイト』株式会社AMALフラッグエステート／トトト・青木勇太／https://www.aslice.jp
05　『katakata branding ブランドサイト』株式会社MIMIGURI／株式会社MIMIGURI(Art Direction+Design: 今市達也・永井大輔, Engineer: 永井大輔)／https://katakata.don-guri.com/branding

07　動画を効果的に使ったデザイン

01　『NIPPONIA 小菅 源流の村』EDGE CO., LTD／Direction+Design+Editing & Grading+Programming: 奥田章智(tha ltd.), Video+Grading: 笹木隆幸(WHACK), Photo: 袴田和彦, Branding: 巽 奈緒子／https://nipponia-kosuge.jp
02　『コニカミノルタプラネタリウム』コニカミノルタ株式会社／株式会社セルインタラクティブ／https://planetarium.konicaminolta.jp
03　『jitto』jitto／mount inc.(Creative Direction: イム ジョンホ, Planning+Art Direction+Design: 米道昌弘, Assistant: チェン ユウシェン, Technical Direction+Development: 梅津岳城, Project Management: 吉田 耕・叶野 菖)／https://jitto.jp
04　『HERO® オンライン対面接客ツール』トランスコスモス株式会社／IN FOCUS(Web Direction: Atsushi Kaneishi, Project Management:

Keita Yamamoto, Design: Atsushi Kaneishi・Takenobu Suzuka, Technical Direction: Junichi Tomuro, Photo Direction+Writing: Yohsuke Watanabe), Programming: CREBAR FLAVOR. / https://usehero.jp

05 『The Okura Tokyo Wedding』株式会社ホテルオークラ東京/mount inc. (Executive Creative Direction: イム ジョンホ, Creative Direction+Art Direction+Planning: 林 英和, Technical Direction: 梅津岳城, Information Architecture: 叶野 菖, Project Management: 叶野 菖・吉田 耕), Design: D.FY Tokyo (Saet-byeol Lee・Mare Sawamura), Development: 森崎健二/https://theokuratokyo.jp/wedding

08 動きを持たせたデザイン

01 『キボウノアカリ』HITO-TO-HITO, INC. / EPOCH Inc.・田渕将吾・homunculus Inc.・Mount Position・WACHAJACK・cubesato/https://kibounoakari.com

02 『三菱ケミカル株式会社 採用サイト』三菱ケミカル株式会社/Agency: Paradox Corp. (Creative Direction: 竹内亮介, Art Direction: 江本祐介, Direction: 高田訓子・宮原拓也, Photo: 堺 亮太, Writing: 山縣杏), Web Production: Studio Details (Creative Direction: 海部 洋, Direction: 湊 さおり, Art Direction+Design: 井出裕太, Front-end Engineer: 岩崎航也・水澤志歩・漆島裕人・白澤 豪), Front-end Engineer: スタジオスプーン株式会社, WebGL Development: 中野美咲, Assistant: 小倉裕香/https://www.m-chemical.co.jp/saiyo

03 https://meadlight.com/en

04 『美郷町PRページ「みさとと。」』島根県美郷町/藤吉 匡・西山 順一・及川 昇・羅 明 (SHIFTBRAIN Inc.) / https://www.town.shimane-misato.lg.jp/misatoto

05 『福岡県立バーチャル美術館』福岡県立美術館/MontBlancPictures (Production+Planning+Structure: 吉田真也, Opening CG: 田村あやの), BYTHREE (Creative Direction+Art Direction: 吉田貴紀, Planning+Direction: 栗原里菜, Design: 喜田周作), Technical Direction+Development: 下村晋一 (5ive Inc.) / https://virtualmuseum.fukuoka-kenbi.jp

09 インフォグラフィックで伝えるデザイン

01 『600万口座達成特設サイト』SBI証券/DHE株式会社・株式会社俵社/https://go.sbisec.co.jp/cp/cp_6million_20210420.html

02 『デンソー採用サイト』株式会社デンソー/中川裕基 (株式会社アクアリング) / https://careers.denso.com/past-future

03 『MEJINAVI2021』目白大学/Design: 楊原珠理, Illustration: 山田繭, Coding: 普天間大輔, Animation: フコー・アクセル, Direction: 島尻智章/https://www2.mejiro.ac.jp/univ/mejinavi2021

PART6 トレンドのデザイン

01 3Dグラフィックス

01 『株式会社SmartHR コーポレートサイト』株式会社SmartHR/株式会社SmartHR (Direction: 井本大樹・宮本詩織・金森央篤・関口 裕)・株式会社MIMIGURI (Art Direction: 五味利浩, Design: 永井大輔, Consulting: 吉田 稔, Project Management: 根本紘利, Facilitation: 浅田史音, Information Architecture: : 田島一生, Engineer: 石山大輔), 3DCG Art: 小西芽衣 (Generative Art Studio) / https://smarthr.co.jp

02 『株式会社IDENTITY コーポレートサイト』株式会社IDENTITY/利倉健太 (Garden Eight) / https://identity.city

03 『NTT西日本インターンシップサイト NExT One』西日本電信電話株式会社/株式会社ワークス・ジャパン・株式会社DRAW/http://www.ntt-west-recruiting.jp/1day_intern/

04 『ORF 2019』慶應義塾大学/大工原実里 (Garden Eight)・利倉健太 (Garden Eight)・菊岡未希子 (Garden Eight) / https://orf.sfc.keio.ac.jp/2019

05 『RINGO アイスバー | ICE BAR』BAKE INC. / Art Direction: 河西宏尚 (BAKE INC.), Direction+Design+Technical Direction+Development: 小野澤慶 (BAKE INC.) / https://ringo-applepie.com/lp/icebar

02 グラスモーフィズム

01 『SIRUP - cure - Playlist Site』/Planning+Design: 谷井麻美 (tote inc.), Development: 山口国博 (tote inc.) / https://tote.design/cure
※クライアント名がないのは、アーティスト・事務所公認の自主制作のため

02 『ASUR』株式会社NODOCA/Ryosuke Tomita (B&H) / https://asur.online

03 https://leonard.agency/

04 『弥生焼酎醸造所 コーポレートサイト』弥生焼酎醸造所/株式会社SEESAW (成田博之・白尾佳也・藤井 孟・品川悠樹・徐 聖喬・永松健志) / https://www.kokuto-shouchu.co.jp

03 マイクロ・インタラクション

01 『株式会社アイ・クルール Webサイト』株式会社アイ・クルール/Project Management+Art Direction+Design: 荒川 敬 (BRIGHT inc.), Design: 伊東亜沙子・荒川 瞳 (BRIGHT inc.), Copywriting: 伊藤優果 (BRIGHT inc.), Photo: Mathieu Moindron, Design+Front-end Engineer+Back-end Engineer: Wanna/https://i-couleur.co.jp

02 『RINN コーポレートサイト』株式会社RINN/大工原実里 (Garden Eight) / https://rinn.co.jp

03 『すごい明日体感ドラマ ブランドサイト』ソフトバンク/Creative Direction+Planning: 前原哲哉 (DENTSU), Copywriting: 中里耕平 (DENTSU), Interactive Direction: 廣岡 良 (Dentsu Isobar), Production+Web Direction: 森 江里香 (1→10), Project Management: 竹石昌子 (Dentsu Isobar), Art Direction+Interaction Design: 田渕将吾, Front-end Development: 藤原義仁 (1→10)・松田翔伍・谷 郁弥, Sound Design: cubesato/https://tm.softbank.jp/sugoi_ashita

04 『maxilla』maxilla/利倉健太 (Garden Eight) / https://maxilla.jp

05 『WARC Corporate site』WARC/Stefano Cometta, Sakurada Ayasa/https://corp.warc.jp

04 ブロークングリッドレイアウト

01 『タルタルガ・tartaruga メンズ』タルタルガ・tartaruga/徳田優一 (UNDERLINE) / https://men.tartaruga.co.jp

02 『THREEUP』スリーアップ/MEFILAS (Direction: 藤原明広, Design: 福本雅博), Programing: actbe/https://three-up.co.jp

03 『くぼ歯科クリニック Webサイト』くぼ歯科クリニック/株式会社エムハンド/https://kubodnt.com

04 『医療の、原点へ。医療の、未来へ。 | クリニックフォア RECRUIT』クリニックフォア /PARK Inc.・highlights inc. / https://recruit.clinicfor.life

05 『葉山 うみのホテル UMINO HOTEL オフィシャルサイト』S.H.ホールディングス株式会社/Creative Director: yukiyo ota (S.H.ホールディングス株式会社), Art Direction: yoshio nakada (terminal Inc.), Design: marie endo・yuki shikaze (terminal Inc.) / https://www.umino-hotel.com

05 パララックス

01 『下北山村の暮らしと関わりを届ける きなりと』下北山村役場/Editing+Writing: 赤司研介 (SlowCulture), Web Design+Movie: 鈴木人詩 (ADRIATIC), Coding+Wordpress: 吉永 大 (ADRIATIC)、Photo: 都甲ユウタ, Logo Design+Illustration: 大原麗加/https://kinarito.net

02 『CITIZEN L ブランドサイト』シチズン時計株式会社/Creative Direction+Art Direction: 河野裕太朗 (SWIM INC.), Web Design: 堀之内竜太 (SWIM INC.), Copywriting: 加藤将太 (OVER THE MOUNTAIN) / https://citizen.jp/citizen_l/special/index.html

03 『Maison Cacao』メゾンカカオ株式会社/Ryosuke Tomita (B&H)

／https://maisoncacao.com
04 『POLA 2029 VISION』株式会社ポーラ／mount inc.（Art Direction: イム ジョンホ, Technical Direction+Development: 岡部健二, Design: アンドレアス ブライアン ウトゥ・葛西 聡, Development Assistant: 寺田奈々, Project Management: 叶野 菖）／https://www.pola.co.jp/wecaremore

06 鮮やかなグラデーション
01 『mint』mint／Design: 割石裕太（OH）, Engineer: 塚口祐司（RAYM DESIGN LLC.）／https://mint-vc.com
02 『31VENTURES』三井不動産株式会社／Planning: Story Design house 株式会社, Art Direction+Design: 株式会社イチゴウ／https://www.31ventures.jp
03 『CRAZY コーポレートサイト』株式会社 CRAZY／SONICJAM／https://www.crazy.co.jp
04 https://www.lpslyon.fr/
05 『TSM 4年制 特設サイト』東京スクールオブミュージック＆ダンス専門学校／UNIONNET Inc.（平田 希・佐々木可奈・髙橋侑子）／https://www.tsm.ac.jp/course/super-entertainment

07 手書き風のタイポグラフィ
01 『Glossom』Glossom株式会社／Ryosuke Tomita（B&H）／https://www.glossom.co.jp
02 『能登高留学 世界農業遺産の町で学ぶ』能登町役場 ふるさと振興課地域戦略推進室 能登高校魅力化プロジェクト／辻野 実（株式会社 SCARAMANGA）／https://notoko-ryugaku.com
03 『シャイン株式会社 コーポレートサイト』シャイン株式会社／株式会社エムハ ンド／https://shine-gr.co.jp
04 『ランニングチーム enjin' チームサイト』ランニングチーム enjin'／西開地 平／https://enjin-dash.com
05 『ESTYLE』株式会社エスタイル／Hidetoshi Hara（Sunny.）／https://estyle-inc.jp

08 流体シェイプ
01 『株式会社Roots』株式会社Roots／Direction+Web Design+Production: 藤原 達（しなやかデザイン）, Illustration: ながのまみ／https://rts.tokyo
02 『ニサンカイ オフィシャルサイト』株式会社オンデザインパートナーズ／Art Direction: yoshio nakada（terminal Inc.）, Design: marie endo（terminal Inc.）／http://nisankai.yokohama
03 http://www.iaragrinspun.com/
04 『宗教法人 善称寺 ホームページ』宗教法人 善称寺／Design: 株式会社スピッカート, Photo: 清水いつ子／https://zensho-ji.com
05 『NUANCE LAB. コスメD2C支援プラットフォーム』トリクル合同会社／terminal Inc.（Art Direction: yoshio nakada, Design: marie endo）／ https://nuance-lab.tokyo

09 アイソメトリックイラスト
01 『辻・本郷 税理士法人 採用サイト』辻・本郷 税理士法人／株式会社エムハンド／https://www.ht-tax.or.jp/recruit
02 『Auto-IDフロンティア株式会社』Auto-IDフロンティア株式会社／UNIONNET Inc.（住友正人・伊勢侑紀・宮本 楓・板垣佑大郎）／https://www.id-frontier.jp
03 『つながる科学研究所株式会社コーポレートサイト』つながる科学研究所株式会社／株式会社ジーピーオンライン（Mizuho Shukuin・Yasuhito Udaka・Ayano Mitsumori）／https://tsunaken.co.jp
04 『株式会社DRIVE LINE コーポレートサイト』株式会社DRIVE LINE／株式会社エムハンド／https://driveline.jp
05 『ジリオン コーポレートサイト』株式会社ジリオン／Design: 鈴木 賢（有限会社ウルトラワークス）／https://www.zillion.co.jp

10 レトロモダン
01 https://www.vogue.es/micros/tendencias-moda-anos-80/
02 『Future Mates "Stay Home Project"』Future Mates／Production: highlights inc., Illustration: 並河泰平・サンレモ・Shiho So・カトウトモカ・電Q・mame／http://www.future-mates.com
03 『Droptokyo オンラインマガジン』株式会社ウィークデー／Production+Design: 土田あゆみ, Front-end Development: 田渕将吾, Back-end Development: 松田敏史（レリッシャブル）／https://droptokyo.com
04 『ニュー北九州シティ』北九州市／highlights inc.・CINRA, Inc.・Thinka Studio inc.・ajsai／https://new-kitakyushu-city.com
05 『Central67 ポートフォリオサイト』Central67 ltd.／石川ヤスヒト／https://www.central67.jp

11 レスポンシブWebデザイン
01 『Tagpic』タグピク株式会社／Ryosuke Tomita（B&H）／https://tagpic.jp
02 『HOSHINOYA』株式会社星野リゾート／mount inc.（Creative Direction+Art Direction: イム ジョンホ, Production: 吉田 耕, Design: 吉田 結, Project Management Assistant: 芹澤千尋, Lead Design: 米道昌弘）, Technical Direction+HTML Coding+CMS Development: 岡部健二／https://hoshinoya.com
03 『サラウンド株式会社』サラウンド株式会社／https://www.surround.co.jp
04 『株式会社日能研関西採用サイト』株式会社日能研関西／奥田峰夫（ウィルスタイル株式会社）／https://recruit-nichinoken-kansai.jp
05 『Cacco』かっこ株式会社／Ryosuke Tomita（B&H）／https://cacco.co.jp

12 Webフォント
01 『川久ミュージアム プロモーションサイト』Karakami HOTELS & RESORTS株式会社／Web Design+Interaction Direction: 田渕将吾, Photo: 高橋一生, Logo Design: 田中堅大／https://www.museum-kawakyu.jp
02 『まるまるまるもりプロジェクト Webサイト』宮城県丸森町／株式会社ラナエクストラクティブ［RANA UNITEDグループ］（Creative Direction+Art Direction: 秋山 洋）／https://marumarumarumori.jp
03 『中村製箔所』中村製箔所／新田菜美子（株式会社 ネットワールド）／https://nakamura-seihakusho.co.jp
04 『スケッチボックスデザイン事務所 コーポレートサイト』スケッチボックスデザイン事務所／Design: 本田マミ・太田サヤカ（inemuri）, Front-end Engineer: 齊藤京之介（arris）, Photo: はま田あつ美（Rim-Rim）／https://sketchbox.jp

参考文献

・大森裕二、中山司、濱田信義、Far,Inc.(2005)『色彩デザイン見本帳』エムディエヌコーポレーション

・武川カオリ(2007)『色彩力 PANTONE (R) カラーによる配色ガイド』ピエ・ブックス

・リアトリス・アイズマン、武川カオリ(2014)『色彩センス』パイ インターナショナル

・大崎善治(2010)『タイポグラフィの基本ルーループロに学ぶ、一生枯れない永久不滅テクニックー』SBクリエイティブ株式会社

・Robin Williams (1998)『ノンデザイナーズ・デザインブック』毎日コミュニケーションズ

掲載素材

・HAUT DESSINS (2010)『FLOWERS 〜仕事で使える、花と自然の素材集〜』SBクリエイティブ株式会社

・kd factory (2010)『LACE STYLES わくわくレース素材集』SBクリエイティブ株式会社

・kd factory (2011)『和風伝統紋様素材集・雅 』SBクリエイティブ株式会社

・水野 久美(2011)『 花と雑貨の素材集』SBクリエイティブ株式会社

・岩永 茉帆、若井 美鈴、Asami (2016)『手描きイラスト＆タイポ素材集』SBクリエイティブ株式会社

執筆協力

デジタルハリウッドSTUDIO スタッフ・講師・受講生・卒業生、鴨志田京子、石垣知穂、小島千絵、照井雄太、mica、大畠昌也、中野拓、梶山シュウ、川井真裕美、津久井智子、野間寛貴、他 サポート・助言・応援をしてくださった皆さん

著者紹介

久保田 涼子（くぼた りょうこ）

1982年生まれ 広島県広島市出身。東京女子大学心理学科卒業。
「ワクワクするモノ・時間・場所を生み出す」をテーマに、もの創りを行うフリーランスクリエイター。
WEB制作ナレーター業務 Coco-Factoryの代表をつとめ、国内外のウェブサイトをトータルプロデュースする他、デジタルハリウッドSTUDIO講師としてオンライン講座や教材開発、ワークショップ開発に多数携わる。

著書：webデザイン良質見本帳（SBクリエイティブ株式会社）、動くwebデザインアイデア帳、動くwebデザインアイデア帳-実践編-（ソシム株式会社）

Webサイト：https://kubotaryoko.com/

本書のサポートページ

本書をお読みいただいたご感想、ご意見を下記URL、QRコードよりお寄せください。

https://isbn2.sbcr.jp/09092/

目的別に探せて、すぐに使えるアイデア集
Webデザイン良質見本帳［第2版］

2022年 1月 8日 初版第1刷発行
2024年 5月31日 初版第7刷発行

著　者 ……… 久保田 涼子
発行者 ……… 出井 貴完
発行所 ……… SBクリエイティブ株式会社
〒105-0001 東京都港区虎ノ門2-2-1
https://www.sbcr.jp
印刷・製本 ……… 株式会社シナノ
カバーデザイン ……… 小野 安世（株式会社細山田デザイン事務所）
本文デザイン ……… ねこひいき
制　作 ……… ファーインク
編集協力 ……… ファーインク、植田 阿希（Pont Cerise）
編　集 ……… 鈴木 勇太

落丁本、乱丁本は小社営業部にてお取り替えいたします。
定価はカバーに記載されております。

Printed in Japan ISBN 978-4-8156-0909-2